# Objectif EXPRESS 2

## Le monde professionnel en français

Anne-Lyse DUBOIS, Béatrice TAUZIN

**hachette**
FRANÇAIS LANGUE ÉTRANGÈRE

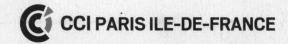
CCI PARIS ILE-DE-FRANCE

Contenus du DVD-ROM encarté dans ce livre :

- **Mes audios** : l'intégralité de l'audio du livre de l'élève
- **Mes vidéos** : 13 vidéos avec et sans sous-titres
- **Mon portfolio** : un portfolio imprimable par unité
- **Mon lexique** : un lexique multilingue sonore avec les mots des niveaux 1 et 2 d'*Objectif Express* 2e édition
- **Mes documents** :
  - ➡ des documents types : accusé de commande, bon de livraison, devis, note d'honoraires, note d'hôtel, ticket-facture
  - ➡ des documents pour les scénarios professionnels
  - ➡ des outils de référence : tableau des poids et mesures, tableau des sigles et abréviations, lexique de la finance et de la gestion de projets, précis grammatical et précis verbal

Ce pictogramme renvoie aux contenus du DVD-ROM

**Couverture :** Véronique Lefebvre
**Création du graphisme intérieur :** Véronique Lefebvre
**Mise en pages :** Anne-Danielle Naname, Juliette Lancien, Pascale Delaval
**Secrétariat d'édition :** Sarah Billecocq
**Enregistrements :** Studio Quali'sons, David Hassici
**Montages vidéos :** Onirim
**DVD-ROM :** Planet Nemo
**Illustrations :** Gabriel Rebufello (p. 14), Dominique Goubelle (p. 22 et p. 105), Lupe Granité (p. 155)
**Crédits photographiques :** p. 14 bureau © Cultura RM / Seth K. Hughes / Getty ; p. 24 © Mika / Corbis ; p. 27 © Zero Creatives / Corbis ; autres photos © Shutterstock

ISBN : 978-2-01-401575-1
© Hachette Livre 2016, 58, rue Jean Bleuzen. CS 70007. 92170 Vanves

# Avant-propos

**Objectif Express** 2e édition est une méthode pragmatique, structurée et claire permettant à un public d'apprenants en situation professionnelle ou se préparant à la vie active d'acquérir rapidement les compétences utiles pour agir en français.

Dans la suite d'**Objectif Express 1**, 2e édition, **Objectif Express 2**, 2e édition répond à des besoins immédiats et urgents d'apprentissage et se base sur les descripteurs de compétences du CECRL, en particulier ceux spécifiques aux domaines professionnel et para-professionnel. **Objectif Express 2**, 2e édition s'adresse à des personnes ayant un niveau A2+ souhaitant progresser dans le but d'atteindre le début du niveau B2.

Afin que l'apprenant parvienne rapidement à une autonomie langagière, **Objectif Express 2**, 2e édition propose :

▦ une démarche axée sur la réalisation de tâches propres au monde du travail et dont le contexte est clairement identifié, permettant à l'apprenant d'exercer ses propres compétences professionnelles tout en apprenant le français

▦ le développement équilibré des aptitudes langagières à l'oral et à l'écrit, en réception et en expression grâce notamment à la complémentarité des activités langagières

▦ un parcours d'apprentissage ancré dans le concret grâce à des tâches visant l'acquisition de savoirs et de savoir-faire (**Réalisez la tâche**), à des tâches de transfert des nouveaux acquis (**Passez à l'action**) et un scénario professionnel toutes les 3 unités favorisant la mobilisation de tous les acquis et de toutes les compétences (compétences communicatives langagières, compétences générales, compétences pratiques professionnelles)

▦ l'acquisition de **repères professionnels** utiles pour agir avec efficacité

▦ des activités réflexives permettant l'enrichissement du savoir socioculturel et le développement de la prise de conscience **interculturelle**

▦ des ressources multiples :
→ un relevé d'énoncés réutilisables en situation professionnelle (**Retenez**) et un **mémento des actes de parole** en fin d'ouvrage
→ des pavés de vocabulaire thématique (**Retenez**)
→ des points de **grammaire** organisés dans des tableaux synthétiques afin d'en faciliter la compréhension
→ des **exercices** de morpho-syntaxe pour développer la compétence grammaticale
→ des **tableaux de conjugaison** en fin d'ouvrage

**Objectif Express 2**, 2e édition, c'est également un **dispositif d'évaluation complet** avec :
→ des pages **Testez-vous** pour s'auto-évaluer et pour se préparer efficacement au Diplôme de français professionnel – Affaires de la CCI Paris Île-de-France niveau B1
→ des **bilans** dans le guide pédagogique pour des évaluations en classe à la fin de chaque unité
→ un **portfolio** imprimable dans le DVD-ROM

La méthode s'accompagne d'un DVD-ROM très complet avec l'audio élève, des vidéos, un portfolio, un lexique multilingue interactif, des documents complémentaires.

Véritable sésame pour l'enseignement et pour l'apprentissage du français en situation professionnelle, **Objectif Express 2**, 2e édition, ouvre les portes à des emplois, accélère les parcours professionnels et contribue au succès de tous les professionnels convaincus que le français est une force !

Marianne CONDE SALAZAR
Directrice des relations internationales de l'enseignement et du Centre de langue française
Chambre de Commerce et d'Industrie Paris Île-de-France

# TABLEAU DES CONTENUS

| Unité | Tâches visées | Compétences fonctionnelles |
|---|---|---|
| **1** (A2) **Rencontrez vos nouveaux collaborateurs** | • faire connaissance avec de nouveaux collaborateurs<br>• faire un bilan simple de votre premier mois de travail<br>• présenter les locaux de votre entreprise<br>• échanger des conseils pour une bonne intégration dans l'entreprise | • présenter des relations de travail<br>• décrire une fonction / une mission<br>• exprimer votre satisfaction<br>• indiquer des tâches passées ou en cours<br>• parler de vos collègues<br>• indiquer l'emplacement d'un bureau |
| **2** (A2) **Faites connaître vos produits et services** | • décrire un outil informatique ou un téléphone<br>• promouvoir un produit / un service<br>• raconter l'historique d'une entreprise, d'un produit, d'un service<br>• faire une proposition de service | • décrire des caractéristiques et des fonctionnalités<br>• exprimer un besoin<br>• décrire un excellent service<br>• indiquer des critères d'excellence<br>• raconter un historique |
| **3** (A2) **Organisez votre travail** | • prendre des rendez-vous et les planifier<br>• présenter votre organisation au travail<br>• discuter de problèmes ou de difficultés d'organisation au travail<br>• interagir en réunion et rédiger un compte rendu de réunion simple | • suggérer / accepter un rendez-vous<br>• indiquer un empêchement<br>• formuler un souhait<br>• donner des explications<br>• exprimer la surprise<br>• décrire votre gestion du temps<br>• expliquer votre organisation au travail |

**Scénario professionnel 1**    JOURNÉE D'INTÉGRATION

| Unité | Tâches visées | Compétences fonctionnelles |
|---|---|---|
| **4** (B1) **Vendez vos produits et services** | • réaliser une enquête / un sondage<br>• mener un entretien de vente<br>• échanger sur des conditions de vente<br>• présenter un nouveau produit | • interroger à propos des usages d'un objet<br>• indiquer des objectifs<br>• décrire des problèmes informatiques<br>• inciter / convaincre<br>• formuler des réticences<br>• exprimer une opposition / une objection<br>• répondre à des objections<br>• reporter une décision<br>• décrire un processus de vente en ligne |
| **5** (B1) **Partez à l'international** | • parler d'un parcours professionnel et faire part de motivations<br>• parler d'un mode d'organisation<br>• réagir lors d'un problème<br>• rendre compte d'une mission | • exprimer une volonté / un souhait<br>• indiquer des motivations professionnelles<br>• donner des indications de durée<br>• faire des recommandations<br>• signaler des difficultés possibles<br>• exprimer le but d'une action<br>• préciser la manière de faire<br>• indiquer des situations hypothétiques |
| **6** (B1) **Participez à des événements professionnels** | • échanger à propos d'un événement professionnel et de son organisation<br>• inviter à un événement professionnel<br>• faire un discours simple<br>• faire le bilan simple d'un événement professionnel | • préciser les rôles de chacun<br>• décrire des actions à venir<br>• indiquer des intentions<br>• formuler une invitation / un vœu<br>• donner des indications sur le lieu / le moment / le thème / le programme d'un événement |

**Scénario professionnel 2**    PROSPECTION

| à acquérir / développer | Outils linguistiques | Repères professionnels Repères (inter)culturels |
|---|---|---|
| • évoquer des changements récents<br>• exprimer la nécessité<br>• donner votre opinion<br>• formuler une hypothèse<br>• conseiller | • l'impératif (rappel)<br>• le présent de l'indicatif (rappel)<br>• le présent continu et le futur proche (rappel)<br>• le passé composé (rappel)<br>• l'imparfait (rappel)<br>• le passé récent (rappel)<br>• les pronoms possessifs<br>• les expressions impersonnelles suivies de l'infinitif | • Comment les Français vivent-ils au bureau ?<br>• Manières d'être<br>• Comment saluer ? *Tu ou vous* ? |
| • questionner sur une création d'entreprise<br>• détailler un programme de voyage<br>• vanter les attraits d'un lieu<br>• informer sur des actions à venir<br>• proposer des services<br>• exprimer un souhait | • les pronoms compléments *en* et *y*<br>• les superlatifs<br>• le passé composé et l'imparfait<br>• l'adjectif indéfini *tout*<br>• le futur proche et le futur simple<br>• les pronoms relatifs *qui, que, où*<br>• les adjectifs qualificatifs à la bonne place | • Bien rédiger ses courriels professionnels<br>• La messagerie électronique et vous<br>• Les e-mails professionnels |
| • exprimer des difficultés<br>• suggérer des solutions<br>• présenter un déroulement<br>• échanger en réunion<br>• rapporter des paroles<br>• relater des faits passés | • le conditionnel présent<br>• l'expression de la cause<br>• les pronoms indéfinis : *quelqu'un / personne, quelque chose / rien*<br>• l'hypothèse : *si* + imparfait + conditionnel présent<br>• le discours indirect au présent<br>• le plus-que-parfait | • Bien rédiger un compte rendu de réunion<br>• Les réunions |
| • formuler une promesse / un engagement<br>• signaler des problèmes concernant des articles<br>• interroger sur des conditions de vente en ligne<br>• demander un rappel téléphonique<br>• vanter les caractéristiques spécifiques d'un produit<br>• préciser des actions<br>• exprimer des nécessités | • l'interrogation à la forme soutenue<br>• le pronom relatif *dont*<br>• la voix passive<br>• le subjonctif présent<br>• les adverbes en *–ment* | • Comprendre une facture<br>• Les comportements d'achats |
| • indiquer votre mécontentement<br>• décrire des problèmes en déplacement<br>• parler d'indemnisation<br>• décrire des conséquences<br>• relater des faits passés<br>• féliciter / exprimer votre satisfaction<br>• exprimer votre opinion<br>• insister | • le subjonctif présent et l'infinitif dans l'expression du souhait<br>• l'expression de la durée et du but<br>• l'accord du participe passé avec le verbe *avoir* et les pronoms COD<br>• le gérondif<br>• l'expression de la conséquence<br>• les temps du passé (rappel) | • Comment bien rédiger une lettre de réclamation ?<br>• Réussir ses contacts à l'international |
| • demander une confirmation de présence<br>• exprimer des sentiments<br>• justifier une action<br>• annoncer des réussites professionnelles<br>• décrire des choix prioritaires<br>• donner / commenter des chiffres / des données économiques / un bilan | • *quand, lorsque, une fois que, dès, dès que, aussitôt que, à partir de*<br>• le futur antérieur<br>• les pronoms compléments (rappel)<br>• le subjonctif présent et l'infinitif pour l'expression des sentiments<br>• le participe présent | • Comment bien rédiger une note d'information ou de service ?<br>• L'art de trinquer |

# TABLEAU DES CONTENUS

| Unité | Tâches visées | Compétences fonctionnelles |
|---|---|---|
| **7** (B1) Travaillez en collaboration | • participer à un remue-méninges<br>• travailler sur un document partagé<br>• planifier / élaborer un planning en concertation<br>• échanger sur l'organisation au travail | • inciter quelqu'un à faire part de ses idées<br>• proposer une idée<br>• donner votre opinion<br>• vous expliquer ou reformuler vos propos<br>• faire un retour positif<br>• suggérer des modifications<br>• décrire un arrangement<br>• indiquer des périodes de congés |
| **8** (B1) Gérez les ressources humaines | • discuter d'un contrat de travail<br>• interagir lors d'un différend<br>• participer à un entretien d'évaluation<br>• échanger à propos d'une démission | • préciser les caractéristiques d'un contrat<br>• décrire une clause de mobilité<br>• indiquer des points de désaccord<br>• décrire un salaire et des avantages financiers<br>• conseiller la vigilance<br>• formuler des préférences<br>• indiquer l'importance<br>• demander un avis<br>• introduire des explications ou des exemples<br>• exprimer son exaspération |
| **9** (B1) Traitez des litiges | • recevoir des clients mécontents<br>• faire des réclamations / rédiger un courrier de réclamation<br>• gérer une réclamation<br>• conseiller à propos de problèmes de paiement | • proposer de l'aide<br>• indiquer des conditions de vente<br>• exprimer votre mécontentement<br>• indiquer une recherche de solution<br>• proposer un arrangement<br>• faire référence à un document / un événement<br>• expliquer les motifs d'une réclamation<br>• rappeler des engagements pris<br>• demander une suite |

## Scénario professionnel 3 — DÉMÉNAGEMENT PROFESSIONNEL

| Unité | Tâches visées | Compétences fonctionnelles |
|---|---|---|
| **10** (B1) Participez à des projets | • décrire les missions et le profil d'un chef de projet<br>• interagir dans une réunion d'avancement de projet / de cadrage<br>• rédiger une note de cadrage / un cahier des charges<br>• pointer des problèmes et proposer des solutions correctives | • décrire des fonctions d'encadrement<br>• nommer les étapes d'un projet<br>• définir un profil recherché<br>• interroger sur des besoins<br>• décrire une situation problématique<br>• indiquer une bonne compréhension<br>• donner la parole<br>• parler de l'état d'avancement d'un projet |
| **11** (B2) Informez / Informez-vous | • échanger à propos d'un conflit social<br>• comprendre / communiquer des informations du domaine économique ou de l'entreprise<br>• participer à une discussion ou un débat<br>• faire un exposé | • décrire un conflit social<br>• exprimer la colère / l'exaspération<br>• menacer<br>• exprimer la détermination<br>• exprimer une intention / non intention<br>• rapporter une information non confirmée<br>• citer les auteurs d'une information<br>• indiquer des actions concrètes<br>• donner des éléments d'un parcours / profil professionnel |
| **12** (B2) Rendez compte | • exposer la situation économique d'une entreprise<br>• rédiger un compte rendu d'audit<br>• faire le bilan des activités d'une entreprise<br>• échanger à propos d'une formation | • indiquer un succès<br>• pointer des problèmes économiques<br>• décrire une situation préoccupante<br>• faire part de projets de développement<br>• indiquer des objectifs commerciaux<br>• admettre ou contester<br>• pointer des dysfonctionnements<br>• décrire des points satisfaisants<br>• annoncer des résultats dans un rapport d'activités |

## Scénario professionnel 4 — PROJET HUMANITAIRE

| à acquérir / développer | Outils linguistiques | Repères professionnels<br>Repères (inter)culturels |
|---|---|---|
| • formuler des oppositions<br>• décrire des problèmes d'organisation<br>• approuver<br>• exprimer votre désarroi<br>• décrire de votre ressenti<br>• indiquer des contradictions | • l'adjectif indéfini *autre*<br>• l'indicatif et le subjonctif pour exprimer une opinion<br>• *ce qui, ce que, ce dont*<br>• l'adverbe *bien*<br>• l'expression de l'opposition<br>• l'expression de la concession | • Les congés en France<br>• Avez-vous l'esprit d'équipe ? |
| • faire des reproches<br>• faire des suppositions<br>• interroger sur les objectifs<br>• indiquer une réserve<br>• décrire des qualités professionnelles<br>• faire des hypothèses sur une situation passée<br>• décrire une situation de travail difficile<br>• rapporter des paroles<br>• exprimer l'empathie<br>• décrire les conditions d'une démission | • les pronoms relatifs composés<br>• les pronoms démonstratifs neutres *ce* et *cela*<br>• le conditionnel passé<br>• l'expression de l'hypothèse passée<br>• le discours indirect au passé | • Le bulletin de paie<br>• L'entretien d'évaluation |
| • demander réparation<br>• exprimer l'intérêt porté à une demande<br>• indiquer la prise en compte d'un problème<br>• présenter des excuses<br>• exprimer l'espoir de garder de bonnes relations<br>• suggérer des solutions<br>• décrire des situations prévisibles<br>• indiquer une urgence<br>• indiquer la durée d'une action | • le subjonctif avec les expressions impersonnelles<br>• les doubles pronoms compléments<br>• l'infinitif passé<br>• les pronoms démonstratifs<br>• les indicateurs de temps : *tant que, jusqu'*à *ce que, jusqu'au moment où* | • Comment présenter une lettre commerciale française ?<br>• Joindre le geste à la parole |
| • indiquer l'intensité<br>• indiquer des contraintes / des obstacles<br>• s'opposer à la proposition de quelqu'un<br>• exprimer une convergence de point de vue<br>• exprimer la déception et le regret<br>• formuler des hypotheses<br>• apporter des précisions et des explications | • le subjonctif passé<br>• le subjonctif dans les propositions relatives<br>• la restriction *ne... que*<br>• *de plus en plus / de moins en moins*<br>• l'expression de l'intensité<br>• l'expression de l'hypothèse avec le conditionnel present / passé (synthèse) | • Le rapport et le compte rendu<br>• Le management à la française |
| • annoncer un plan, un déroulement<br>• décrire un processus<br>• définir / expliquer<br>• introduire une information complémentaire<br>• donner la parole dans une réunion formelle<br>• justifier une décision / un choix<br>• souligner une opposition / des critiques<br>• exprimer la crainte / l'inquiétude | • les prépositions (synthèse)<br>• la nominalisation<br>• le passé simple (sensibilisation)<br>• les connecteurs du discours<br>• l'expression de la concession (suite) | • La représentation des salariés dans les entreprises françaises<br>• La consommation collaborative |
| • commenter des chiffres<br>• indiquer des quantités non chiffrées<br>• faire part d'événements / de projets commerciaux<br>• indiquer la finalité d'une formation<br>• apporter des précisions<br>• formuler des réserves<br>• exprimer des degrés de probabilité | • la négation avec les préfixes privatifs<br>• le participe passé des verbes pronominaux<br>• les expressions de quantité<br>• le subjonctif et l'indicatif dans les degrés de probabilité<br>• l'adjectif verbal et le participe présent | • Les principales formes juridiques des entreprises françaises<br>• La formation en France |

# **Rencontrez** vos nouveaux collaborateurs

## Pour être **capable de/d'**

〉 **faire connaissance avec de nouveaux collaborateurs**
〉 **faire un bilan simple de votre premier mois de travail**
〉 **présenter les locaux de votre entreprise**
〉 **échanger des conseils pour une bonne intégration dans l'entreprise**

## Vous allez **apprendre à**

〉 présenter des relations de travail
〉 décrire une fonction / une mission
〉 exprimer votre satisfaction
〉 indiquer des tâches passées ou en cours
〉 parler de vos collègues
〉 indiquer l'emplacement d'un bureau
〉 évoquer des changements récents
〉 exprimer la nécessité
〉 donner votre opinion
〉 formuler une hypothèse
〉 conseiller

## Vous allez **utiliser**

〉 l'impératif (rappel)
〉 le présent de l'indicatif (rappel)
〉 le présent continu et le futur proche (rappel)
〉 le passé composé (rappel)
〉 les pronoms possessifs
〉 l'imparfait (rappel)
〉 le passé récent (rappel)
〉 les expressions impersonnelles suivies de l'infinitif

Mes vidéos ▸ Découvrez la menuiserie Reveau

# A Bienvenue !

Vous travaillez pour un site de recrutement et vous devez effectuer la mise à jour de la page d'annonces de stages.

**Écoutez la conversation entre un de vos clients et son nouveau stagiaire puis sélectionnez l'annonce qui n'est plus d'actualité.**

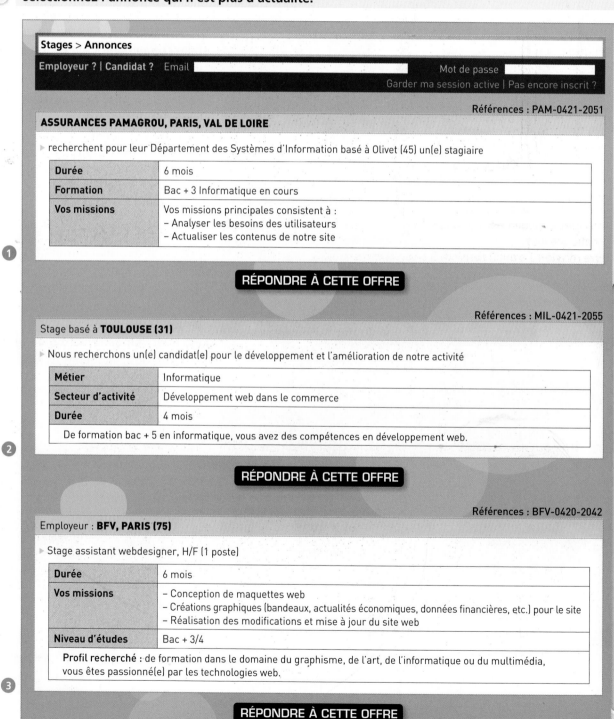

**Stages > Annonces**

**Employeur ? | Candidat ?**  Email [                    ]   Mot de passe [            ]

Garder ma session active | Pas encore inscrit ?

Références : PAM-0421-2051

**ASSURANCES PAMAGROU, PARIS, VAL DE LOIRE**

▸ recherchent pour leur Département des Systèmes d'Information basé à Olivet (45) un(e) stagiaire

| Durée | 6 mois |
|---|---|
| Formation | Bac + 3 Informatique en cours |
| Vos missions | Vos missions principales consistent à : <br> – Analyser les besoins des utilisateurs <br> – Actualiser les contenus de notre site |

**①**

**RÉPONDRE À CETTE OFFRE**

Références : MIL-0421-2055

Stage basé à **TOULOUSE (31)**

▸ Nous recherchons un(e) candidat(e) pour le développement et l'amélioration de notre activité

| Métier | Informatique |
|---|---|
| Secteur d'activité | Développement web dans le commerce |
| Durée | 4 mois |

De formation bac + 5 en informatique, vous avez des compétences en développement web.

**②**

**RÉPONDRE À CETTE OFFRE**

Références : BFV-0420-2042

Employeur : **BFV, PARIS (75)**

▸ Stage assistant webdesigner, H/F (1 poste)

| Durée | 6 mois |
|---|---|
| Vos missions | – Conception de maquettes web <br> – Créations graphiques (bandeaux, actualités économiques, données financières, etc.) pour le site <br> – Réalisation des modifications et mise à jour du site web |
| Niveau d'études | Bac + 3/4 |

Profil recherché : de formation dans le domaine du graphisme, de l'art, de l'informatique ou du multimédia, vous êtes passionné(e) par les technologies web.

**③**

**RÉPONDRE À CETTE OFFRE**

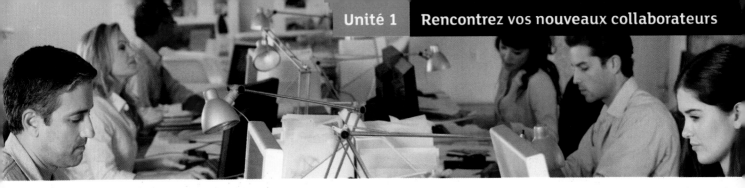

## 2 Retenez

**Pour interpeller / attirer l'attention de quelqu'un ou interrompre quelqu'un qui est occupé :**
Excusez-moi.
Excusez-moi de vous déranger / interrompre.
Au fait…

**Pour présenter des collaborateurs :**
Je te présente Sergio Paolini, notre nouveau stagiaire.
Sylvia Fabre est notre webmaster.

**Pour indiquer une fonction / une mission :**
**Nous avons besoin de** vous pour le développement de notre site web.
**Votre mission / travail consiste à** analyser les besoins des utilisateurs.
**Vos missions :** conception de maquettes et créations graphiques.

**Pour accueillir quelqu'un :**
Bienvenue chez / parmi nous !
Bienvenue dans l'équipe !

**Pour répondre à des présentations :**
Enchanté.
Ravi(e) / Heureux(se) de vous connaître / de faire votre connaissance / de vous rencontrer.

**Des tâches professionnelles**
une actualisation / actualiser
une analyse / analyser
une conception / concevoir
une création / créer
un développement / développer
une mise à jour / mettre à jour
une modification / modifier
une organisation / organiser
une réalisation / réaliser

## 3 Passez à l'action

1. Nouveau / Nouvelle collègue.
**Un nouveau collaborateur / Une nouvelle collaboratrice arrive dans votre entreprise.**
**Vous lisez la fiche correspondant à son embauche. Vous le / la présentez à d'autres collègues.**

### Assistant RH

| Domaine |
| --- |
| Ressources humaines / Gestion du personnel |

| Missions |
| --- |

▶ **Démarches administratives :**
  – Rédaction des contrats de travail
  – Gestion des visites médicales et des arrêts maladies

▶ **Élaboration de la paie**

2. Offre de stage.
**Vous recherchez un(e) stagiaire pour votre service. Vous rédigez une annonce à faire paraître sur votre site. Vous indiquez le métier et / ou le secteur d'activité, la durée du stage, les missions.**

# B C'est parfait !

**1** **Réalisez la tâche** ◉ Mes audios ▶ 02

Vous êtes assistant(e) RH[1] dans une entreprise de production de pièces automobiles.
La RRH[2] fait le point avec le nouveau responsable Qualité Sécurité Environnement (QSE).
Vous assistez à l'entretien et vous êtes chargé(e) de compléter le compte rendu.

**Écoutez l'entretien et complétez le compte rendu (notez les tâches à l'infinitif).**

---

### COMPTE RENDU ENTRETIEN RESPONSABLE QSE

Date : ( 21 avril )      RRH : ( Mme Berger )

Nom du salarié : ( M. Mavropoulos )      ( Entretien du 21 avril )

**A. Tâches réalisées :**

_____
_____
_____
_____
_____
_____

**B. Tâches en cours :**

_____
_____
_____
_____
_____

**C. Tâches à faire :**

_____
_____
_____
_____
_____

**D. Observations du salarié (relation avec les collègues, avis sur le travail, etc.) :**

_____
_____
_____
_____
_____
_____

---

**1.** Ressources humaines
**2.** Responsable des ressources humaines

## 2 Retenez

**Pour faire un bilan /
demander des nouvelles :**
Tout se passe bien ?
Ça s'est bien passé ?
Et comment ça se passe avec vos collègues ?

**Pour indiquer des tâches en cours :**
**Je suis en train de** contrôler les procédures.
**Je vérifie** le respect des normes de sécurité.
**Nous sommes en train de** faire / rédiger un compte -
rendu.
(→ **voir Outils linguistiques, 3 p. 18**)

**Pour exprimer sa satisfaction :**
C'est parfait !
Je suis très content(e).
Je fais un travail intéressant.
Ça se passe très bien !
Je suis ravi(e) pour vous !

**Pour rapporter des actions passées :**
**Je suis déjà allé** deux fois à Chambéry.
**J'ai noté** des problèmes de sécurité.
**J'ai préparé** un dossier.
**Nous avons rencontré** les chefs de service.
(→ **voir Outils linguistiques, 4 p. 18**)

**Pour parler de ses collègues :**
Ils sont **sympathiques**.
Ils sont très **compétents**.
**Je m'entends bien avec** Jean-Michel.

**Des tâches professionnelles**
contrôler / vérifier des procédures
discuter d'un problème
faire un rapport
noter des problèmes
préparer un dossier
rédiger un compte rendu
visiter un site / une usine / un chantier
voir / rencontrer un(e) collègue / collaborateur(trice)

## 3 Passez à l'action

**1. Premier bilan.**
**Vous travaillez depuis un mois dans une entreprise. Vous rencontrez le / la RRH et vous faites le bilan
de ce premier mois.**

### VOUS

- Vous expliquez les tâches réalisées
  ou en cours.
- Vous exprimez votre satisfaction.
- Vous parlez de vos collègues.

### LE / LA RESPONSABLE DES RESSOURCES HUMAINES

- Il / Elle vous demande des nouvelles.
- Il / Elle vous interroge sur votre travail, vos collègues.
- Il / Elle vous pose des questions sur vos tâches passées
  ou en cours.
- Il / Elle exprime sa satisfaction.

**2. Quelques nouvelles.**
**Votre premier jour de travail est terminé. Vous envoyez un mail à un(e) ami(e) et vous racontez
vos premières impressions (travail, collègues, chef…).**

# C Nouveau bureau

  Vous travaillez chez Marcoutin. Il y a eu un réagencement des bureaux et vous êtes chargé(e) de préparer un plan pour la personne qui va placer les étiquettes sur les portes.

**1. Écoutez la conversation entre le nouveau responsable technique et la responsable RH et indiquez sur le plan où se situent les différents collaborateurs et salles de réunion.**

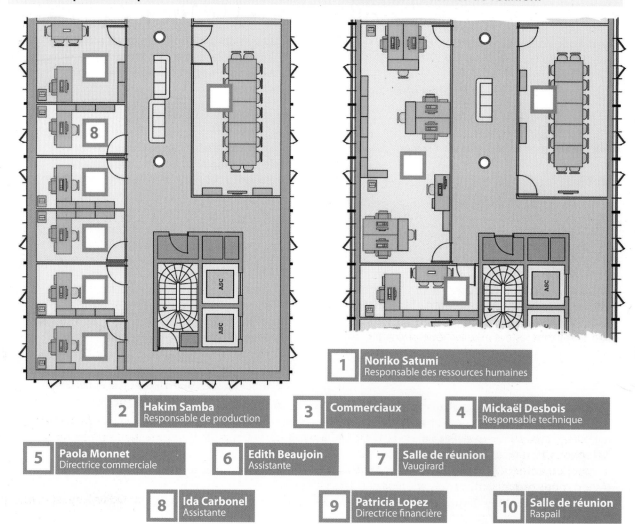

| 1 | **Noriko Satumi** Responsable des ressources humaines |

| 2 | **Hakim Samba** Responsable de production | | 3 | **Commerciaux** | | 4 | **Mickaël Desbois** Responsable technique |

| 5 | **Paola Monnet** Directrice commerciale | | 6 | **Edith Beaujoin** Assistante | | 7 | **Salle de réunion** Vaugirard |

| 8 | **Ida Carbonel** Assistante | | 9 | **Patricia Lopez** Directrice financière | | 10 | **Salle de réunion** Raspail |

 **2. Vous rencontrez un(e) ami(e). Il / Elle vous interroge à propos de votre travail.**
Parlez des nouveaux bureaux chez Marcoutin : décrivez les nouveaux locaux et précisez toutes les améliorations faites. Montrez et commentez les photos que vous avez prises avec votre téléphone.

## 2  Retenez

**Pour indiquer l'emplacement d'un bureau :**
Je vous montre votre bureau. **Il n'est pas très loin du mien.**
**Ici**, c'est le bureau de mon assistante. **Ensuite, il y a** le bureau de la directrice financière puis celui de son assistante.
**Le vôtre se trouve juste après.**
**Il est au bout du couloir.**

**Pour évoquer des changements récents :**
**Nous venons de** réaménager tout le service.
**On vient** tout juste **d'**installer votre ordinateur.

(→ **voir Outils linguistiques, 7 p. 19**)

**Pour décrire une situation ou des habitudes ancienne(s) :**
**Nos bureaux étaient** sur un seul étage. **Nous étions** deux ou trois par bureau. Moi, par exemple, **je partageais** un bureau avec un collègue. **C'était** bruyant. **On ne pouvait pas** se concentrer surtout quand **l'un de nous téléphonait ou recevait** quelqu'un / un visiteur.
En plus, **on entendait** tout… **On ne travaillait** vraiment pas dans de bonnes conditions.
**Avant, nous organisions** parfois nos réunions dans les bureaux.

(→ **voir Outils linguistiques, 6 p. 19**)

## 3  Passez à l'action

**1. Mon super poste.**
Vous venez de commencer un nouvel emploi et vous êtes très satisfait(e). Vous annoncez la nouvelle par mail à un(e) ami(e). Vous décrivez les changements par rapport à votre ancien emploi. Vous parlez de votre poste, des locaux, des collègues, des conditions de travail, etc.

**2. Inauguration.**
C'est l'inauguration de vos nouveaux locaux. Vous faites une visite guidée des lieux et vous expliquez ce qui a changé.

# D Une intégration réussie

Vous travaillez pour une revue professionnelle. Un collègue a rédigé des conseils pour une fiche pratique qui paraîtra dans la prochaine édition. Vous devez finaliser son travail.

**Lisez les conseils et trouvez un titre pour chaque paragraphe.**
**Sélectionnez deux illustrations parmi les cinq que vous avez dans votre dossier « Images ».**

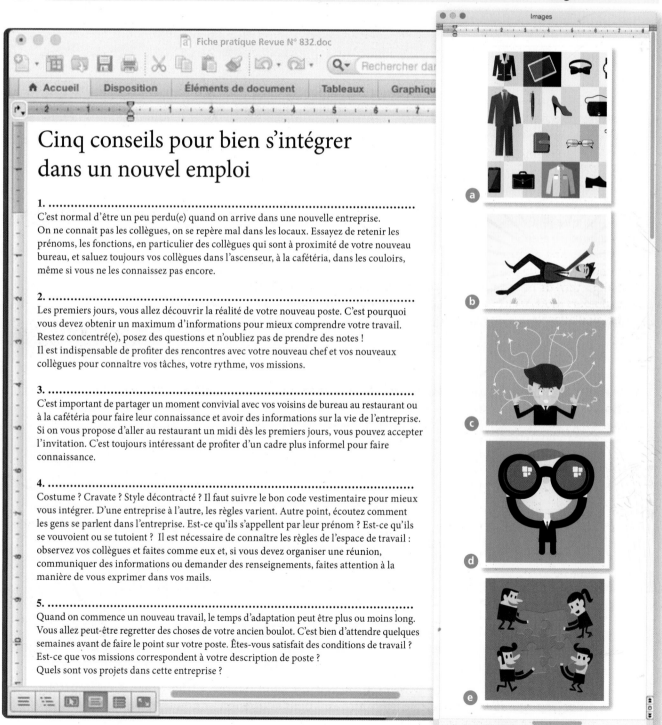

Fiche pratique Revue N° 832.doc

Accueil   Disposition   Éléments de document   Tableaux   Graphiqu

## Cinq conseils pour bien s'intégrer dans un nouvel emploi

**1. .........................................................**

C'est normal d'être un peu perdu(e) quand on arrive dans une nouvelle entreprise.
On ne connaît pas les collègues, on se repère mal dans les locaux. Essayez de retenir les prénoms, les fonctions, en particulier des collègues qui sont à proximité de votre nouveau bureau, et saluez toujours vos collègues dans l'ascenseur, à la cafétéria, dans les couloirs, même si vous ne les connaissez pas encore.

**2. .........................................................**

Les premiers jours, vous allez découvrir la réalité de votre nouveau poste. C'est pourquoi vous devez obtenir un maximum d'informations pour mieux comprendre votre travail.
Restez concentré(e), posez des questions et n'oubliez pas de prendre des notes !
Il est indispensable de profiter des rencontres avec votre nouveau chef et vos nouveaux collègues pour connaître vos tâches, votre rythme, vos missions.

**3. .........................................................**

C'est important de partager un moment convivial avec vos voisins de bureau au restaurant ou à la cafétéria pour faire leur connaissance et avoir des informations sur la vie de l'entreprise.
Si on vous propose d'aller au restaurant un midi dès les premiers jours, vous pouvez accepter l'invitation. C'est toujours intéressant de profiter d'un cadre plus informel pour faire connaissance.

**4. .........................................................**

Costume ? Cravate ? Style décontracté ? Il faut suivre le bon code vestimentaire pour mieux vous intégrer. D'une entreprise à l'autre, les règles varient. Autre point, écoutez comment les gens se parlent dans l'entreprise. Est-ce qu'ils s'appellent par leur prénom ? Est-ce qu'ils se vouvoient ou se tutoient ? Il est nécessaire de connaître les règles de l'espace de travail : observez vos collègues et faites comme eux et, si vous devez organiser une réunion, communiquer des informations ou demander des renseignements, faites attention à la manière de vous exprimer dans vos mails.

**5. .........................................................**

Quand on commence un nouveau travail, le temps d'adaptation peut être plus ou moins long.
Vous allez peut-être regretter des choses de votre ancien boulot. C'est bien d'attendre quelques semaines avant de faire le point sur votre poste. Êtes-vous satisfait des conditions de travail ?
Est-ce que vos missions correspondent à votre description de poste ?
Quels sont vos projets dans cette entreprise ?

Images

a
b
c
d
e

## 2 | Retenez

**Pour donner des conseils / faire des recommandations et indiquer des nécessités :**
**Essayez de** retenir les prénoms.
**Vous devez** obtenir un maximum d'informations.
**N'oubliez pas de** prendre des notes !
**Il est indispensable de** profiter des rencontres avec votre nouveau chef.
**Il faut** suivre / respecter le bon code vestimentaire.
**Il est nécessaire de** connaître les règles de l'espace de travail.
**Faites attention à** la manière de vous exprimer dans vos mails.

(→ voir Outils linguistiques, 8 p. 19)

**Pour donner une opinion :**
**C'est normal d'**être un peu perdu(e) quand on arrive dans une nouvelle entreprise.
**C'est important de** partager un moment convivial avec vos voisins de bureau.
**C'est toujours intéressant de** profiter d'un cadre plus informel pour faire connaissance.
**C'est bien d'**attendre quelques semaines avant de faire le point sur votre poste.

(→ voir Outils linguistiques, 8 p. 19)

**Pour formuler une hypothèse :**
**Si on vous propose d'**aller au restaurant un midi dès les premiers jours, **vous pouvez** accepter l'invitation.
**Si vous devez** communiquer des informations ou demander des renseignements, **faites** attention à la manière de vous exprimer dans vos mails.

## 3 | Passez à l'action

**1. Conseils d'ami.**
**Un(e) ami(e) va commencer un travail dans une entreprise de votre pays et il / elle vous demande des conseils pour bien s'intégrer.**

**VOUS**
• Vous faites des recommandations.
• Vous indiquez des nécessités.
• Vous exprimez votre opinion.

**VOTRE AMI(E)**
• Il / Elle vous demande des conseils.
• Il / Elle exprime son opinion.

**2. Excellents conseils !**
**Vous travaillez pour un site Internet qui donne des informations et des conseils sur le travail en entreprise. Vous rédigez une fiche pratique dont le titre est : « Comment bien accueillir un nouveau collaborateur ? ».**

# OUTILS LINGUISTIQUES

## 1 L'impératif

**Pour donner des instructions / inviter à faire quelque chose.**

| 2ᵉ pers du singulier<br>1ʳᵉ pers du pluriel<br>2ᵉ pers du pluriel | Entre<br>Entrons<br>Entrez | Finis<br>Finissons<br>Finissez | Prends<br>Prenons<br>Prenez |
|---|---|---|---|

L'impératif présent se construit comme le présent de l'indicatif sans le sujet. Il y a seulement 3 personnes.

⚠ Les verbes en *–ER* ne prennent pas de *-s* avec *tu* : *Tu regardes* mais *Regarde*.

- Avec les verbes pronominaux, on doit ajouter un pronom après le verbe : *Lève-**toi**, levons-**nous**, levez-**vous**.*
- Il y a trois impératifs irréguliers : ***avoir*** (*aie, ayons, ayez*), ***être*** (*sois, soyons, soyez*) et ***savoir*** (*sache, sachons, sachez*).
- Le verbe ***vouloir*** n'a qu'une seule forme : *Veuillez trouver ci-joint…, Veuillez vous asseoir…*
- Forme négative : ***N'**entrez **pas** ! **Ne** vous asseyez **pas** !*

(→ Voir Tableaux de conjugaison p. 208 à 211)

## 2 Le présent de l'indicatif

| Exemples | Emplois |
|---|---|
| Le rythme **est** soutenu. | → Description |
| *En ce moment*, je **vérifie** le respect de la sécurité. | → Action en cours d'accomplissement |
| Les ouvriers ne **respectent** pas *toujours* les consignes. | → Action répétée ou habituelle |
| Je **vois** le directeur de production *mercredi prochain*. | → Action future avec un indicateur de temps |
| Vous **travaillez** chez nous *depuis deux mois*. | → Action ou situation commencée dans le passé et qui continue dans le présent |

(→ Voir Tableaux de conjugaison p. 208 à 211)

## 3 Le présent continu et le futur proche

| Présent continu | Futur proche |
|---|---|
| Je **suis en train de contrôler** les procédures.<br>Nous **sommes en train de rédiger** un compte rendu. | Je **vais faire** un rapport.<br>Nous **allons développer** notre site. |
| **Être au présent** + en train de + **verbe à l'infinitif** | **Aller au présent** + **verbe à l'infinitif** |

## 4 Le passé composé

**Pour raconter un événement passé.**

| Vous **avez visité** l'usine.<br>J'**ai préparé** un dossier. | Je **suis allé** à Chambéry.<br>Jean-Michel **est venu** avec moi. |
|---|---|
| **Avoir au présent** + **participe passé** | **Être au présent** + **participe passé** |

- La majorité des verbes se conjuguent avec ***avoir***.
- Les **verbes pronominaux** et les verbes suivants se conjuguent avec ***être*** : *aller, arriver, descendre, (r)entrer, monter, mourir, naître, partir, passer, rester, retourner, sortir, tomber, venir.*
- Certains verbes se conjuguent avec ***être*** et ***avoir*** selon qu'ils ont un COD ou non : *Je **suis descendu(e)** à l'accueil. / J'**ai descendu** les dossiers à la comptabilité.*

(→ Voir Tableaux de conjugaison p. 208 à 211 et Liste des participes passés les plus fréquents p. 212)

## 5 Les pronoms possessifs

**Pour éviter les répétitions quand on exprime la possession.**

Il y a le bureau de la directrice financière puis celui de son assistante. **Le vôtre** (= votre bureau) se trouve juste après.

| Adjectifs possessifs + nom | Pronoms possessifs | | | |
|---|---|---|---|---|
| | Masculin singulier | Féminin singulier | Masculin pluriel | Féminin pluriel |
| mon, ma, mes | le mien | la mienne | les miens | les miennes |
| ton, ta, tes | le tien | la tienne | les tiens | les tiennes |
| son, sa, ses | le sien | la sienne | les siens | les siennes |
| notre, notre, nos | le nôtre | la nôtre | les nôtres | les nôtres |
| votre, votre, vos | le vôtre | la vôtre | les vôtres | les vôtres |
| leur, leur, leurs | le leur | la leur | les leurs | les leurs |

## 6 L'imparfait

**Pour décrire une situation passée ou une habitude dans le passé.**

Avant, nos bureaux **étaient** sur un seul étage.
Avant, nous **organisions** parfois nos réunions dans les bureaux.
C'**était** bruyant. On ne **pouvait** pas se concentrer surtout quand l'un de nous **téléphonait** ou **recevait** quelqu'un.

**Formation : Radical du présent avec *nous*** + terminaisons de l'imparfait *ais / ais / ait / ions / iez / aient.*
*Nous entend*ons ➜ *On entend*ait
**Un verbe irrégulier** ➜ Être : J'ét*ais* / Nous ét*ions*

⚠ Les terminaisons *ais / ait / aient* se prononcent de la même façon.

(➜ Voir Tableaux de conjugaison p. 208 à 211)

## 7 Le passé récent

**Pour indiquer une action passée récente.**

Nous **venons de réaménager** tout le service.
On **vient** juste **d'installer** votre ordinateur.

**Venir au présent** + de / d' + **verbe à l'infinitif**

## 8 Les expressions impersonnelles suivies de l'infinitif

**Pour exprimer l'obligation ou une opinion.**

| Obligation | Opinion |
|---|---|
| Il est indispensable de **profiter** des rencontres. | C'est normal d'**être** un peu perdu(e). |
| Il faut **suivre** le bon code vestimentaire. | C'est important de **partager**. |
| Il est nécessaire de **connaître** les règles. | C'est intéressant de **profiter** d'un cadre plus informel. |
| | C'est bien d'**attendre** quelques semaines. |
| ⚠ Pas de *de* après *il faut* ! | |
| Ces expressions sont suivies de l'infinitif. | |

# ENTRAÎNEZ-VOUS

## 1. Bonnes résolutions

**a) Transformez ces cinq résolutions en conseils. Utilisez l'impératif à la deuxième personne du singulier puis à la deuxième personne du pluriel.**

1. Je vais reprendre en douceur.
2. Je vais être organisé(e).
3. Je vais m'intéresser à mes collègues.
4. Je vais boire moins de café.
5. Je vais faire moins d'heures supplémentaires.

**b) Trouvez d'autres conseils.**

## 2. Tous débordés !

**Conjuguez les verbes soulignés aux temps indiqués.**

1. Vous ne pouvez pas rencontrer les chefs de service parce qu'ils <u>font</u> le budget. (présent continu)
2. On ne peut pas travailler ensemble cette semaine parce que Philippe <u>part</u> en déplacement à Marseille. (futur proche)
3. Tu ne peux pas utiliser la salle de réunion cette semaine parce qu'on <u>fait</u> des travaux pour l'aménager. (futur proche)
4. Je ne peux pas venir à ce rendez-vous parce que nous <u>terminons</u> un rapport important. (présent continu)
5. L'assistante ne peut pas répondre au téléphone parce qu'elle <u>classe</u> des dossiers. (présent continu)

## 3. Accident de travail

**Conjuguez les verbes entre parenthèses au passé composé.**

– Qu'est-ce qui (se passer) ?
– Quand le camion de livraison (arriver), il (se garer) devant l'entrepôt puis nous (commencer) à décharger les marchandises. À un moment, je (glisser) et je (tomber) avec un carton dans les bras. Je (recevoir) le carton sur le pied. Les collègues (appeler) un médecin qui (venir) très vite. Je (avoir) le pied fracturé et trois mois d'arrêt maladie.

## 4. Que des solutions !

**Utilisez des pronoms possessifs pour éviter les répétitions dans les échanges suivants.**

1. – Mon ordinateur est encore en panne ce matin.
   – Pas de problème, prends mon ordinateur.
2. – Alors, on fait comment pour l'appel d'offre ?
   – Nous, nous contactons nos fournisseurs et, vous, vous contactez vos fournisseurs.
3. – Vous vous êtes organisés pour vos congés ?
   – Oui, moi, je prends mes vacances en juillet et Martine prend ses vacances en août.
4. – Il faut vraiment prendre une décision cette semaine.
   – Ne vous inquiétez pas, nous vous donnons notre réponse cet après-midi et les commerciaux doivent donner leur réponse demain.
5. – On va utiliser ta clé.
   – Pourquoi ?
   – Parce qu'on ne retrouve pas notre clé.

## 5. Les temps ont changé

**Transformez les phrases au passé en utilisant l'imparfait et la forme négative, si nécessaire.**

Exemple : **1.** Avant, on **avait** des ordinateurs très lents.

Aujourd'hui...
1. on a des ordinateurs performants ;
2. je peux organiser des visioconférences ;
3. mes collègues et moi disposons de smartphones ;
4. mon assistante ne tape plus mes courriers ;
5. en réunion, nous prenons des notes sur nos tablettes.

## 6. Bonnes nouvelles

**a) Annoncez les bonnes nouvelles ! Faites des phrases en utilisant le passé récent.**

1. Le service commercial / Recruter deux nouveaux collaborateurs
2. Je / Commander une nouvelle imprimante
3. La direction / Signer un nouveau contrat
4. Nous / Ouvrir un magasin à Besançon
5. On / Finaliser notre projet
6. Vous / Obtenir une augmentation

**b) Annoncez d'autres bonnes nouvelles !**

# TESTEZ-VOUS

 Mon portfolio

 **1. Au service des ressources humaines**

**Vous travaillez au service des ressources humaines. Lisez les documents A à G ci-dessous et les situations 1 à 5. Pour chaque situation, indiquez quel document peut vous être utile.**

**A** 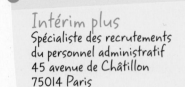 **Développeur de logiciels**

**Dates de la formation**
– du 08/01 au 31/03
– du 26/05 au 25/07
– du 25/09 au 15/12

**Durée : 450 heures**

**Programme :**
– Développer des composants
– Concevoir des pages web
– Mettre à jour une base de données
– Organiser son temps

**B** Objet : Travaux les 4 et 5 juin

Nous allons changer le mobilier des bureaux.
Des travaux vont avoir lieu les 4 et 5 juin.
Nous vous demandons de ranger vos documents.
Nous vous remercions de votre collaboration.

**C** *Intérim plus*
Spécialiste des recrutements
du personnel administratif
45 avenue de Châtillon
75014 Paris

**D** **Contrat de travail**
Vous allez exercer la fonction
d'assistante de direction dans
notre société
**Salaire :** 35 000 € bruts
**Horaire hebdomadaire :** 35 h
**Congés payés :** 5 semaines

**E** COMPTE RENDU DE VISITE
de l'usine de Bilbao

→ Le personnel ne respecte pas le port du casque
et des gants sur les chaînes de montage.
→ Les ouvriers ne suivent pas les consignes
et les procédures réglementaires.

**G** FICHE PRATIQUE

**Règles pour bien réussir une intégration**
Annoncer l'arrivée du nouveau collègue
aux équipes • Faire le tour des services •
Remettre le livret d'accueil • Planifier des
entretiens pendant la période d'essai • …

**F** Planning des arrêts maladies

| | 01 / 11 | 02 / 11 | 03 / 11 | 04 / 11 | 05 / 11 | 06 / 11 | 07 / 11 |
|---|---|---|---|---|---|---|---|
| F. Van | | + | + | + | + | | |
| G. Dublanc | + | + | + | + | | | |
| F. Lemaire | + | + | + | + | + | + | + |

| Situations | Document |
|---|---|
| **1.** Vous devez embaucher une secrétaire pendant deux mois. | |
| **2.** Vous devez accueillir un nouveau collaborateur. | |
| **3.** Un collaborateur veut actualiser ses compétences professionnelles. | |
| **4.** Vous devez préparer un dossier sur la sécurité. | |
| **5.** Vous vous occupez du réaménagement des bureaux. | |

 **2. Dans une entreprise** Mes audios▸04

**Écoutez ces cinq personnes. Identifiez l'intention de chacune d'elles.**

Personne 1 ·
Personne 2 ·
Personne 3 ·
Personne 4 ·
Personne 5 ·

· **A.** Accueillir une personne
· **B.** Indiquer l'emplacement d'un bureau
· **C.** Donner des instructions
· **D.** Interpeller une personne
· **E.** Présenter une personne
· **F.** Indiquer une mission
· **G.** Donner des conseils
· **H.** Demander des nouvelles

# Repères professionnels

## Comment les Français **vivent-ils** au bureau ?

**1.** **Répondez à l'enquête.**

| | |
|---|---|
| **1** | Que faites-vous quand vous arrivez au bureau le matin ? |
| **2** | Comment est votre bureau et celui de votre chef ? Décrivez-les (grand, petit, ouvert, espace partagé ou bureau individuel, personnalisé…) et situez-les. |
| **3** | Quel type d'image mettez-vous en fond d'écran sur votre ordinateur (famille, voyage, nature, art…) ? |
| **4** | Comment est le bureau idéal pour vous ? Qu'est-ce qui est le plus important ? |
| **5** | Avez-vous des objets fétiches* (photo, plante, tasse…) dans votre bureau ? |
| **6** | Quelles sont les fournitures de bureau les plus utiles pour vous ? |
| **7** | Quel est le moment que vous aimez partager avec vos collègues au bureau ? |
| **8** | Que faites-vous au moment de quitter votre bureau le soir ? |

*Un objet préféré, un porte-bonheur

**2.** **Lisez les résultats de ce sondage et comparez-les à vos réponses. Que constatez-vous ?**

### La convivialité

Le matin, 94 % des personnes interrogées prennent le temps de dire « Bonjour » à tout le monde dans le service et 79 % disent « Au revoir » à tout le monde à la fin de la journée. À l'heure du déjeuner, c'est le collectif qui prime avec, en tête du sondage, le fameux rituel du déjeuner d'équipe (38 %).

### Le bureau, un espace à soi

- 48 % des salariés personnalisent leur fond d'écran, privilégiant une photo de paysage (40 %)
- 24 % ont choisi d'apporter une bouilloire pour se faire du thé ou du café
- 23 % viennent avec un ventilateur lors de grosses chaleurs
- 19 % pensent au plaid pour faire face aux hivers rigoureux

### Les fournitures de bureau

À l'heure du numérique, le stylo reste LA fourniture de bureau indispensable (83 % des personnes interrogées). Il devance l'agrafeuse et le « post-it » (à 39 %), le cahier (38 %) et l'agenda (26 %).

- 48 % ont ajouté un calendrier à leur espace de travail
- 41 % ont ajouté d'autres accessoires divers et variés

### La pause-café, un rituel pour les 3/4 des Français au bureau

La pause-café est une habitude pour 73 % des salariés interrogés. La cafétéria, plébiscitée comme « le meilleur endroit pour faire une réunion informelle entre collègues » (42 %) devant le couloir (13 %), apparaît comme le poumon de l'entreprise.

Source : Bruneau / TNS Sofres

# Manières d'**être**

**Vous venez d'arriver dans une entreprise française. Vous lisez l'article suivant dans une revue.**

### Comment se présenter ?

Les Français sont assez formels quand ils rencontrent une personne pour la première fois. Ils associent le geste – serrer la main – à la parole. On présente toujours une femme à un homme.

Pour se présenter, on peut dire : « Bonjour » suivi de son nom. Exemple : « Bonjour, Pierre Garbe. » Et pour répondre à des présentations, on dit : « Enchanté(e) » ou « Ravi(e) de vous rencontrer ».

### Qui et comment saluer ?

Quand on entre dans un lieu public, un bureau, une salle de réunion, une salle d'attente ou un ascenseur, il est d'usage de dire « bonjour » même si on ne connaît pas les personnes. De même, on dit « bonjour » à un conducteur de bus, au personnel d'un magasin ou d'un supermarché.

En France, quand ils arrivent au bureau le matin, les gens lancent un « Bonjour, ça va ? » ou un « Salut Philippe ! » en faisant un signe de la main ou en serrant la main. Si les relations sont amicales, les hommes et les femmes peuvent se faire la bise.

### *Tu ou vous ?*

En général, on dit « vous » aux personnes rencontrées pour la première fois, à un supérieur hiérarchique ou à une personne plus âgée. Dans le monde de l'entreprise, le tutoiement ou le vouvoiement dépendent du patron et de la culture de l'entreprise. Le tutoiement est de plus en plus utilisé avec le prénom mais l'utilisation du prénom n'est pas obligatoire avec le tutoiement. Par exemple, on peut appeler un(e) collègue par son prénom mais le/la vouvoyer.

Pour passer du « vous » au « tu » dans une relation, on peut proposer : « On pourrait se tutoyer maintenant ? » ou « Ça vous dérange si on se tutoie ? ».

## Études de cas

**1. C'est votre premier jour dans une entreprise française. Dites si le comportement est adapté à la culture française ou pas. Plusieurs réponses sont possibles.**

| Situations | OUI, c'est adapté | NON, ce n'est pas adapté |
|---|---|---|
| 1. On vous présente la chefe de projet : « Je vous présente Mme Finout ». | | |
| 2. Vous faites la bise au responsable du personnel. | | |
| 3. On vous présente vos collègues de bureau, vous leur faites la bise pour les saluer. | | |
| 4. Vous serrez la main au directeur général. | | |
| 5. Vous tutoyez votre nouvelle assistante. | | |
| 6. Vous faites un signe de la main à un collègue rencontré dans le couloir. | | |
| 7. Vous dites « Bonjour » au livreur de l'entreprise. | | |
| 8. Vous vous présentez à votre collaboratrice. | | |

**2. Un couple de Français s'installe à Singapour pour des raisons professionnelles. Ils aménagent leur appartement et achètent un lit dans un grand magasin. La vendeuse qui leur a vendu le lit, très contente de sa vente, demande à « faire la bise » au couple de Français pour les remercier.**

**Que pensez-vous du comportement de la vendeuse ? Quels conseils pouvez-vous lui donner ? Quelles sont les règles de politesse en usage dans votre pays ? Donnez des conseils à votre groupe.**

# **Faites** connaître vos produits et services

## Pour être **capable de**

> **décrire un outil informatique ou un téléphone**
> **promouvoir un produit / un service**
> **raconter l'historique d'une entreprise, d'un produit, d'un service**
> **faire une proposition de service**

## Vous allez **apprendre à**

> décrire des caractéristiques et des fonctionnalités
> exprimer un besoin
> décrire un excellent service
> indiquer des critères d'excellence
> raconter un historique
> questionner sur une création d'entreprise
> détailler un programme de voyage
> vanter les attraits d'un lieu
> informer sur des actions à venir
> proposer des services
> exprimer un souhait

## Vous allez **utiliser**

> les pronoms compléments *en* et *y*
> les superlatifs
> le passé composé et l'imparfait
> l'adjectif indéfini *tout*
> le futur proche et le futur simple
> les pronoms relatifs *qui*, *que*, *où*
> les adjectifs qualificatifs à la bonne place

  Mes vidéos
  ▸Faites connaître vos produits et services

# A Il est pratique !

 Vous travaillez dans un magasin de matériel informatique. Vous êtes chargé(e) de faire la fiche produit d'un ordinateur.

**1.** Écoutez la conversation entre un de vos collègues et une cliente puis complétez la fiche.

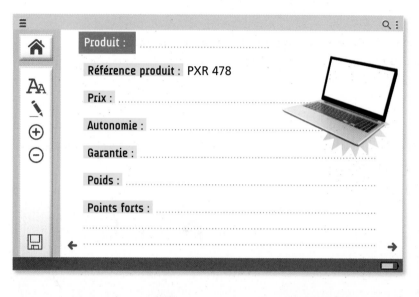

Produit : ..............................

Référence produit : PXR 478

Prix : ..............................

Autonomie : ..............................

Garantie : ..............................

Poids : ..............................

Points forts : ..............................

..............................

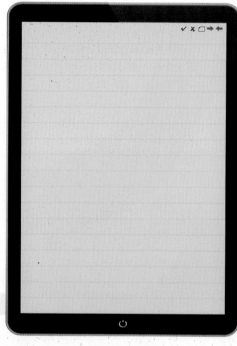

**2.** Notez les besoins de la cliente sur votre tablette.

**2 Retenez**

---

**Pour décrire les caractéristiques et les fonctionnalités d'un téléphone ou d'un outil informatique :**
Il est très pratique.
Il pèse moins d'un kilo.
Il a une batterie avec une autonomie de 3 h 30.
La page d'accueil s'affiche en moins de trente secondes.
Vous avez des applications et des logiciels très utiles.
L'écran est petit / large.
Le disque dur a une faible / grande capacité.
Vous pouvez brancher un disque dur externe.
Il y a plusieurs ports USB.

**Pour indiquer une utilité / un besoin :**
**Il permet de** se connecter rapidement à Internet.
**Vous voulez vous en servir comme** ordinateur principal ?
**J'en ai besoin pour** mes déplacements.
**C'est pour** consulter ma messagerie.
**J'aimerais l'utiliser pour** y stocker des photos.

(→ voir Outils linguistiques, 1 p. 34)

**L'informatique**
un affichage / (s')afficher
une application
une autonomie
une batterie
un branchement / brancher
une capacité
une connexion / (se) connecter
un disque dur
un écran
un logiciel
une page d'accueil
un port USB
stocker
surfer
un traitement de texte

## 3 Passez à l'action

**1. Un équipement à changer.**

Votre ordinateur ne fonctionne plus très bien et vous souhaitez en avoir un autre.
Vous rédigez un message au responsable des services généraux de votre entreprise :
vous décrivez les problèmes que vous rencontrez, vous exprimez votre souhait de changer
d'ordinateur, vous décrivez vos besoins.

**2. Nouvelle acquisition.**

Vous venez d'acquérir un nouvel appareil (smartphone, tablette, etc.). Un(e) ami(e) vous téléphone
parce qu'il / elle veut acheter le même type d'appareil.

### VOUS

- Vous demandez des nouvelles.
- Vous décrivez votre appareil et ses fonctionnalités.
- Vous conseillez votre ami(e).

### L'AMI(E)

- Il / Elle donne de ses nouvelles et annonce son projet d'achat.
- Il / Elle demande des précisions sur votre appareil.
- Il / Elle explique ses besoins.

**3. Téléphone à vendre.**

Vous souhaitez vendre votre téléphone sur un site de revente en ligne. Vous rédigez votre annonce
sur le site.

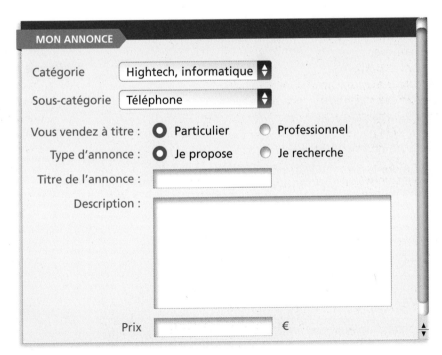

# B Elles en donnent plus !

## 1 Réalisez la tâche

Vous travaillez dans une agence de voyages. Pour conseiller vos clients, vous devez réaliser une étude comparative sur les compagnies aériennes. Un article a retenu votre attention.

**Lisez l'article, complétez le tableau de comparaison des services offerts puis sélectionnez la meilleure compagnie.**

---

## CLASSE AFFAIRES

Ils sont pressés et voyagent toujours en classe affaires. Pour ces passagers qui paient cher, les compagnies aériennes font le maximum pour offrir le service le plus adapté et le plus haut de gamme possible.

### LES PLUS RAPIDES À L'EMBARQUEMENT OU À L'ARRIVÉE

Pour gagner du temps, les passagers d'Air France, de British Airways ou de Lufthansa peuvent s'enregistrer sur Internet et imprimer directement leur carte d'embarquement et leurs étiquettes à bagages. Les passagers affaires qui attendent le moins à l'aéroport sont ceux de Singapore Airlines. 15 minutes leur suffisent pour récupérer leurs bagages.

### LES PLUS ACCUEILLANTES À L'AÉROPORT

Pour faire oublier l'attente avant l'embarquement, toutes les compagnies disposent de salons privatifs. La compagnie Cathay Pacific possède les salons les plus grands. À Hong Kong, elle propose à ses passagers deux espaces de 3 500 mètres carrés. Des compagnies comme Lufthansa et Emirates offrent de vraies salles de réunion avec des équipements (wi-fi, ordinateurs, etc.).

Air France a le meilleur accueil des salons VIP du monde. Les salons de British Airways de Londres et de New York sont les plus relaxants. Ils proposent des massages et des soins personnalisés.

### LES CHAMPIONNES DU SERVICE À BORD

Sièges ultraconfortables, repas à la carte, écrans vidéo

ultramodernes : tout est fait pour le confort du passager. C'est sur les vols de Singapore Airlines qu'on dort le mieux parce que les sièges sont convertibles en lits de 205 cm. Cathay Pacific et Singapore Airlines ont le personnel en cabine le plus attentionné. Mais c'est British Airways qui respecte le mieux le rythme des passagers. Sur ses vols, on déjeune et on dîne quand on veut. Air France possède la carte des vins la plus raffinée et propose des plats concoctés par les plus grands chefs étoilés. C'est sur les vols de la compagnie Cathay Pacific qu'on peut boire les meilleurs cafés.

Emirates, Lufthansa et Air France ont les meilleurs divertissements en vol (films, jeux vidéo, musique, journaux, etc.).

---

| | SINGAPORE AIRLINES | BRITISH AIRWAYS | CATHAY PACIFIC | Lufthansa | AIR FRANCE | Emirates |
|---|---|---|---|---|---|---|
| Enregistrement en ligne possible | | | | | | |
| Salons spacieux et/ou bien équipés | | | | | | |
| Personnel attentionné dans les salons | | | | | | |
| Bien-être à l'aéroport | | | | | | |
| Personnel attentionné à bord | | | | | | |
| Variété des loisirs à bord | | | | | | |
| Horaires de repas libres à bord | | | | | | |
| Excellents produits à déguster à bord | | | | | | |
| Attente très courte à l'aéroport | | | | | | |

## 2 Retenez

**Pour décrire un excellent service :**
Les compagnies aériennes **font le maximum pour**…
Elles **offrent** un(e) / de vraies…
**Tout est fait pour**…
Il(s) / Elle(s) est / sont **la / le(s) champion(ne)s de**…

**Pour indiquer des critères d'excellence :**
Offrir aux clients **le service le plus adapté** et **le plus haut de gamme** possible.
Être **les plus rapides** / **les plus accueillant(e)s**.
Posséder / Avoir les **salons les plus grands, les plus relaxants** / **le meilleur accueil**.
Proposer des plats concoctés par **les plus grands chefs étoilés** / **la carte des vins la plus raffinée** / **les meilleurs cafés**.
Faire **attendre le moins longtemps**.

(→ voir Outils linguistiques, **2** p. 34 et **8** p. 35)

**Les voyages en avion**
un atterrissage / atterrir
un bagage
une classe
un décollage / décoller
un embarquement / une carte d'embarquement / embarquer / débarquer
un enregistrement / (s')enregistrer
une étiquette (à bagage) / mettre des étiquettes à bagage
un(e) passager(ère)
le personnel (en cabine / à bord)
un siège
un service à bord
un vol international / intérieur
un voyage / voyager en classe affaires / économique

## 3 Passez à l'action

**1. Vous êtes les meilleurs !**
Vous êtes chargé(e) de promouvoir un service et / ou un produit de votre société.
Vous faites une présentation devant de futurs clients. Vous présentez les caractéristiques
de votre produit / service. Vous vantez ses qualités.

**2. Un hôtel à recommander.**
Un de vos fournisseurs doit venir en déplacement dans votre ville. Il ne sait pas dans quel hôtel
loger. Vous lui écrivez un mail pour lui proposer un hôtel et vous lui expliquez pourquoi
c'est le meilleur.

# C Livraison à domicile

**1 Réalisez la tâche**  Mes audios ▸ 06

Vous souhaitez monter votre propre entreprise et vous faites des fiches sur votre tablette pour récolter de bonnes idées. Vous entendez une interview à la radio qui retient votre attention.

**Écoutez et prenez des notes puis complétez la fiche suivante que vous avez préparée.**

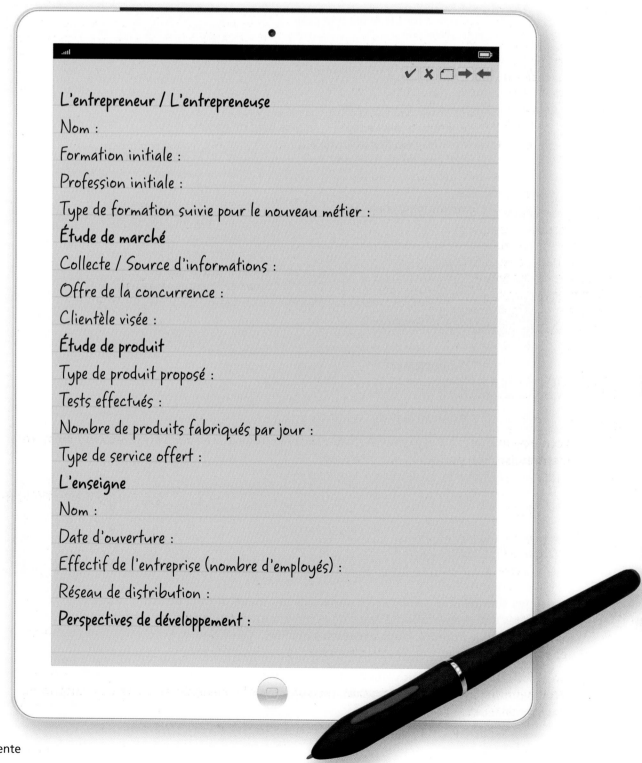

L'entrepreneur / L'entrepreneuse

Nom :

Formation initiale :

Profession initiale :

Type de formation suivie pour le nouveau métier :

**Étude de marché**

Collecte / Source d'informations :

Offre de la concurrence :

Clientèle visée :

**Étude de produit**

Type de produit proposé :

Tests effectués :

Nombre de produits fabriqués par jour :

Type de service offert :

**L'enseigne**

Nom :

Date d'ouverture :

Effectif de l'entreprise (nombre d'employés) :

Réseau de distribution :

**Perspectives de développement :**

## 2 Retenez

**Pour raconter l'historique / la création d'une entreprise / d'un produit :**
**Je bossais** très dur…
Tous les soirs et tous les week-ends, **je gérais** des dossiers.
**J'ai décidé de** me mettre à mon compte.
**J'ai commencé par** chercher des infos sur Internet.
**On a testé** différents produits.
**Je me suis lancé(e)**. / **J'ai ouvert** mon commerce en 2012.
**J'ai créé** un site Internet. / **J'ai monté** mon projet.

(→ **voir Outils linguistiques, 3 p. 34**)

**Pour questionner sur une création d'entreprise :**
Comment vous avez eu l'idée ?
Vous avez fait une étude de marché avant de vous lancer ?
Comment vous avez créé vos produits ?
Vous avez fait des tests ?
Comment vous avez trouvé le nom de votre boutique ?
Vous avez une clientèle spécifique ?
Quelles sont vos perspectives pour l'avenir ?

**Le marketing / La mercatique**
une cible
une clientèle
une étude de marché
une gamme
un lancement
(se) lancer / lancer
une offre
un process
un produit

**La vente**
une boutique / un magasin
une clientèle / des clients
une commande / commander
un commerce
une enseigne
une livraison / livrer à domicile
un produit
un point de vente
une vente / vendre

**Des termes familiers**
une boîte = une entreprise / société
bosser = travailler
un boulot = un travail
un copain / une copine = un(e) ami(e)
hyper = très
une info = une information
un(e) pro = un(e) professionnel(le)
un taf = un travail
un truc = une chose

## 3 Passez à l'action

**1. Ça m'intéresse !**
**Vous êtes invité(e) à une soirée professionnelle et vous rencontrez un(e) créateur / créatrice d'entreprise. Son parcours vous intéresse.**

**VOUS**
• Vous le / la questionnez sur son parcours.
• Vous le / la questionnez sur les étapes de la création de son entreprise.

**LE CRÉATEUR / LA CRÉATRICE D'ENTREPRISE**
• Il / Elle vous parle de son parcours.
• Il / Elle vous raconte l'historique de son entreprise / produit / service.

**2. Quel projet !**
**Vous souhaitez créer une entreprise avec deux autres personnes. Vous échangez vos idées et vous rédigez une fiche pour votre recherche de financement.**

**3. Produit innovant !**
**Vous avez imaginé un objet / produit innovant. Vous le présentez au Salon de l'innovation. Vous racontez son historique.**

# D Nous nous occupons de tout !

Vous travaillez dans une agence de voyages. Vous devez valider une proposition de circuit à envoyer à un client.

**Écoutez le message laissé par le client sur votre répondeur et lisez le mail ci-dessous préparé par votre stagiaire. Vérifiez que la réponse correspond bien à la demande et que des prestations complémentaires sont proposées. Apportez les corrections et les modifications nécessaires.**

| De : | Transtour ⬍ |
|---|---|
| **À :** | M. Rufin |
| ☰▾ **Objet :** | Voyage en Thaïlande |

Cher Monsieur,

Comme suite à votre demande concernant votre voyage annuel en Thaïlande pour deux personnes en demi-pension du 13 au 25 février, nous vous remercions de votre confiance et vous faisons une proposition de programme.

Vous séjournerez à Bangkok du 14 au 17 février. Notre guide local vous accueillera à l'aéroport et vous accompagnera à votre hôtel. La première journée sera libre et vous pourrez profiter de la ville à votre rythme. Nous organiserons pour vous les visites que vous souhaitez faire et pourrons vous aider à trouver de bons restaurants pour vos déjeuners. Vous logerez dans des hôtels de charme.

Le 17 février, vous vous envolerez pour le nord de la Thaïlande, à Chiang Mai, où vous resterez trois nuits. Du 20 au 24 février, vous continuerez votre circuit en mini-bus climatisé. Vous visiterez un site incontournable qui vaut le détour, les grottes de Tam Lod où tous les guides sont du village, un bon exemple de tourisme communautaire.

Ensuite, vous irez jusqu'à Mae Hong Son, petite ville située dans un cadre pittoresque, où vous embarquerez à bord d'un bateau qui navigue à travers la jungle thaïlandaise. Vous découvrirez un paysage grandiose et luxuriant. Les habitants des villages vous recevront avec beaucoup de gentillesse. C'est vraiment une magnifique expérience à ne pas manquer.

Le 25 février, vous prendrez votre vol pour Paris via Bangkok où vous resterez une nuit.

Nous assurerons pour vous une assistance à l'aéroport pour l'enregistrement des bagages. Vous éviterez ainsi les longues files d'attente aux contrôles. Nous nous occupons de tout.

Nous pouvons aussi nous charger de l'organisation d'un dîner d'anniversaire dans un endroit inoubliable.

Nous vous proposons un service d'assistance 24 h/24 h en cas de besoin.

Dès aujourd'hui, nous allons contacter notre réceptif[1] local pour nous assurer de la disponibilité des hôtels et nous vous enverrons une cotation[2] quand nous aurons une réponse ferme. Nous allons aussi nous renseigner pour les cours de cuisine et nous vous tiendrons au courant.

Nous aimerions vous envoyer notre offre dans les meilleurs délais. Pourriez-vous nous donner votre avis sur les détails de ce circuit et nous préciser les prestations supplémentaires que vous désirez ?

Vous pouvez compter sur nous pour faire de votre voyage sur-mesure l'un de vos meilleurs souvenirs.

Dans l'attente de votre réponse, nous vous prions de recevoir, cher Monsieur, nos meilleures salutations.

L'équipe Transtour

**Agence Transtour**
25 avenue du Touring Club
68 rue de l'Université
69007 Lyon
Tél. : 04 98 78 54 12

**1.** L'agence qui s'occupe de l'organisation du voyage dans le pays de destination
**2.** Une estimation de prix

## 2 Retenez

**Pour détailler un programme de voyage :**
**Vous séjournerez à** Bangkok du 14 au 17 février.
**Notre guide local vous accueillera** à l'aéroport
et **vous accompagnera** à votre hôtel.
**La première journée sera libre** et **vous pourrez profiter de** la ville.
**Vous logerez dans** des hôtels de charme.
**Vous vous envolerez pour…** / **Vous prendrez
votre vol pour…**
**Vous resterez trois nuits à** Chiang Mai.
**Vous continuerez** votre circuit en mini-bus climatisé…
**Vous irez** jusqu'à… / **Vous embarquerez à bord d'**un…
**Vous visiterez** un site. / **Vous découvrirez** un paysage
grandiose.
(→ **voir Outils linguistiques, 5 p. 35**)

**Pour vanter les attraits d'un lieu :**
Un site **incontournable** qui vaut le détour.
Un cadre **pittoresque**.
Un paysage **grandiose** et **luxuriant**.
Un endroit **inoubliable**.
Une **magnifique** expérience à ne pas manquer.
(→ **voir Outils linguistiques, 8 p. 35**)

**Pour informer sur des actions à venir :**
**Nous allons contacter** notre réceptif local
et **nous vous enverrons** une cotation.
**Nous allons aussi nous renseigner**
et **nous vous tiendrons** au courant.
(→ **voir Outils linguistiques, 6 p. 35**)

**Pour proposer des services :**
**Nous organiserons** pour vous… / **Nous pouvons nous
charger de** l'organisation de…
**Nous pourrons vous aider à**…
**Nous assurerons pour vous** / **Nous vous proposons**
un service d'assistance 24 h/24 h en cas de besoin.
**Nous nous occupons de** tout.
**Vous pouvez compter sur nous pour**…

## 3 Passez à l'action

**1. Une visite incontournable.**
**Un(e) collègue francophone vient en voyage professionnel dans votre pays. Il / Elle souhaite
en profiter pour visiter une ville / région. Vous lui écrivez un mail pour lui vanter les attraits
d'une ville / région et vous lui proposez un programme.**

**2. À votre service !**
**Vous travaillez dans une entreprise de services (tourisme, hôtellerie, conciergerie, services à la
personne, événementiel, dépannage, etc.). Vous répondez à la demande d'un(e) client au téléphone.**

| VOUS | LE / LA CLIENT(E) |
|---|---|
| • Vous posez des questions pour faire préciser la demande.<br>• Vous décrivez les services proposés par votre entreprise. | • Il / Elle exprime ses souhaits.<br>• Il / Elle apporte des précisions.<br>• Il / Elle réagit aux propositions faites. |

# OUTILS LINGUISTIQUES

## 1 Les pronoms compléments *EN* et *Y*

**Pour éviter de répéter le nom d'un objet.**

| Je voudrais **un ordinateur.** → J'aimerais l'utiliser pour stocker mes photos. | – L'ordinateur a **une housse de protection** ? → Non, il n'**en** a pas. Vous **en** voulez une ? <br><br> – Vous voulez vous servir **de l'ordinateur** comme ordinateur principal ? → Non, j'**en** ai besoin pour mes déplacements. | J'aimerais stocker des photos **sur l'ordinateur.** → J'aimerais utiliser l'ordinateur pour **y** stocker mes photos. <br><br> Vous pouvez brancher un disque dur externe **à l'ordinateur.** → Vous pouvez **y** brancher un disque dur externe. |
|---|---|---|
| **Pour ne pas répéter :** le nom d'un objet précédé d'un article défini ou d'un adjectif possessif <br><br> **on utilise** *le*, *la*, *l'*, *les*. | **Pour ne pas répéter :** <br>• un nom d'objet précédé d'un article indéfini (*un* / *une* / *des* / *de*) <br>⚠ Les articles *un* et *une* doivent être répétés après le verbe. <br>• un nom d'objet précédé d'un verbe + *de* (*se servir de*, *avoir besoin de*…) <br><br> **on utilise** *en*. | **Pour ne pas répéter :** <br>• un nom d'objet précédé d'une préposition de lieu (*sur*, *dans*, etc.) <br>• un nom d'objet précédé d'un verbe + *à* (*brancher à*, *penser à*, *s'intéresser à*…) <br><br> **on utilise** *y*. |

## 2 Les superlatifs

**Pour comparer et indiquer la supériorité ou l'infériorité.**

| Elle propose le service **le plus** adapté, la carte des vins **la plus** raffinée. Elle possède **les plus** grands salons. Les passagers qui **attendent le moins** sont ceux de cette compagnie. | C'est sur Cathay Pacifique qu'on peut boire **les meilleurs cafés.** Air France a **le meilleur** accueil des salons VIP du monde. C'est sur les vols de Singapore Airlines qu'on **dort le mieux.** |
|---|---|
| Le / la / les PLUS / MOINS + **adjectif** <br> **Verbe** + le PLUS / MOINS <br> pour indiquer la supériorité ou l'infériorité. | Le / la / les MEILLEUR(E)(S) (+ **nom**) <br> **Verbe** + le MIEUX <br> ⚠ Le plus bien → Le mieux <br> Le(s) plus bon(s), la / les plus bonne(s) → le / la / les meilleur(e)s <br> Pour parler d'un aspect très négatif, on utilise **le / la / les pire(s).** |

## 3 L'articulation passé composé et imparfait dans un récit

**Pour indiquer des événements ou des circonstances.**

| Tous les week-ends, je **gérais** des dossiers. À la fin de la semaine, on **avait** tout. | On a **travaillé** tous les deux dans ma cuisine pendant une semaine. Cette remarque m'**a fait** réfléchir et j'**ai décidé** de me mettre à mon compte. | Je **dînais** chez des amis et j'**ai eu** un appel urgent pendant qu'on **mangeait**. J'**ai vu** que personne ne **faisait** de livraison de tartes à domicile. |
|---|---|---|
| Pour indiquer une action habituelle, une description d'une situation à un moment du passé, on utilise **l'imparfait**. | Pour indiquer un événement passé, une succession d'actions passées, on utilise **le passé composé**. | Pour indiquer : <br>• une action / situation en cours, on utilise **l'imparfait** ; <br>• un événement, on utilise **le passé composé**. |

## 4 L'adjectif indéfini *TOUT*

**Pour désigner la totalité d'un ensemble.**

|  | Masculin | Féminin |
|---|---|---|
| Singulier | Tout le monde | Toute la clientèle |
| Pluriel | Tous les soirs | Toutes les recettes |

*Tout*, *toute*, *tous* et *toutes* s'accordent avec le nom qui suit.

⚠️ **Tout** et **toute** avec une expression de temps indiquent une durée : *toute la journée.*
**Tous** et **toutes** avec une expression de temps signifient « chaque » : *tous les jours = chaque jour.*

## 5 Le futur simple

**Pour parler d'événements futurs, pour détailler un programme.**

| | |
|---|---|
| Notre guide local vous **accompagner**a.<br>Vous **séjourner**ez à Bangkok.<br>Nous **organiser**ons pour vous les visites. | Vous **prendr**ez votre vol pour Paris. |
| **Infinitif** + **terminaisons** : ai / as / a / ons / ez / ont | ⚠️ Si l'infinitif se termine par –e, on enlève le –e :<br>*prendre* ➡ *vous prendrez.* |

(➡ Voir Tableaux de conjugaison p. 208 à 211)

## 6 L'articulation futur proche, futur simple

**Pour enchaîner des actions futures.**

| |
|---|
| Nous **allons contacter** notre réceptif local et nous **vous enverrons** une cotation quand nous **aurons** une réponse ferme.<br>Nous **allons nous renseigner** pour les cours de cuisine et nous vous **tiendrons** au courant. |
| Quand des actions futures s'enchaînent, la première peut se conjuguer au futur proche puis les suivantes se conjuguent au **futur simple**. |

## 7 Les pronoms relatifs *QUI, QUE, OÙ*

**Pour combiner deux phrases et éviter les répétitions.**

| | | |
|---|---|---|
| Vous visiterez <u>un site</u> **qui** vaut le détour.<br>= Vous visiterez un site. **Ce site** vaut le détour. | Nous organiserons <u>les visites</u> **que** vous souhaitez faire.<br>= Nous organiserons les visites. Vous souhaitez faire **ces visites**. | Vous vous envolerez pour <u>Chiang Mai</u> **où** vous resterez trois nuits.<br>= Vous vous envolerez pour Chiang Mai. Vous resterez **à Chiang Mai**. |
| *Qui* remplace un sujet. | *Que* remplace un complément d'objet direct. | *Où* remplace un complément de lieu. |

⚠️ Le pronom relatif se place après le nom qu'il remplace.

## 8 La place des adjectifs qualificatifs

**Pour décrire.**

| | |
|---|---|
| un site **incontournable**<br>un paysage **grandiose**<br>un endroit **inoubliable** | la **première** journée<br>de **bons** restaurants<br>les **longues** files d'attente |
| Les adjectifs se placent en général après le nom. | Certains adjectifs se placent avant le nom : *bon, gros, grand, vieux, jeune, beau, joli, excellent* et les adjectifs ordinaux (*premier, deuxième*, etc.). |

⚠️ L'adjectif s'accorde avec le nom : *un bon exemple* ; *de bons restaurants.*
⚠️ Certains adjectifs peuvent se mettre avant ou après le nom : *une **magnifique** expérience* ou *une expérience **magnifique**.*

# ENTRAÎNEZ-VOUS

## 1. Dernier cri

**Complétez la présentation avec *en*, *y* ou *le*.**

Le téléphone portable FK GT 345 est notre dernier modèle. Vous pouvez … ranger facilement dans une poche. Vous pourrez vous … servir pour prendre des photos. Si vous … avez besoin pour travailler, il vous sera très utile. Il existe en plusieurs coloris. Vous pourrez … choisir un à votre goût. Pensez-… pour vos cadeaux de fin d'année !

## 2. Textos urgents

**Complétez les textos avec des superlatifs.**

1. J'ai trouvé (+ / bons) prix ! Sabine

2. STP. Peux-tu réserver (+ / grande) salle pour le séminaire ? Merci ! Georges

3. Cherche le billet (– / cher) pour Singapour. Paul

4. Tu as la liste des entreprises qui respectent (+ / bien) nos conditions ? Fred

5. Vous pouvez trouver les adresses (+ / intéressantes) sur notre site. Service clientèle

6. Prends l'ordinateur (– / lourd) pour ta mission. Patrick

## 3. Coup de pub !

**Complétez les slogans publicitaires avec les pronoms relatifs *qui*, *que* ou *où*.**

1. CACTUS, la voiture … vous manquait !
2. PETIT CRU, le fromage … vous dévorerez !
3. NIRVANA, la crème … votre peau veut !
4. PARADIS, l'hôtel … vous aimerez loger !
5. EFLUVES, le parfum … vous adopterez !
6. ABARICA, un café … vous étonnera !

## 4. Changement de cap

**Conjuguez les verbes entre parenthèses au passé composé ou à l'imparfait.**

Je voudrais être le premier réseau spécialiste de produits pour la tête : bonnets, chapeaux, casquette, etc. L'idée (venir) de mon expérience. Je (travailler) quinze ans dans l'univers de la mode et du prêt-à-porter. Dans les magasins, les clients (pouvoir) trouver une casquette, un chapeau ou un bonnet mais il (manquer) un spécialiste de ce type de produit. Un jour, je (quitter) le magasin où je (travailler) et je (se lancer). Je (mettre) un an pour monter mon projet. Aujourd'hui, je suis en négociation pour acheter un premier point de vente.

## 5. Une note de plus

**Conjuguez les verbes entre parenthèses au futur simple.**

### COMMUNICATION AU PERSONNEL

La Direction (mettre) en place une nouvelle organisation du service Achats.

Un comité (accompagner) les différents changements.

Tous les responsables (recevoir) une formation complémentaire.

Le site Internet de notre société (être) bientôt disponible. Les salariés (avoir) accès à ce site et (pouvoir) trouver toutes les informations sur les postes à pourvoir.

La réunion des membres du comité d'entreprise (se tenir) le 7 avril prochain.

# TESTEZ-VOUS

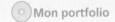
Mon portfolio

## 1. Une idée originale

Lisez l'article suivant et complétez la fiche d'identité de l'entrepreneur.

**↘ À 27 ans, Flavien Amey** a créé le site **Touchedeclavier.com** qui commercialise des touches de clavier à l'unité pour ordinateurs PC portables. Son secteur, c'est le e-commerce. La société existe depuis septembre 2012. Après des études scientifiques et une école de commerce, il a passé un an à l'étranger. Il a eu l'idée de « Touchedeclavier » parce que ce concept existait déjà aux États-Unis. Au lieu de changer son clavier complet ou son ordinateur, on change seulement la touche qui ne fonctionne plus. C'est plus simple, plus économique et plus écologique car cette activité correspond à une démarche de valorisation des produits électroniques. Le créateur a su trouver un marché et son projet a rapporté de l'argent dès la première année. Il souhaite se développer à l'international et accroître son chiffre d'affaires. Son objectif, c'est d'être un spécialiste de la maintenance en vendant des claviers et il aimerait pouvoir fournir toutes les touches possibles à l'unité. ■

| **Fiche d'identité** | |
| --- | --- |
| Nom de l'entrepreneur | Âge de l'entrepreneur |
| | |
| Nom du site de l'entrepreneur | Type de produit vendu |
| | |
| Secteur d'activité de l'entreprise | Date de création de l'entreprise |
| | |
| Formation de l'entrepreneur | |
| | |
| Caractéristiques du concept / Points positifs | |
| - ......... | |
| - ......... | |
| - ......... | |
| - ......... | |
| Perspectives d'avenir et objectifs | |
| - ......... | |
| - ......... | |
| - ......... | |
| - ......... | |

## 2. Produits et services   Mes audios ▸ 08

Écoutez ces cinq personnes. Identifiez l'intention de chacune d'elles.

Personne 1 •
Personne 2 •
Personne 3 •
Personne 4 •
Personne 5 •

- **A.** Indiquer l'utilité d'un produit
- **B.** Décrire un excellent service
- **C.** Proposer des services
- **D.** Parler d'une création d'entreprise
- **E.** Demander poliment
- **F.** Indiquer un programme de voyage
- **G.** Indiquer des besoins
- **H.** Vanter les attraits d'une région

# Repères professionnels

## Bien rédiger ses **courriels professionnels**

**Lisez la fiche pratique et le courriel puis faites correspondre chaque conseil à la partie correspondante du courriel.**

### Pour rédiger un courriel professionnel

**a. Soyez précis**
L'« objet » est très important. Il doit être clair et précis. Indiquez si c'est urgent.

**b. Signez le courriel**
Indiquez le nom du signataire, le nom de la société, l'adresse postale, le numéro de téléphone, l'adresse e-mail.

**c. Faites attention aux envois en nombre**
Si vous envoyez un e-mail à plusieurs personnes, placez les adresses dans le champ « Copie conforme invisible » (CCI). Ainsi l'adresse des autres destinataires sera invisible pour chaque personne qui reçoit le message.

**d. Soignez la rédaction**
Évitez les abréviations et le style SMS réservés aux amis. Rédigez des phrases courtes et bien construites.
1. Choisissez la bonne interpellation.

2. Indiquez le motif du courriel.
3. Donnez les informations, demandez des renseignements…
4. Concluez.
5. Prenez congé avec une formule de politesse simple.

**e. Sélectionnez les bons destinataires**
1. Le courriel doit être adressé à la ou aux personne(s) concernée(s) (À).
2. Placez en « Copie conforme » (CC) les personnes qui doivent seulement être informées.

**f. Vous répondez**
Cela se fait automatiquement (« Re : » apparaît dans l'objet). Attention aux « réponse » ou « transfert », « reply » ou « forward » trop nombreux : on ne sait plus qui a écrit, pour dire quoi.

**g. Vous « transférez » un courriel**
Avez-vous la permission de l'auteur ?

---

**À :** itrudan@gmail.com ①
**De :** isevrac@crusex.com
**CC :** ②      **CCI :** ③
**Objet :** Re: Votre demande de devis ④ ⑤   📎 📄 Votre devis 📄 Conditions générales de vente

| Répondre | Répondre à tous | Transférer ⑥ |

Cher Monsieur, ⑦
Nous vous remercions de votre intérêt pour nos croisières.
Nous avons le plaisir de vous proposer un devis pour la croisière de Ushuaïa à Valparaiso du 3 au 16 mars à bord de notre navire : LE SENTOR. ⑧
Nous vous demandons de bien vouloir lire avec attention nos conditions de vente ci-jointes.
Si vous souhaitez confirmer votre participation à ce voyage, nous vous invitons à prendre contact avec notre service de réservation. ⑨
Toute l'équipe de Crusex reste à votre entière disposition. ⑩
Nous vous remercions de votre confiance et vous prions de recevoir, cher Monsieur, nos meilleures salutations. ⑪

Votre conseillère voyage
Isabelle Sevrac

**Crusex Croisières**
118 avenue du Prado
13008 Marseille
Tél. : 04 78 65 21 45
isevrac@crusex.com
www.crusex.com ⑫

### 1. La messagerie électronique et vous

↘ **Utilisez-vous beaucoup votre messagerie électronique ? Pour quels besoins ?**

↘ **Que pensez-vous de l'usage des e-mails ? Avez-vous eu des mésaventures dans la réception et l'envoi de certains e-mails ? Avez-vous des conseils à donner dans l'utilisation des e-mails ? Échangez vos idées avec votre groupe.**

↘ **Utilisez-vous Internet au travail pour lire ou rédiger des e-mails personnels ? Est-ce que c'est accepté dans votre entreprise ? Combien de temps passez-vous par jour à traiter vos e-mails ? Combien en recevez-vous chaque jour ? Quand consultez-vous vos e-mails ?**

**Comparez vos réponses avec le sondage réalisé auprès de 1 000 salariés disposant d'une adresse e-mail professionnelle.**

Combien de temps passez-vous par jour à traiter vos e-mails ?
Base : tous (1 000)

plus de 2 h 7 %
1 h à 2 h 19 %
Moins de 20 min 28 %
20 min à 1 h 46 %

Quand consultez-vous vos e-mails... ?
Base : ceux qui consultent leur mails à l'extérieur du travail (609) soit 61 % de l'échantillon

| | Souvent | Régulièrement | Rarement | Jamais |
|---|---|---|---|---|
| Le soir | 28 % | 33 % | 29 % | 10 % |
| Le week-end | 16 % | 31 % | 35 % | 18 % |
| Pendant les vacances | 12 % | 30 % | 36 % | 22 % |

Source BVA / décembre 2012

### 2. De la culture de votre destinataire

**Vous lisez l'article suivant sur Internet. Vous réagissez et laissez un commentaire.**

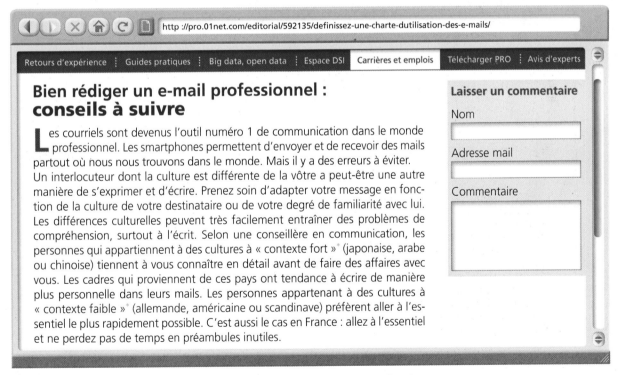

http://pro.01net.com/editorial/592135/definissez-une-charte-dutilisation-des-e-mails/

Retours d'expérience : Guides pratiques : Big data, open data : Espace DSI : Carrières et emplois : Télécharger PRO : Avis d'experts

#### Bien rédiger un e-mail professionnel : conseils à suivre

Les courriels sont devenus l'outil numéro 1 de communication dans le monde professionnel. Les smartphones permettent d'envoyer et de recevoir des mails partout où nous nous trouvons dans le monde. Mais il y a des erreurs à éviter. Un interlocuteur dont la culture est différente de la vôtre a peut-être une autre manière de s'exprimer et d'écrire. Prenez soin d'adapter votre message en fonction de la culture de votre destinataire ou de votre degré de familiarité avec lui. Les différences culturelles peuvent très facilement entraîner des problèmes de compréhension, surtout à l'écrit. Selon une conseillère en communication, les personnes qui appartiennent à des cultures à « contexte fort »* (japonaise, arabe ou chinoise) tiennent à vous connaître en détail avant de faire des affaires avec vous. Les cadres qui proviennent de ces pays ont tendance à écrire de manière plus personnelle dans leurs mails. Les personnes appartenant à des cultures à « contexte faible »* (allemande, américaine ou scandinave) préfèrent aller à l'essentiel le plus rapidement possible. C'est aussi le cas en France : allez à l'essentiel et ne perdez pas de temps en préambules inutiles.

Laisser un commentaire

Nom

Adresse mail

Commentaire

* Ces termes viennent de l'anthropologue Edward Hall qui définit deux types de cultures pour éviter les conflits interculturels dans les négociations.

↘ **Est-ce qu'il y a des règles à suivre dans la rédaction des mails spécifiques à votre pays ou à votre entreprise ? Quel est le délai de réponse ? Avez-vous des conseils à donner pour la rédaction des mails, en fonction du destinataire, de la hiérarchie, par exemple ?**

# Organisez votre travail

A2

## Pour être **capable de/d'**

› prendre des rendez-vous et les planifier
› présenter votre organisation au travail
› discuter de problèmes ou de difficultés
  d'organisation au travail
› interagir en réunion et rédiger
  un compte rendu de réunion simple

## Vous allez **apprendre à**

› suggérer / accepter un rendez-vous
› indiquer un empêchement
› formuler un souhait
› donner des explications
› exprimer la surprise
› décrire votre gestion du temps
› expliquer votre organisation au travail
› exprimer des difficultés
› suggérer des solutions
› présenter un déroulement
› échanger en réunion
› rapporter des paroles
› relater des faits passés

## Vous allez **utiliser**

› le conditionnel présent
› l'expression de la cause
› les pronoms indéfinis : *quelqu'un /
  personne, quelque chose / rien*
› l'hypothèse : *si* + imparfait +
  conditionnel présent
› le discours indirect au présent
› le plus-que-parfait

 Mes vidéos
▸ Le télétravail chez Saint-Gobain en France

# A En tournée

**1 Réalisez la tâche**    Mes audios ▸ 09

Vous êtes assistant(e) au service commercial d'un fabricant de montures de lunettes et vous devez compléter le planning partagé des commerciaux. Le haut-parleur du téléphone est branché.

**1.** Écoutez les conversations entre M. Legron, commercial, et des clients opticiens, puis complétez le planning partagé avec les rendez-vous de M. Legron.

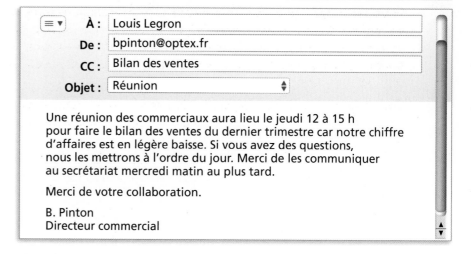

| | Calendriers | Jour | Semaine | Mois | Année | Liste | Q Rechercher |

## mars 2015                    < Aujourd'hui >

| | lun. 9 | mar. 10 | mer. 11 | jeu. 12 | ven. 13 | sam. 14 | dim. 15 |
|---|---|---|---|---|---|---|---|
| toute la journée | | | | | | | |
| 07:00 | | | | | | | |
| 08:00 | | | | | | | |
| 09:00 | | | | | | | |
| 10:00 | | | | | | | |
| 11:00 | | | | | | | |
| 12:00 | | | | | | | |
| 13:00 | | | | | | | |
| 14:00 | | | | | | | |
| 15:00 | | | | | | | |
| 16:00 | | | | | | | |
| 17:00 | | | | | | | |
| 18:00 | | | | | | | |

**2.** M. Legron a reçu un texto et un courriel, lisez-les et mettez à jour son planning.

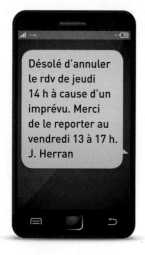

Désolé d'annuler le rdv de jeudi 14 h à cause d'un imprévu. Merci de le reporter au vendredi 13 à 17 h. J. Herran

À : Louis Legron
De : bpinton@optex.fr
CC : Bilan des ventes
Objet : Réunion

Une réunion des commerciaux aura lieu le jeudi 12 à 15 h pour faire le bilan des ventes du dernier trimestre car notre chiffre d'affaires est en légère baisse. Si vous avez des questions, nous les mettrons à l'ordre du jour. Merci de les communiquer au secrétariat mercredi matin au plus tard.

Merci de votre collaboration.

B. Pinton
Directeur commercial

## 2 Retenez

**Pour suggérer une date / heure de rendez-vous ou indiquer ses préférences :**

Est-ce que jeudi vers 10 h, **ça vous conviendrait** ?

**Je préférerais** mercredi après-midi ou jeudi.

**Ça m'arrangerait** plus jeudi vers 14 h.

**Plutôt** mardi matin à l'ouverture, disons 9 h.

Et mercredi, **vous seriez disponible** ?

À 8 h 30, **ça vous irait** ?

Vendredi, **si vous voulez**.

(→ **voir Outils linguistiques, 1 p. 50**)

**Pour indiquer un empêchement :**

Mardi, **c'est impossible**.

Non, **ça ne m'arrange pas** mardi.

**Merci de reporter** le rendez-vous à vendredi 17 h.

**Pour donner son accord :**

C'est bon pour moi.

Ça me va / convient.

**Pour formuler un souhait :**

**Je voudrais** vous présenter notre nouvelle gamme de lunettes solaires.

**Je voulais** vous appeler.

**Je souhaiterais** régler ça le plus vite possible.

**Je préférerais** mercredi après-midi.

**J'aimerais** élargir notre offre.

**Pour exprimer la surprise :**

Ah bon !

C'est étonnant !

Je suis étonné / surpris !

**Pour donner des explications / indiquer la cause d'un événement / d'une situation :**

**Comme** je serai en tournée, je voudrais vous présenter notre nouvelle gamme de lunettes.

Ça ne m'arrange pas mardi **parce que** je serai en Belgique pour un salon.

**Puisque** vous venez lundi, vous pourriez m'apporter vos nouveaux modèles de lunettes de soleil ?

Elles plaisent beaucoup **grâce à** leur originalité.

Désolé d'annuler le rendez-vous de jeudi 14 h **à cause d'**un imprévu.

Une réunion des commerciaux aura lieu le jeudi 12 à 15 h **car** notre chiffre d'affaires est en légère baisse.

(→ **voir Outils linguistiques, 2 p. 50**)

## 3 Passez à l'action

**1. Une visio-conférence bien planifiée.**

**Vous participez à une visio-conférence avec des collègues francophones basés dans cinq bureaux de représentation de votre entreprise à travers le monde. À la fin de la visio-conférence, vous vous mettez d'accord pour convenir d'une date et d'une heure pour la prochaine réunion. Chaque collègue tiendra compte du décalage horaire et de son emploi du temps.**

**2. Horaires variables.**

**Vous lisez ce post sur un forum de discussion. Vous y répondez. Vous donnez votre avis et vous expliquez les raisons de votre accord ou désaccord concernant ce mode d'organisation.**

| ⌂ › Forum › Horaires de travail | Signaler › **Poser votre question** |
|---|---|
| **Paul24 ›** 12 août | Bonjour, mon employeur veut nous imposer des horaires variables dans notre entreprise. Arrivées le matin entre 8 et 10 h 30 et départs entre 16 h et 18 h 30. Je pense que ce n'est pas une bonne idée. |

 Répondre

# B Bien s'organiser au travail

Vous avez du mal à vous organiser et vous cherchez des solutions.

**Lisez les témoignages d'internautes sur un forum et notez les conseils intéressants pour vous aider à résoudre ce problème.**

### Comment vous organisez-vous au travail pour gagner du temps ?     ↗ Participer

**Ory3**

J'aime faire mon travail dans les temps.

Moi, quand j'ai trop de boulot, je commence par lister et classer les tâches à faire. Je traite en priorité les tâches urgentes et je prévois du temps pour les imprévus.

Sur mon agenda, je garde toujours des créneaux libres pour les tâches importantes qui me demandent de la concentration. Je ferme ma porte et personne ne doit me déranger.

🖳 Vos réactions                    ↗ Réagir à cette contribution

**Capucine**

Si vous vous sentez débordé, faites attention ! Moi, je suis tombée malade à cause de ça. Je travaillais trop, même les week-ends. Rien ne pouvait m'arrêter et je n'écoutais personne. Je voulais tout faire toute seule. Depuis, j'ai appris à déléguer quand quelqu'un de mon équipe peut faire une tâche à ma place.

Maintenant, le soir et le week-end, je peux m'accorder du temps pour ma vie personnelle ;-)

🖳 Vos réactions                    ↗ Réagir à cette contribution

**Soitoi**

J'ai pris l'habitude de travailler dans le train le matin quand je vais au travail, ça me permet de quitter mon travail à l'heure le soir.

J'ai toujours quelque chose à faire. Je relis mes rapports ou mes notes prises lors d'une réunion, par exemple. Parfois, pour gagner du temps, je réponds aux mails urgents sur mon smartphone.

🖳 Vos réactions                    ↗ Réagir à cette contribution

**Chicos**

Moi, je me sers beaucoup des nouvelles technologies. J'ai organisé le bureau de mon ordinateur pour être plus efficace et j'ai synchronisé mes fichiers entre ma tablette et mon ordinateur. C'est pratique parce que je ne perds rien et c'est un gros gain de temps quand je suis en déplacement.

J'ai aussi synchronisé mes agendas sur tous mes appareils et j'utilise un agenda partagé avec mes collègues pour l'organisation des réunions.

🖳 Vos réactions                    ↗ Réagir à cette contribution

## 2 Retenez

**Pour décrire sa gestion du temps :**
**J'aime faire** mon travail **dans les temps**.
**Je prévois du temps** pour les imprévus.
**Je garde des créneaux** libres pour les tâches importantes.
Je peux **m'accorder du temps** pour ma vie personnelle.
Travailler dans le train le matin, ça me permet de **quitter mon travail à l'heure** le soir.
**Pour gagner du temps**, je réponds aux mails urgents sur mon smartphone.
J'ai synchronisé mes fichiers entre ma tablette et mon ordinateur. **C'est un gros gain de temps**
quand je suis en déplacement.

**Pour expliquer son organisation au travail :**
**Je commence par classer les tâches** à faire.
**Je traite en priorité** les tâches urgentes.
Je ferme ma porte et **personne ne doit me déranger**.
**J'ai appris à déléguer** quand quelqu'un de mon équipe peut faire une tâche à ma place.
**J'ai pris l'habitude de** travailler dans le train le matin.
**J'ai organisé** le bureau de mon ordinateur pour être plus efficace.
**J'ai synchronisé mes agendas** sur tous mes appareils et **j'utilise un agenda partagé**.

(→ voir Outils linguistiques, 3 p. 50)

## 3 Passez à l'action

**1. Ma contribution.**
**Et vous, comment vous vous organisez pour gagner du temps au travail ?**
**Vous apportez vos contributions au forum (p. 44).**

**2. Remplacement.**
**Vous allez quitter le poste que vous occupez en ce moment. Vous recevez la personne**
**qui va vous remplacer pour parler de votre organisation à ce poste.**

### VOUS

- Vous énumérez les tâches correspondant au poste.
- Vous expliquez comment vous vous organisez.

### VOTRE REMPLAÇANT(E)

- Il / Elle pose des questions ou demande des conseils sur l'organisation du travail.

# C Problèmes d'organisation

**1 Réalisez la tâche**  Mes audios ▸ 10

Vous êtes consultant(e) en organisation du travail. Vous récoltez des informations pour votre prochaine mission.

**Écoutez la conversation entre un employé d'une compagnie d'assurances et un de ses amis puis notez les informations dans un fichier de votre ordinateur.**

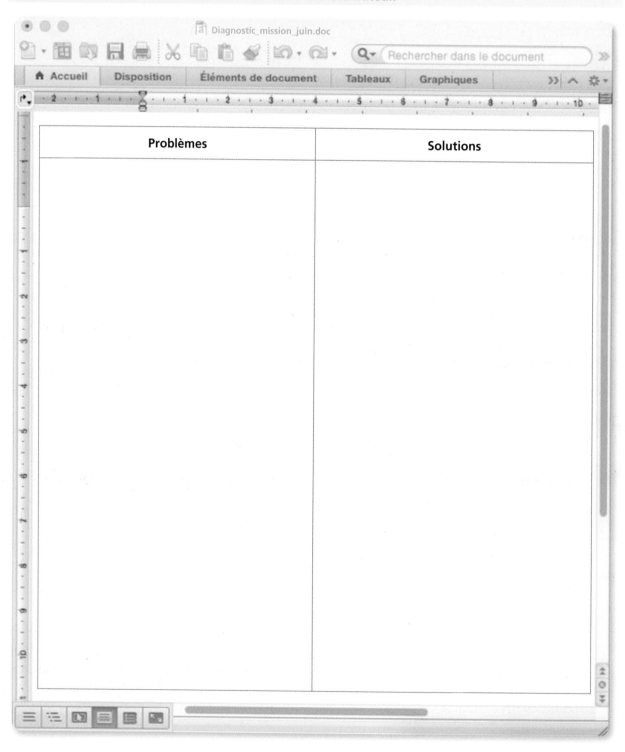

| Problèmes | Solutions |
|---|---|
|  |  |

## 2 Retenez

**Pour décrire des problèmes d'organisation au travail :**
**On n'est pas assez** nombreux. / **On a un problème d'**effectif.
**Personne** ne répond au téléphone.
**Il y a le problème des** retards / des absences.
Les personnes en charge des appels **n'arrivent pas à l'heure** au bureau.
Quand un collaborateur **est absent**, **personne ne** le remplace.
Des fois, **les dossiers des clients ne sont pas traités.**

(→ **voir Outils linguistiques,** 3 p. 50)

**Pour exprimer des difficultés :**
**On n'y arrive pas.**
**J'ai des difficultés à** leur faire comprendre que le respect des horaires, c'est important.
**Les gens ont du mal à** se mettre d'accord.

**Pour suggérer des solutions :**
**Si on recrutait** au minimum quatre personnes, **le service fonctionnerait** mieux, **les clients seraient** satisfaits.
**On aurait** de bons avis sur les réseaux sociaux.
**Et si vous délocalisiez** les appels à l'étranger pendant l'été ?

(→ **voir Outils linguistiques,** 4 p. 51)

## 3 Passez à l'action

### 1. Que faire ?
**Vous rencontrez des difficultés avec un(e) collaborateur/trice. Vous en parlez à votre responsable RH.**

**VOUS**

- Vous décrivez les comportements inappropriés de votre collaborateur/trice.
- Vous décrivez vos difficultés à gérer cette personne.

**LE / LA RRH**

- Il / Elle vous interroge sur les difficultés rencontrées.
- Il / Elle demande des précisions.
- Il / Elle propose des solutions.

### 2. Une réunion urgente.
**Il y a des dysfonctionnements dans votre service et vos clients ne sont pas satisfaits. Vous rédigez un mail à l'ensemble de vos collaborateurs pour leur proposer une réunion. Pour bien leur faire comprendre l'importance de cette réunion, vous expliquez les problèmes et les difficultés que vous rencontrez.**

# D Une réunion importante

**1** **Réalisez la tâche**  Mes audios ▸ 11

Votre entreprise implante une nouvelle usine à Sao Paulo. La direction a organisé une réunion à ce sujet. Vous êtes chargé(e) de relire le compte rendu de cette réunion avant sa diffusion.

**Lisez le compte rendu et écoutez l'enregistrement de la réunion pour apporter des corrections si nécessaire.**

---

 **Compte rendu de la réunion du comité de direction du 12 mars ...**

**Ordre du jour :** Implantation d'une nouvelle usine

**Présents :** Philippe Cantin, directeur général
     Isabelle Arnoux, directrice des ressources humaines
     Thomas Joubert, directeur financier
     Pierre Renaud, directeur export

**Excusée :** Claire Moraud, directrice de production

La séance est ouverte à 10 h sous la présidence de P. Cantin.

Pour commencer, Philippe Cantin rappelle l'ordre du jour prévu et Isabelle Arnoux donne à chaque participant un dossier préparé par Pierre Renaud.

Isabelle Arnoux présente le plan d'action. Elle explique qu'elle n'a pas encore pu lancer l'appel à candidatures parce qu'elle n'a toujours pas la liste définitive des personnes intéressées.

Thomas Joubert demande combien de postes il y a à pourvoir.

Isabelle Arnoux répond qu'une dizaine de postes sont à pourvoir. Elle ajoute qu'elle avait prévu d'organiser une réunion d'information pour le personnel la semaine prochaine mais qu'elle l'a annulée parce que la production ne lui avait pas encore communiqué tous les documents importants.

Claire Moraud fait savoir que les salariés pensent qu'on va supprimer des postes. Elle pense qu'on doit les informer. Elle demande quand une réunion est possible.

Isabelle Arnoux informe qu'elle prévoit de réunir le personnel mercredi 13 mars. Elle ajoute qu'elle demandera aux candidats au départ de remplir leur dossier de candidature et de le retourner avant fin avril. Philippe Cantin et elle recevront les candidats en juin.

Philippe Cantin précise qu'il s'agit de développer les activités en Europe et qu'il y aura des conséquences sur les emplois actuels.

Claire Moraud veut savoir quelles sont les conditions d'expatriation.

Isabelle Arnoux apporte les réponses suivantes :
– une augmentation des salaires de 10 % ;
– la prise en charge de la moitié des frais de logement ;
– une prime de déménagement de 10 000 €.

Pour finir, Thomas Joubert demande si les frais de scolarité des enfants seront payés.

Isabelle Arnoux annonce qu'ils seront pris en charge.

Une nouvelle réunion est prévue le 17 avril.

L'ordre du jour étant épuisé, Philippe Cantin lève la séance à 12 h 30.

## 2  Retenez

**Pour expliquer le déroulement d'un plan action / d'un programme / d'une réunion :**

(Tout) D'abord / Pour commencer / En premier lieu / Premièrement

Ensuite / Après / En deuxième lieu / Deuxièmement

Pour finir / terminer / conclure / Enfin / En conclusion

**Pour échanger en réunion :**

| | |
|---|---|
| **Pour annoncer l'ordre du jour** | Nous sommes réunis pour… <br> Notre réunion a pour objet / but de… |
| **Pour donner la parole** | Je vais laisser la parole à… / Nous allons écouter… <br> Vous pourrez / pouvez poser vos questions / faire des remarques / donner votre avis. <br> Rien à ajouter ? / (Pas) d'autres questions ? |
| **Quand quelqu'un demande la parole** | (Je vous en prie) Allez-y ! |
| **Pour prendre la parole** | Pardon / Vous permettez ? / Excusez-moi de vous couper la parole. <br> Je voudrais ajouter une précision / faire une remarque / un commentaire / dire quelque chose. |
| **Pour poser une question** | Je peux vous poser une question ? / J'ai une question. <br> Je voudrais savoir combien / où / quand / comment… |
| **Pour garder la parole** | S'il vous plaît, je peux terminer ? <br> Je peux ajouter quelque / autre chose ? |
| **Pour conclure** | Ce sera tout pour aujourd'hui. / Je vous remercie. |

**Pour relater des faits passés :**
**J'avais prévu** d'organiser une réunion d'information pour le personnel la semaine dernière mais **je l'ai annulée** parce que **la direction ne m'avait pas encore communiqué** toutes les informations importantes.

(→ **voir Outils linguistiques,** 6 p. 51)

**Pour rapporter des paroles :**
Isabelle Arnoux **explique qu'**elle n'a pas encore pu lancer l'appel à candidatures.

Thomas Joubert **demande combien** de postes il y a à pourvoir.

Claire Moraud **veut savoir quelles** sont les conditions d'expatriation.

Isabelle Arnoux **ajoute qu'**elle avait prévu d'organiser une réunion d'information pour le personnel mais **qu'**elle l'a annulée.

(→ **voir Outils linguistiques,** 5 p. 51)

## 3  Passez à l'action

**Un plan d'action.**

**Étape 1 : Vous imaginez un plan d'action pour la réorganisation d'un service ou d'un plan de formation en trois ou quatre étapes.**

**Étape 2 : Vous vous réunissez avec d'autres collaborateurs pour parler de votre plan d'action. Vous enregistrez la réunion.**

**Un(e) collaborateur/trice**
- annonce l'ordre du jour ;
- donne la parole ;
- conclut.

**Vous**
- expliquez le déroulement du plan d'action ;
- répondez aux questions ;
- gardez la parole.

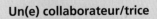

**Un(e) collaborateur/trice**
- prend la parole ;
- demande des précisions.

**Étape 3 : Vous rédigez le compte rendu de votre réunion.**

# OUTILS LINGUISTIQUES

## 1 Le conditionnel présent

| Pour indiquer un souhait / une préférence, interroger à propos d'un souhait / d'une préférence | Ça vous **conviendrait** ? Ça vous **irait** ? Je **préférerais** mercredi après-midi. Ça m'**arrangerait** plus vers 14 h. Je **voudrais** vous présenter notre nouvelle gamme. |
|---|---|
| Pour suggérer / demander poliment | Vous **pourriez** m'apporter vos nouveaux modèles ? Vous **seriez** disponible ? |

**Formation du conditionnel présent :** Même règle de construction que pour le futur simple mais avec les terminaisons de l'imparfait ➜ **infinitif** + **terminaisons de l'imparfait** (*ais*/*ais*/*ait*/*ions*/*iez*/*aient*)

(➜ Voir Tableaux de conjugaison p. 208 à 211)

## 2 L'expression de la cause

**Pour donner des explications / indiquer la cause d'une situation ou d'un fait.**

| Pour introduire une cause On répond à la question : « pourquoi ? » | Ça ne m'arrange pas mardi **parce que** je serai en Belgique pour un salon. Une réunion des commerciaux aura lieu le jeudi 12 à 15 h **car** notre chiffre d'affaires est en légère baisse. |
|---|---|
| Pour exprimer la cause, avant la conséquence, en début de phrase | **Comme** je serai en tournée, je voudrais venir vous présenter notre nouvelle gamme de lunettes. |
| Pour exprimer une cause connue | **Puisque** vous venez lundi, vous pourriez m'apporter vos nouveaux modèles de lunettes de soleil ? |

**parce que, car, comme, puisque** + **sujet** + **verbe**

| Pour introduire une cause qui entraîne un fait ou une situation négative | Désolé d'annuler le rendez-vous **à cause d'**un imprévu. |
|---|---|
| Pour introduire une cause qui entraîne un fait ou une situation positive | Elles plaisent beaucoup **grâce à** leur originalité. |

➜ **à cause de** / **du** / **de la** / **des** / **de l'** + **nom**          ➜ **grâce à** / **à la** / **au** / **aux** / **à l'** + **nom**

## 3 Les pronoms indéfinis

**Pour parler d'un objet / d'une personne non identifié(e).**

| | Pronom pour parler d'une personne | Pronom pour parler d'un objet |
|---|---|---|
| Phrase affirmative | **Quelqu'un** peut faire la tâche ? J'ai confié la tâche à **quelqu'un**. | J'ai toujours **quelque chose** à faire. |
| Phrase négative | **Personne ne** doit me déranger. Je **n'**écoutais **personne**. | **Rien ne** pouvait m'arrêter. Je **ne** perds **rien**. |

- Ces pronoms peuvent être sujet ou complément précédés d'une préposition.
  *Je fais ce travail **pour** quelqu'un. Je ne parlais **à** personne.*
  *Je pense **à** quelque chose. Je travaille **pour** rien.*
- À la forme négative, **ne/n'** est obligatoire.
- Dans une phrase au passé composé, *personne* (complément) se place après le participe passé mais *rien* se place avant.
  *Je n'ai vu **personne**. Je n'ai **rien** fait.*
- Dans une phrase au futur proche, *personne* (complément) se place après le verbe d'action mais *rien* se place entre le verbe *aller* et le verbe d'action.
  *Je ne vais inviter **personne**. Je ne vais **rien** faire.*

## 4 L'imparfait et le conditionnel présent

**Pour exprimer des hypothèses / des conditions imaginaires pour le futur.**

| | |
|---|---|
| **Si** on **recrutait** au minimum quatre personnes… Et **si** vous **délocalisiez** les appels à l'étranger pendant l'été ? | → le service **fonctionnerait** mieux, les clients **seraient** satisfaits. On **aurait** de bons avis sur les réseaux sociaux. |
| **Hypothèse ou condition** <br> **Si** + imparfait | **Conséquence** <br> **Conditionnel présent** |

⚠ Si l'hypothèse / la condition est possible, on utilise *si* + présent + futur simple.
*Si on **s'organise** mieux, nos clients **seront** satisfaits.*

## 5 Discours indirect / Discours rapporté

**Pour rapporter des paroles.**

| | Paroles dites | Paroles rapportées |
|---|---|---|
| Phrase affirmative ou négative | « Je n'**ai** pas encore **pu** lancer l'appel à candidatures. » <br> « J'**ai annulé** la réunion. » <br> « Les gens **pensent** qu'on **va supprimer** des postes. » | Isabelle Arnoux **explique qu'**elle n'a pas encore **pu** lancer l'appel à candidatures. <br> Elle **ajoute qu'**elle **a annulé** la réunion. <br> Claire Moraud **fait savoir que** les gens **pensent** qu'on **va supprimer** des postes. |
| Questions | « **Quand** est-ce qu'une réunion **est** possible ? » <br> « **Quelles sont** les conditions d'expatriation ? » <br> « **Est-ce que** les frais de scolarité des enfants **seront** payés ? » | Elle **demande quand** une réunion **est** possible. <br> Claire Moraud **veut savoir quelles sont** les conditions d'expatriation. <br> Thomas Joubert **demande si** les frais de scolarité des enfants **seront** payés. |
| Ordre | « **Complétez** votre dossier de candidature. » | Je **demanderai** aux candidats **de compléter** leur dossier de candidature. |

### Pour passer du discours direct au discours indirect

→ **Introduire les phrases et questions avec des verbes :**
*dire, informer, préciser, expliquer, ajouter, répondre, faire savoir, annoncer, demander, vouloir savoir, etc.*

→ **Utiliser des mots de subordination après les verbes introducteurs :**
• *que* pour une phrase
• *si / ce que* ou un mot interrogatif pour les questions
⚠ Ne pas utiliser *est-ce que* dans les questions rapportées
• *de* + infinitif pour un ordre

→ **Changer les pronoms et adjectifs possessifs si nécessaire.**

→ **Garder les mêmes temps dans les phrases si le verbe introducteur est au présent.**

## 6 Le plus-que-parfait

**Pour faire comprendre la chronologie des actions.**

| |
|---|
| Pierre **m'a donné** le dossier qu'**il avait préparé** pour nous. <br> **J'avais prévu** d'organiser une réunion d'information la semaine dernière mais **je l'ai annulée**. |
| **Pour indiquer qu'une action précède une autre action passée**, on utilise le plus-que-parfait. |
| Formation du plus-que-parfait : *être* **ou** *avoir* à l'imparfait + participe passé du verbe |

⚠ Si on veut indiquer les actions dans l'ordre où elles se sont produites, on utilise le passé composé.
*Pierre a préparé un dossier pour vous et il me l'a donné.*

⚠ On utilise les règles du passé composé pour le choix de l'auxiliaire et l'accord du participe passé.

(→ Voir Tableaux de conjugaison p. 208 à 211 et Liste des participes passés les plus fréquents p. 212)

# ENTRAÎNEZ-VOUS

## 1. Nuances !

Nuancez les messages des textos en utilisant le conditionnel présent puis indiquez ce qu'ils expriment (souhait / préférence / demande polie / suggestion).

① Nous voulons des informations. M. et Mme Dupont

② Tu souhaites participer à notre voyage ? Bill

③ Mes collègues peuvent imaginer un circuit si tu veux. Valérie

④ Vous êtes intéressés par de la documentation sur le Canada ? M&S

⑤ Anne préfère acheter son billet rapidement. Barbara

## 2. Changement de cap

**Complétez le dialogue avec des expressions de cause.**

– Ta mission est annulée … nos partenaires ne souhaitent plus collaborer avec nous.
– C'est bizarre ! Ils ont donné des raisons ?
– Non, pas vraiment mais, … tu le sais, nous avons beaucoup de concurrents. Ils ont peut-être choisi de travailler avec d'autres fournisseurs … prix actuel de nos produits.
– Et tu n'es pas inquiet ?
– Non, … nos contacts en Amérique latine, nous allons trouver d'autres marchés. Tu vas travailler avec Adrien sur ce dossier-là … tu ne pars plus.

## 3. Indiscrétions

**Vous n'êtes pas le destinataire de ces mails. Rapportez ce que les personnes écrivent.**

Exemple : **1.** Alexis demande si…

> **1.** Auriane,
> Est-ce que toutes les commandes sont prêtes ?
> Envoie-moi un mail de confirmation. Merci d'avance,
> Alexis

> **2.** Chers collègues,
> J'organise une visite de notre nouvelle usine samedi.
> Êtes-vous intéressés ?
> Inscrivez-vous auprès de Sandrine. Merci.
> Myriam

> **3.** Bernard et Julien,
> Comment ça va ? Tout se passe bien ?
> Qu'avez-vous décidé ? Quand revenez-vous ?
> J'attends vos impressions avec impatience !
> Andréa

## 4. Mensonges !

**Vous réfutez ce que le responsable dit. Utilisez le pronom indéfini qui convient.**

Exemple : **1.** C'est faux ! **Personne…**

1. « Quelqu'un a accepté la proposition. »
2. « Personne ne s'occupe des dossiers importants. »
3. « Nous faisons quelque chose pour améliorer les conditions de production. »

## 5. Séminaire raté !

**Le séminaire s'est mal passé. Vous faites des reproches à vos collaborateurs. Utilisez le plus-que-parfait.**

1. C'est incroyable ! Vous (ne pas prévoir) assez de chaises pour tout le monde !
2. C'est de la folie ! Le technicien (ne pas vérifier) le bon fonctionnement du vidéo-projecteur.
3. C'est scandaleux ! Nous (oublier) d'inviter des personnes importantes !
4. C'est bête ! Les stagiaires (ne pas penser) à préparer des prospectus.
5. C'est absurde ! Les chefs de service (ne pas se concerter) sur le programme.
6. C'est embêtant ! Mon assistante (ne pas s'occuper) des cafés.

# TESTEZ-VOUS

 Mon portfolio

## 1. Créer sa boîte à la maison

**Lisez l'article suivant puis cochez la bonne réponse.**

> Défi n° 287
>
> ## Créer sa boîte à la maison
>
> Travailler à la maison demande une bonne organisation : horaires à respecter, dossiers à traiter, appels téléphoniques à passer. Mais chacun a sa façon de travailler. Roman Schmidt, consultant, commence sa journée à 8 h 30 par la tâche la plus importante et la plus urgente. Veronica Perez, conseillère en communication, fait une marche d'une demi-heure avant de travailler et, si elle ne se sent pas prête à traiter un gros dossier, elle s'en occupe plus tard dans la journée. Jade Leclerc, elle, règle les problèmes administratifs et commerciaux avant de lancer la fabrication de ses bijoux. Clara Delorme passe ses journées au téléphone à planifier des rendez-vous
>
>
>
> Roman Schmidt, consultant, commence sa journée à 8 h 30 par la tâche la plus importante et la plus urgente.
>
> pour ses clients, des agents d'assurance, des médecins ou encore des vendeurs de matériel informatique. Comme ses journées sont bien remplies, elle s'est fixé des horaires car elle a peur de ne pas savoir s'arrêter. Elle débute le matin à 9 heures et, le soir, elle ne travaille jamais après 19 heures. Elle prend toujours une pause pour déjeuner. Elle explique que, le samedi matin, elle fait sa comptabilité mais que le dimanche, elle fait du sport. Travailler chez soi permet de s'organiser comme on veut. Autre grand avantage : cela permet de concilier vie professionnelle et vie de famille. ■

|  | Vrai | Faux | On ne sait pas |
|---|---|---|---|
| 1. Quand on travaille à la maison, il faut organiser ses horaires de travail. | ☐ | ☐ | ☐ |
| 2. Roman Schmidt travaille sur les dossiers urgents le matin. | ☐ | ☐ | ☐ |
| 3. Veronica Perez fait du sport après son travail. | ☐ | ☐ | ☐ |
| 4. Jade Leclerc paie ses factures avant de travailler à la production de ses bijoux. | ☐ | ☐ | ☐ |
| 5. Clara Delorme travaille toujours très tard le soir. | ☐ | ☐ | ☐ |

## 2. Organisation au travail  Mes audios ▶ 12

**Écoutez ces quatre personnes puis choisissez la bonne réponse.**

1. **Dans le bureau de l'assistante commerciale**
   La réunion est
   a. annulée jeudi.
   b. reportée au mois prochain.
   c. fixée vendredi à 10 h.

2. **Dans une émission de radio**
   La personne raconte qu'
   a. elle travaille toute la journée chez elle.
   b. elle visite les magasins une fois par semaine.
   c. elle a des activités professionnelles la nuit.

3. **À la cafétéria**
   Dans cette entreprise,
   a. les horaires de travail ne sont pas respectés.
   b. les horaires de travail sont flexibles.
   c. les horaires de travail ont changé.

4. **Dans un bureau**
   Pour gagner du temps, la personne
   a. écrit ses comptes-rendus dans le train.
   b. fait une liste des tâches urgentes.
   c. organise des réunions à partir de 17 h.

# Repères professionnels

## Bien rédiger **un compte rendu** de réunion

Le compte rendu est un document de communication interne à l'entreprise :
on rend compte d'une réunion, d'un entretien ou d'une visite.
Le rédacteur raconte, décrit et résume. Il ne donne pas d'opinion personnelle.
Le compte rendu est rédigé au présent.

**Vérifiez que toutes les informations sont bien notées dans le compte rendu suivant ainsi que dans celui de la page 48.**

**Faites correspondre les indications données dans le désordre à la partie du compte rendu qui convient.**

a. Noter les noms et fonctions des personnes présentes, absentes ou excusées
b. Ne pas mettre de formule de politesse pour prendre congé
c. Raconter les faits (reprise des informations échangées, remarques, décisions)
   – soit par ordre chronologique en citant une par une les interventions des participants
   – soit par thème
d. Préciser l'ordre du jour
e. Ne pas mettre de signature
f. Donner le titre et la date du compte rendu
g. Ne pas mettre de titre de civilité, au contraire d'une lettre
h. Mettre le nom de la société

**DESIGNOPTIQUE**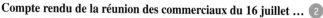

**Compte rendu de la réunion des commerciaux du 16 juillet ...** ②

**Ordre du jour :** Nouvelle collection de montures ③

**Présents :** Madame Martinez, directrice commerciale
Monsieur Tran, responsable marketing
Madame Langlet, représentante zone France
Monsieur Van Loh, représentant zone Europe du Nord ④

**Absente :** Madame Ferreira, représentante zone Espagne et Portugal

**Excusé :** Monsieur Boltz, représentant zone Allemagne

⑤

1) Présentation de la nouvelle collection de montures Zegma

Pour faire face à la concurrence et à une baisse des ventes, la collaboration avec un nouveau styliste a permis de mettre au point une collection innovante de montures de lunettes. Elle présente les caractéristiques suivantes :
– une grande légèreté des montures grâce à des matériaux high-tech plus résistants, plus souples et moins chers
– des branches interchangeables
– 10 nouveaux coloris tendance
⑥ – 5 formes de monture (ronde, carrée, rectangulaire, papillon, aviateur)

2) Offre promotionnelle

À la demande des commerciaux, l'offre est la suivante pour l'achat d'une monture de la collection Zegma :
– 3 paires de branches interchangeables pour chaque achat d'une monture
– un bon cadeau d'une valeur égale à 30 € à valoir sur une paire de lunettes de soleil de la marque Designoptique
Cette collection est distribuée seulement dans des magasins d'optique sélectionnés en France et à l'international.

⑦

⑧

# Les réunions

⟱ **Quelles sont les pratiques en matière de réunion dans votre entreprise, dans votre pays ? Est-ce qu'il y a beaucoup de réunions ? Quels en sont les objectifs ? Comment se passent-elles ?**

1. **Lisez l'article suivant et comparez avec vos réponses.**

## La réunion : une exception française ?

En France, la réunion est surtout un lieu d'échanges d'informations et de discussions. Les questions sont souvent nombreuses. Pour les Anglo-saxons, c'est un lieu de prise de décision et, en Asie, c'est davantage un lieu d'observation des interlocuteurs.

En France, l'ordre du jour est précis et connu d'avance, ce qui permet aux participants de le modifier. Il est respecté pendant la réunion mais il arrive souvent que les participants s'écartent du sujet de la discussion. Dans les pays latins, les réunions sont moins structurées mais peuvent être plus créatives.

Si le quart d'heure de retard aux réunions est toléré en France comme en Espagne ou en Italie, dans les pays anglo-saxons comme en Allemagne, la ponctualité est respectée. Les Japonais arrivent toujours en avance.

Dans les entreprises françaises, un compte rendu est distribué très rapidement après la réunion pour responsabiliser les participants sur les actions à mener et ne pas retarder l'exécution des décisions prises.

### Quelques chiffres

**92 %** des cadres participent régulièrement à des réunions (en moyenne trois par semaine) et chaque rencontre dure 1 h 16 environ.

**La productivité est-elle toujours au rendez-vous ? Cela dépend de la durée de la réunion, apparemment.**

**Pendant les réunions,**

| | |
|---|---|
| **51 %** | lisent ou envoient des mails |
| **49 %** | travaillent sur d'autres dossiers |
| **48 %** | lisent ou envoient des SMS |
| **37 %** | font des dessins |
| **10 %** | jouent sur leur téléphone |
| **8 %** | surfent sur les réseaux sociaux |
| **7 %** | organisent leur week-end ou leurs vacances |
| **2 %** | visitent des sites de rencontre |

DEFIPRO n° 352 | **18**

2. **Lisez le document suivant puis rédigez 10 conseils pour un francophone qui doit participer à une réunion dans votre pays.**

### Le temps, c'est de l'argent : **10** conseils pour faire court et être efficace en réunion

1 ▶ Se demander si la réunion est indispensable.
2 ▶ Bien choisir les participants.
3 ▶ Rédiger un ordre du jour précis et s'y tenir.
4 ▶ Préparer la réunion : envoyer l'ordre du jour, préparer les documents.
5 ▶ Commencer à l'heure.
6 ▶ Laisser toutes les idées s'exprimer mais minuter le temps de parole.
7 ▶ Distribuer la parole.
8 ▶ Mettre en commun les informations.
9 ▶ Faire un rapide tour de table en fin de réunion.
10 ▶ Diffuser le compte rendu après la réunion.

# SCÉNARIO PROFESSIONNEL

Cinq nouveaux collaborateurs vont intégrer votre entreprise.
Pour faciliter leur intégration, vous organisez leur première journée.

### ÉTAPE 1 ▸ PRÉSENTEZ L'ENTREPRISE

**1** Préparez un fichier PowerPoint de présentation de l'entreprise et des services ou des produits commercialisés / fabriqués / conditionnés…

**2** Préparez un document avec la liste des personnes importantes de l'entreprise. Précisez leurs fonctions ainsi que leurs coordonnées et l'emplacement de leur bureau (nom du bâtiment, étage, numéro de porte). Ce document sera remis aux nouveaux arrivants.

### ÉTAPE 2 ▸ PRÉPAREZ L'ACCUEIL DES NOUVEAUX SALARIÉS

**1** Faites la liste des nouveaux collaborateurs avec leur nom et leur poste.

**2** Rédigez un mail d'informations au personnel concerné par l'arrivée de ces nouveaux collaborateurs. Indiquez toutes les informations importantes comme leur date d'arrivée, leur profil, leur poste, les missions qui leur seront confiées, l'emplacement de leur bureau, etc.

**3** Téléphonez à un de vos collaborateurs des ressources humaines pour établir avec lui / elle la liste des éléments importants à communiquer aux nouveaux arrivants ainsi que le matériel / l'équipement / la documentation qu'il faudra leur donner.

### ÉTAPE 3 ⟩ ORGANISEZ LA RÉUNION PRÉPARATOIRE

⟩ **1** Planifiez une réunion préparatoire avec les personnes concernées par l'intégration des nouveaux collaborateurs : convoquez-les par mail.

⟩ **2** Animez la réunion :
**a.** Préparez ensemble le programme du déroulement de la journée d'intégration.
**b.** Préparez ensuite le planning des premiers jours des nouveaux collaborateurs au sein de l'entreprise. Pensez aux personnes qu'ils devront rencontrer et aux services qu'ils devront visiter.

⟩ **3** Rédigez le compte rendu de cette réunion.

### ÉTAPE 4 ⟩ ANIMEZ LA JOURNÉE D'INTÉGRATION

⟩ **1** Accueillez les nouveaux venus et présentez-leur les collaborateurs de l'entreprise présents.

⟩ **2** Informez et communiquez sur l'entreprise : utilisez le fichier PowerPoint que vous avez préparé.

⟩ **3** Expliquez le planning des premiers jours que vous avez préparé.

⟩ **4** Donnez des indications sur le fonctionnement de l'entreprise et l'organisation du travail.

⟩ **5** Assurez la visite des locaux (repérage des différents services, salles de réunion, cafétéria, service de rattachement…) puis donnez les instructions nécessaires (fonctionnement d'une machine, par exemple) ou des informations pratiques sur le quartier (restaurants, commerces, pharmacie, transports autour de l'entreprise, par exemple).

⟩ **6** Répondez aux questions que les nouveaux collaborateurs vous posent.

### ÉTAPE 5 ⟩ RENDEZ COMPTE

⟩ Rédigez un petit article à faire paraître dans le journal de l'entreprise à propos de cette journée d'intégration.

# UNITÉ **4**

# **Vendez** vos produits et services

B1

## Pour être **capable de/d'**

> **réaliser une enquête / un sondage**
> **mener un entretien de vente**
> **échanger sur des conditions de vente**
> **présenter un nouveau produit / service**

## Vous allez **apprendre à**

> interroger à propos des usages d'un objet
> indiquer des objectifs
> décrire des problèmes informatiques
> inciter / convaincre
> formuler des réticences
> exprimer une opposition / une objection
> répondre à des objections
> reporter une décision
> décrire un processus de vente en ligne
> formuler une promesse / un engagement
> signaler des problèmes concernant
  des articles
> interroger sur des conditions de vente
  en ligne
> demander un rappel téléphonique
> vanter les caractéristiques spécifiques
  d'un produit
> préciser des actions
> exprimer des nécessités

## Vous allez **utiliser**

> l'interrogation à la forme soutenue
> le pronom relatif *dont*
> la voix passive
> le subjonctif présent
> les adverbes en *–ment*

⊙ Mes vidéos ▸ Vendez vos produits et services

# A Une étude de marché

## 1 Réalisez la tâche

Vous travaillez au service marketing d'une entreprise spécialisée dans la vente de matériel informatique. Votre direction souhaite créer un service de dépannage informatique et vous a donné les objectifs pour que votre équipe réalise un questionnaire d'étude de marché. Vous devez valider ce questionnaire.

**Lisez le questionnaire et les objectifs fixés pour vérifier qu'ils correspondent bien puis répondez vous-même aux questions pour le tester.**

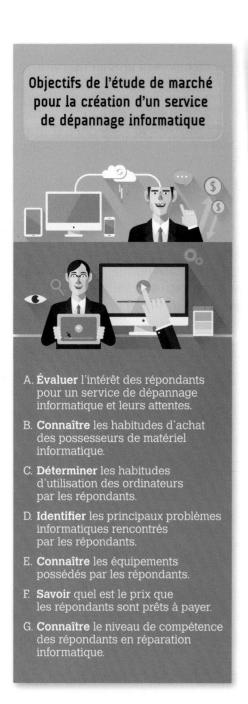

### Objectifs de l'étude de marché pour la création d'un service de dépannage informatique

A. **Évaluer** l'intérêt des répondants pour un service de dépannage informatique et leurs attentes.

B. **Connaître** les habitudes d'achat des possesseurs de matériel informatique.

C. **Déterminer** les habitudes d'utilisation des ordinateurs par les répondants.

D. **Identifier** les principaux problèmes informatiques rencontrés par les répondants.

E. **Connaître** les équipements possédés par les répondants.

F. **Savoir** quel est le prix que les répondants sont prêts à payer.

G. **Connaître** le niveau de compétence des répondants en réparation informatique.

## SONDAGE — L'informatique et vous ?

1. Quel(s) équipement(s) informatique(s) possédez-vous à titre personnel ?
   - ☐ Ordinateur fixe.
   - ☐ Ordinateur portable.
   - ☐ Tablette numérique.
   - ☐ Imprimante.
   - ☐ Scanner.
   - ☐ Je ne possède aucun de ces équipements.

2. En quelle année avez-vous acquis votre ordinateur actuel ?

   ...........................................

3. À quoi votre ordinateur vous sert-il ? (Plusieurs réponses possibles.)
   - ☐ Usage bureautique : accès Internet, mails, traitement de texte, etc.
   - ☐ Usage social : Facebook, Twitter, etc.
   - ☐ Usage multimédia simple : regarder des films, des photos, etc.
   - ☐ Usage multimédia avancé : montage vidéo, retouche photo, etc.
   - ☐ Usage ludique : jeux vidéo, etc.
   - ☐ Autres : ...................................

4. Quel budget pourriez-vous consacrer à l'achat d'un nouvel ordinateur ?
   - ☐ Moins de 500 euros.
   - ☐ Entre 500 et 1 000 euros.
   - ☐ Plus de 1 000 euros.

5. Que faites-vous quand votre ordinateur est en panne ?
   - ☐ Je me dépanne seul(e).
   - ☐ Je demande à un proche.
   - ☐ Je fais appel à un professionnel du dépannage informatique.
   - ☐ Je me rends dans le magasin où je l'ai acheté.
   - ☐ Je change d'ordinateur.

6. Au cours des 12 derniers mois, quels types de problèmes informatiques avez-vous rencontrés avec votre ordinateur principal ?
   - ☐ Problèmes de sécurité (virus, spams, pare-feu, etc.).
   - ☐ Problèmes liés aux périphériques (imprimante, scanner).
   - ☐ Problèmes de connexion Internet, réseau et wifi.
   - ☐ Problèmes de messagerie (envoi ou réception des mails).
   - ☐ Problèmes de synchronisation entre appareils (avec une tablette, un smartphone, etc.).
   - ☐ Problèmes matériels (panne de disque dur, écran, etc.).
   - ☐ Problèmes de sauvegarde de documents et de récupération de données.
   - ☐ Je n'ai pas rencontré de problème informatique.

7. Si vous deviez faire appel à un réparateur informatique, comment le trouveriez-vous ?
   - ☐ Sur Internet (moteurs de recherche, forums, réseaux sociaux).
   - ☐ Via les sociétés de service à la personne.
   - ☐ Par mes proches (amis, famille, collègues, etc.).

8. Seriez-vous intéressé(e) par un service de dépannage informatique ?
   - ☐ Oui.
   - ☐ Non.
   - Pour quelles raisons ? .....................

9. Quelles qualités un prestataire de service de dépannage informatique devrait-il avoir ? (Classez vos réponses de 1 à 6.)
   - ☐ Des prix compétitifs.
   - ☐ La rapidité d'intervention.
   - ☐ Des devis clairs et détaillés.
   - ☐ La proximité géographique.
   - ☐ La disponibilité.
   - ☐ La compétence.

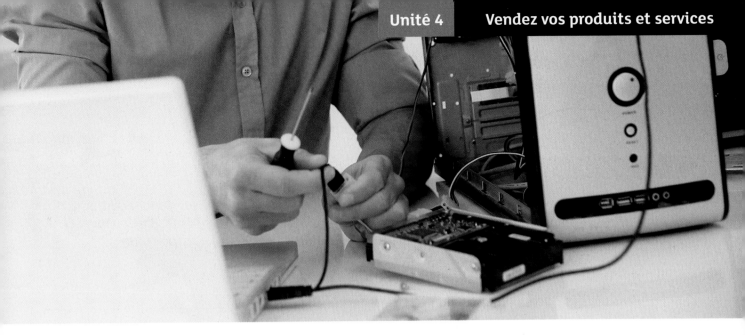

## 2 Retenez

**Pour interroger à propos des usages d'un objet / d'un appareil :**
**Quel(s)** équipement(s) informatique(s) **possédez-vous** ?
**À quoi** votre ordinateur **vous sert-il** ?
**Que faites-vous quand votre** ordinateur est / tombe en panne ?
**Quels types de problèmes** informatiques **avez-vous rencontrés avec** votre ordinateur ?
(→ **voir Outils linguistiques, 1 p. 68**)

**Pour indiquer des objectifs :**
**Évaluer** l'intérêt des répondants pour un service.
**Connaître** les habitudes d'achat des possesseurs de matériel informatique.
**Identifier** les principaux problèmes informatiques rencontrés par les répondants.
**Savoir** quel est le prix que les répondants sont prêts à payer.

**Pour décrire des problèmes informatiques :**
**Je rencontre des problèmes de** sécurité, de connexion, de synchronisation, de messagerie, de sauvegarde.
Mon ordinateur **est / est tombé en panne**.
**J'ai des problèmes liés aux périphériques**.
**Je fais appel à** un professionnel du dépannage / un dépanneur / un réparateur.

## 3 Passez à l'action

 **Une étude de marché.**
**Votre entreprise veut lancer un nouveau produit ou service et vous allez faire une étude de marché.**

Étape 1 : Vous choisissez un service ou un produit.
Étape 2 : Vous listez les objectifs du questionnaire de l'étude de marché.
Étape 3 : Vous rédigez les questions.
Étape 4 : Vous vérifiez que le questionnaire correspond bien aux objectifs.
Étape 5 : Vous interrogez des personnes (à l'oral) et vous notez les réponses.
Étape 6 : Vous classez les réponses et vous tirez des conclusions (intérêt des répondants, habitudes d'achat, habitudes d'utilisation, problèmes rencontrés, équipements possédés, budget).

# B Une offre intéressante

## 1 Réalisez la tâche  Mes audios ▸ 13

Vous supervisez une équipe de téléconseillers chez Atout forme, une enseigne de salles de sport. Dans le cadre d'une démarche qualité, vous devez évaluer la prestation / performance d'un téléconseiller.

Écoutez la conversation téléphonique qui a été enregistrée entre le téléconseiller et un prospect (client potentiel) puis complétez la fiche d'évaluation.

| TÉLÉCONSEILLER : | AURÉLIEN CONSORT |
|---|---|
| PROSPECT : | Mme ROSET |
| Objectif de l'appel : | **Souscription à un abonnement au club de gym.** |

**Objections du prospect :**

◯ n'a pas le temps
◯ n'est pas intéressé
◯ fréquente une salle de sport concurrente
◯ trouve notre service trop cher

◯ n'a pas le budget
◯ n'a aucun besoin de nos produits / services
◯ n'aime pas notre entreprise / notre enseigne
◯ autre

Réponses aux objections :

.................................................................
.................................................................
.................................................................

Moyens pour convaincre le prospect :

.................................................................
.................................................................
.................................................................

**Résultat de l'appel :**

**Le prospect :**
◯ n'est pas intéressé
◯ n'a pas le temps pour un rendez-vous
◯ demande à réfléchir
◯ demande de plus amples renseignements
◯ demande l'envoi d'une documentation
◯ a accepté un essai gratuit
◯ a accepté un rendez-vous

**Actions à mener :**

◯ envoyer une documentation
◯ rappeler dans une semaine
◯ programmer un rendez-vous

| Compétences professionnelles du téléconseiller : | 😊 | 😐 | 🙁 |
|---|---|---|---|
| Sens du relationnel et politesse | | | |
| Clarté des réponses | | | |
| Ton | | | |
| Capacité à écouter (ne coupe pas la parole) | | | |
| Capacité à persuader / influencer le prospect | | | |
| Bonne connaissance du produit / service proposé | | | |
| Capacité à s'adapter au prospect | | | |
| Capacité à réagir en cas de refus | | | |

## 2 Retenez

**Pour inciter / convaincre :**
**Vous savez,** nos horaires sont très souples.
**C'est parfaitement adapté à votre situation /**
**vos besoins.**
**C'est vraiment bien pour** reprendre le sport.
**C'est une bonne occasion de** tester notre club.
**Vous avez à votre disposition** des salles dont
les équipements sont ultra modernes.
**Vous disposez d'**une piscine dont vous pourrez profiter
toute l'année.
**Je vous propose de profiter d'**une offre exceptionnelle.
Si vous vous abonnez aujourd'hui, **vous bénéficiez de**
15 % sur notre abonnement annuel.
**Vous avez également la possibilité de** choisir
un abonnement de 29,90 € par mois **si vous préférez**.
**Je peux vous faire bénéficier d'**une séance gratuite.
(→ voir Outils linguistiques, 2 p. 68)

**Pour formuler des réticences :**
**Ça ne m'intéresse pas.**
**C'est beaucoup trop cher** pour mon budget.
**Ce n'est pas ma priorité** aujourd'hui.

**Pour exprimer une opposition / une objection :**
**C'est vrai que** les horaires pourraient me convenir
**mais...** / C'est une offre intéressante **mais...**
**Ça a l'air bien en effet mais...**

**Pour répondre à des objections :**
**Je vous comprends mais** nos horaires sont souples.
**Ce serait dommage de ne pas profiter de** notre
promotion.
**Ça ne vous engage à rien.**

**Pour reporter une décision :**
C'est gentil à vous mais **je veux réfléchir**.
J'hésite... **Je vous rappellerai** si je me décide.

## 3 Passez à l'action

**Un bon argumentaire de vente.**
**Vous êtes télévendeur(euse) pour une entreprise de votre choix.**

**Étape 1 :** Vous déterminez un objectif d'appel puis vous préparez l'argumentaire de vente
correspondant à un produit / service de l'entreprise (vos arguments – les objections possibles
du prospect – les réponses aux objections).

**Étape 2 :** Vous appelez des prospects.

**VOUS**

- Vous vous présentez.
- Vous présentez le produit / service et les avantages de l'offre.
- Vous répondez aux objections.

**LE PROSPECT**

- Il / Elle exprime des réticences.
- Il / Elle exprime une opposition / une objection.

**Étape 3 :** Vous complétez une fiche de prospection pour chaque prospect (cf. 1re partie de la fiche
« Réalisez la tâche »).

**Étape 4 :** Vous faites un compte rendu à votre responsable (nombre de prospects convaincus – nombre
de prospects hésitants – nombre de prospects pas du tout intéressés – conclusions).

# C Excellentes conditions de vente

**1 Réalisez la tâche**  Mes audios ▸ 14

 Vous travaillez comme conseiller(ère) au service clients d'Ardéco, une entreprise de vente en ligne d'objets de décoration. Des clients ont appelé pour poser des questions. Vous préparez vos réponses avant de les rappeler.

**Écoutez les messages puis lisez les conditions de vente pour trouver les réponses aux questions posées par les clients.**

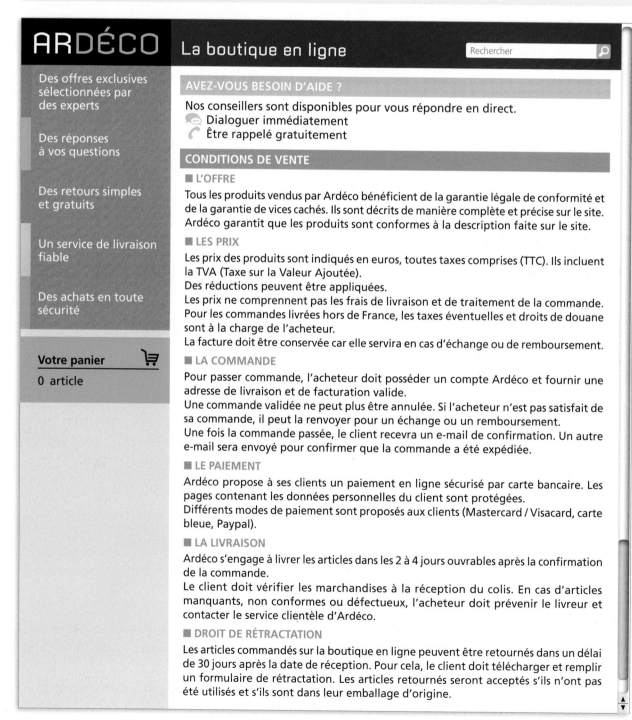

## ARDÉCO   La boutique en ligne

Rechercher

**Des offres exclusives sélectionnées par des experts**

**Des réponses à vos questions**

**Des retours simples et gratuits**

**Un service de livraison fiable**

**Des achats en toute sécurité**

**Votre panier** 🛒

0 article

### AVEZ-VOUS BESOIN D'AIDE ?

Nos conseillers sont disponibles pour vous répondre en direct.
💬 Dialoguer immédiatement
📞 Être rappelé gratuitement

### CONDITIONS DE VENTE

#### ■ L'OFFRE

Tous les produits vendus par Ardéco bénéficient de la garantie légale de conformité et de la garantie de vices cachés. Ils sont décrits de manière complète et précise sur le site. Ardéco garantit que les produits sont conformes à la description faite sur le site.

#### ■ LES PRIX

Les prix des produits sont indiqués en euros, toutes taxes comprises (TTC). Ils incluent la TVA (Taxe sur la Valeur Ajoutée).
Des réductions peuvent être appliquées.
Les prix ne comprennent pas les frais de livraison et de traitement de la commande. Pour les commandes livrées hors de France, les taxes éventuelles et droits de douane sont à la charge de l'acheteur.
La facture doit être conservée car elle servira en cas d'échange ou de remboursement.

#### ■ LA COMMANDE

Pour passer commande, l'acheteur doit posséder un compte Ardéco et fournir une adresse de livraison et de facturation valide.
Une commande validée ne peut plus être annulée. Si l'acheteur n'est pas satisfait de sa commande, il peut la renvoyer pour un échange ou un remboursement.
Une fois la commande passée, le client recevra un e-mail de confirmation. Un autre e-mail sera envoyé pour confirmer que la commande a été expédiée.

#### ■ LE PAIEMENT

Ardéco propose à ses clients un paiement en ligne sécurisé par carte bancaire. Les pages contenant les données personnelles du client sont protégées.
Différents modes de paiement sont proposés aux clients (Mastercard / Visacard, carte bleue, Paypal).

#### ■ LA LIVRAISON

Ardéco s'engage à livrer les articles dans les 2 à 4 jours ouvrables après la confirmation de la commande.
Le client doit vérifier les marchandises à la réception du colis. En cas d'articles manquants, non conformes ou défectueux, l'acheteur doit prévenir le livreur et contacter le service clientèle d'Ardéco.

#### ■ DROIT DE RÉTRACTATION

Les articles commandés sur la boutique en ligne peuvent être retournés dans un délai de 30 jours après la date de réception. Pour cela, le client doit télécharger et remplir un formulaire de rétractation. Les articles retournés seront acceptés s'ils n'ont pas été utilisés et s'ils sont dans leur emballage d'origine.

## 2  Retenez

**Pour décrire un processus de vente en ligne :**
**Pour passer commande**, l'acheteur doit …
**Une commande validée** ne peut plus être **annulée**.
**Le client recevra un e-mail de confirmation.**
Un autre e-mail sera envoyé pour **confirmer que la commande a été expédiée**.
Le client doit **vérifier les marchandises à la réception du colis.**
**Les articles** commandés sur la boutique en ligne **peuvent être retournés** dans un délai de…
(→ **voir Outils linguistiques, 3 p. 69)**

**Pour formuler une promesse / un engagement :**
**Ardéco garantit que** les produits sont conformes à la description faite sur le site.
**Ardéco s'engage** à livrer les articles dans les 2 à 4 jours ouvrables.
**Tous les produits vendus par Ardéco bénéficient de la garantie légale de** conformité et de la garantie de vices cachés.

**Pour interroger sur des conditions de vente en ligne :**
Est-ce que mes informations bancaires et mes données personnelles restent bien confidentielles ?
Je peux annuler ma commande ?
J'ai des frais supplémentaires à payer ?
Je veux savoir quand je recevrai les articles.
Est-ce que la livraison est gratuite ?
Comment je sais que ma commande a bien été enregistrée ?

**Pour demander un rappel téléphonique :**
J'attends votre appel / votre réponse.
Pouvez-vous me rappeler (rapidement), s'il vous plaît ? Merci.
Merci de me rappeler au 07 54 63 41 09.

**Pour signaler des problèmes concernant des articles :**
En cas d'**articles manquants**, **non conformes** ou **défectueux**…
La lampe **ne fonctionne pas**.
Il y a trois assiettes **cassées**.

**La vente**
un article / une marchandise / un produit
une boutique (en ligne)
un colis / un emballage
une commande / commander / passer une commande / confirmer / annuler une commande
un échange / échanger
une expédition / une livraison / expédier / livrer
une facture / une facturation / facturer
des frais de livraison / de traitement
une garantie / un bon de garantie / garantir

un paiement / payer
un prix
une réception de commande / de livraison / réceptionner
une réduction / une remise / un escompte / un rabais /
un remboursement / rembourser
un retour / retourner
une rétractation / un formulaire de rétractation / se rétracter
une ristourne
une taxe / toutes taxes comprises / une taxe sur la valeur ajoutée / des droits de douane
un vice caché

## 3  Passez à l'action

**1. Un(e) client(e) difficile !**
**Vous travaillez au service clientèle d'une entreprise de votre choix. Un(e) client(e) difficile vous appelle et vous pose de multiples questions. Vous répondez à toutes ses questions et ses inquiétudes.**

**2. Un service exceptionnel !**
**Vous travaillez au service administratif d'un hôtel. Vous rédigez les conditions de vente pour le service de réservation en ligne.**

# D Fiche pratique

**Vous êtes auto-entrepreneur et vous souhaitez vendre un produit du commerce équitable. Vous cherchez des conseils pour bien le vendre. Un article a retenu votre attention.**

**Lisez l'article et soulignez les conseils qui vous paraissent les plus importants.**

## Comment « emballer » votre produit ?

Par Isabelle Pratisco
Coach et consultante
*(cabinet de formation en communication /
marketing Ruby)*

Comment le consommateur choisit-il parmi les 50, 60 ou 100 références proposées pour une seule famille de produits dans un hypermarché ? Prend-il vraiment le temps de comparer ?
Des études montrent qu'il passe en moyenne 16 secondes dans chaque rayon et qu'il va directement vers ses marques favorites pour remplir son caddie rapidement.

Dans ce contexte, il est difficile pour une entreprise d'imposer une nouvelle référence. Pour y arriver, il faut qu'elle arrive à capter l'attention du consommateur grâce à un emballage efficace de son produit : une couleur attrayante, un matériau inattendu ou encore une forme inhabituelle.

Voici les règles de marketing à connaître pour emballer efficacement vos produits :

**→ Règle n°1**

Il est important que vous analysiez les emballages de vos concurrents et que vous positionniez votre produit. Sera-t-il plus petit, plus moderne, moins strict, plus haut de gamme que le produit de vos concurrents ? Il faut que vous transmettiez vos réflexions à une agence de packaging qui pourra vous proposer des idées nouvelles.

**→ Règle n°2**

Soyez original. Il faut que l'emballage ait un impact immédiat sur le consommateur mais, attention, l'originalité doit rester acceptable. Si vous proposez une eau minérale dans une bouteille en verre jaune ou du chocolat fin dans une boîte en plastique, vous risquez de faire un flop*.

**→ Règle n°3**

Un emballage efficace est aussi un emballage simple. Aujourd'hui, le packaging est un vrai support de communication alors, si vous faites passer un message, il est important que le consommateur le comprenne immédiatement. Adoptez un style simple et clair.

**→ Règle n°4**

Offrez un service. Ce sont, par exemple, des poignées solides sur des packs de lait ou d'eau pour les transporter facilement ou encore un bouchon pratique sur une bouteille de détergent pour mesurer le liquide. Ce « petit plus » pratique attirera les consommateurs vers votre produit.

**→ Règle n°5**

Avant de lancer le produit, proposez-le à un échantillon de consommateurs qui donneront leur avis. Si vous voulez obtenir des résultats significatifs, il est nécessaire que ce test se fasse dans les mêmes conditions que dans une grande surface bruyante et bondée.
Si vos tests sont concluants, vous pourrez enfin lancer la fabrication de votre emballage. ■

*Obtenir de mauvais résultats

## 2 Retenez

**Pour vanter les caractéristiques spécifiques d'un produit :**
Il faut capter l'attention du consommateur avec / grâce à :
un emballage **efficace** ;
une couleur **attrayante** ;
un matériau **inattendu** ;
une forme **inhabituelle** ;
un produit **haut de gamme / original**.

**Pour préciser des actions :**
Le consommateur va **directement** vers ses marques favorites pour remplir son caddie **rapidement**.
Voici les règles de marketing à connaître pour emballer **efficacement** vos produits.

(→ **voir Outils linguistiques, 5 p. 69**)

**Pour exprimer des nécessités :**
**Il est important que** vous analysiez les emballages de vos concurrents.
**Il faut que** l'emballage ait un impact immédiat sur le consommateur.
**Il est nécessaire que** ce test se fasse dans les mêmes conditions que dans une grande surface bruyante et bondée.

(→ **voir Outils linguistiques, 4 p. 69**)

**Le marketing / La mercatique**
analyser / positionner un produit
capter l'attention du client
faire passer un message
imposer un produit
lancer / tester un produit
obtenir des résultats significatifs
offrir un service
proposer des idées nouvelles
sélectionner un échantillon de consommateurs

**La grande distribution**
un caddie
un consommateur / une consommatrice
un emballage
une gamme
un hypermarché / une grande surface
une marque
un produit
un rayon
une référence

## 3 Passez à l'action

**Nouveauté !**
**Vous travaillez au service marketing. Votre entreprise veut lancer un nouveau produit ou service.**

**Étape 1 :** Vous travaillez par deux. Vous imaginez un nouveau produit de la vie courante
(produit ménager, ustensile, produit de beauté, produit alimentaire, etc.).

**Étape 2 :** Vous préparez une petite présentation PowerPoint de votre produit.
Vous pensez aux informations suivantes :
- Nom du produit
- Type de produit
- Caractéristiques du produit
- Caractéristiques de l'emballage
- Cible (type de clientèle)
- Points forts

**Étape 3 :** Vous faites votre présentation à vos collègues et vous répondez à leurs questions.

# OUTILS LINGUISTIQUES

## 1 L'interrogation à la forme soutenue

| Question sans mot interrogatif | Question avec un mot interrogatif | | | |
| --- | --- | --- | --- | --- |
| | Mot interrogatif sans préposition | Mot interrogatif avec préposition | Adjectif interrogatif sans préposition | Adjectif interrogatif avec préposition |
| **Seriez-vous** intéressé(e) par un service de dépannage ? | **Que faites-vous** quand votre ordinateur est en panne ? **Comment** le **trouveriez-vous** ? | *À quoi* votre ordinateur **sert-il** ? | **Quel** budget **pourriez-vous** consacrer à l'achat d'un nouvel ordinateur ? **Quelles** qualités un prestataire **devrait-il** avoir ? | *En* **quelle** année **avez-vous acquis** votre ordinateur ? *Pour* **quelles** raisons **êtes-vous** intéressé ? |
| | Les mots interrogatifs **où**, **quand**, **comment**, **pourquoi**, **qui**, **que**, **quoi** peuvent être précédés d'une préposition (**à**, **de**, **pour**, **en**). | | | |
| | Règle de l'inversion du sujet | | | |

- Avec **un verbe** → verbe-**pronom sujet** : *Que faites-__vous__ quand votre ordinateur est en panne ?*
- Avec **un pronom complément** → pronom complément verbe-**pronom sujet** : *Comment le trouveriez-__vous__ ?*
- Avec **un nom** → sujet verbe-*il(s)/elle(s)* : *À quoi **votre ordinateur** sert-__il__ ?*
  → sujet verbe-*t-il(s)/elle(s)* : *Votre ordinateur a-t-__il__…? **Votre ordinateur** fonctionne-t-__il__ correctement ?*
  On ajoute un **-t-** entre le verbe qui se termine par une voyelle et les pronoms sujets *il* et *elle*.
- Avec deux verbes → verbe 1-**pronom sujet verbe 2** : *Quel budget pourriez-__vous__ consacrer à l'achat d'un nouvel ordinateur ?*
- Au passé composé → auxiliaire-**pronom sujet participe passé** : *Quels types de problèmes avez-__vous__ rencontrés avec votre ordinateur ?*

## 2 Le pronom relatif *DONT*

**Pour réunir deux phrases et éviter les répétitions.**

| Vous avez à votre disposition des salles **dont** les équipements sont ultra modernes. | Vous disposez d'une piscine **dont** vous pourrez profiter toute l'année. |
| --- | --- |

Le pronom relatif **dont** permet de réunir deux phrases grâce à un nom qu'elles ont en commun et qui est précédé de **de** dans la deuxième phrase.

| *Vous avez à votre disposition __des salles__.* *Les équipements de __ces salles__ sont ultra modernes.* | *Vous disposez d'__une piscine__. Vous pourrez profiter de __cette piscine__ toute l'année.* |
| --- | --- |
| • **La préposition *de* est utilisée pour exprimer la possession.** ⚠ *Dont* peut aussi être utilisé à la place d'un adjectif possessif. *Je vous propose un club. __Ses__ équipements sont ultra modernes.* → *Je vous propose un club **dont** les équipements sont ultra modernes.* ⚠ Il n'est pas possible d'utiliser un adjectif possessif après *dont*. *Je vous propose un club **dont** ~~ses~~ les équipements sont ultra modernes.* | • **La préposition *de* est utilisée à cause du verbe.** Quelques verbes et expressions suivis de la préposition *de* : *parler de, entendre parler de, bénéficier de, profiter de, s'occuper de, se servir de, se souvenir de, rêver de, avoir besoin de, avoir envie de, avoir peur de…* • *Dont* s'utilise également dans le cas d'un adjectif + *de*. *Je vous recommande __ce club__. Je suis satisfait de __ce club__.* → *Je vous recommande ce club **dont** je suis satisfait.* Quelques adjectifs suivis de *de* : *être satisfait de, content de, proche de, responsable de, fier de, amoureux de…* |

## 3 La voix passive

**Pour mettre une information en relief.**

| Voix active | Voix passive |
|---|---|
| **Le site** indique les prix des produits.<br>**L'entreprise** protège les données personnelles.<br>**Les clients** peuvent retourner les articles.<br>**Les clients** doivent conserver la facture.<br>**L'entreprise** enverra un e-mail.<br>**L'entreprise** a expédié la commande. | **Les prix des produits** sont indiqués en euros.<br>**Les données personnelles du client** sont protégées.<br>**Les articles** peuvent être retournés par les clients.<br>**La facture** doit être conservée par le client.<br>**Un e-mail** sera envoyé.<br>**La commande** a été expédiée par l'entreprise. |
| À la **voix active**, **l'auteur de l'action** est mis en avant. | À la **voix passive**, **l'objet de l'action** est mis en avant. |
| | Formation de la voix passive<br>**Auxiliaire** *être* + **participe passé du verbe**<br>Le verbe *être* est conjugué au temps et au mode de la phrase active.<br>On peut préciser l'auteur de l'action en utilisant *par*. |

(➡ Voir Liste des participes passés les plus fréquents p. 212)

## 4 Le subjonctif présent

**Pour exprimer la nécessité.**

**Il est important que** vous analysiez les emballages de vos concurrents.
**Il faut que** l'emballage ait un impact immédiat sur le consommateur.
**Il est nécessaire que** ce test se fasse dans les mêmes conditions que dans une grande surface.
**Il est important que** le consommateur comprenne immédiatement le message.
**Il faut que** l'entreprise arrive à capter l'attention du consommateur.

On utilise *que* + sujet + subjonctif après les expressions impersonnelles **quand le sujet est précisé**.

**Quand le sujet n'est pas précisé ou quand il s'agit d'une généralité**, on utilise **l'infinitif**.
*Il faut analyser les emballages des concurrents. Il est nécessaire de faire des tests.*

Règle de formation du subjonctif :
• Pour *je / tu / on / il(s) / elle(s)* :
**Radical de la 3ᵉ personne du pluriel du présent de l'indicatif (*ils*) + terminaisons :** *e / es / e / ent*
   *comprendre* ➡ *je comprenne / tu comprennes / il comprenne / ils comprennent*
• Pour *nous* et *vous* : **Même formes qu'à l'imparfait**
   *comprendre* ➡ *nous comprenions / vous compreniez*

Quelques verbes irréguliers :
*Aller, avoir, être, faire, pouvoir, vouloir, savoir…*

(➡ Voir Tableaux de conjugaison p. 208 à 211)

## 5 Les adverbes en –*MENT*

**Pour préciser une action.**

| | Adjectifs au féminin | Adverbes en –*MENT* |
|---|---|---|
| Il va **directement** vers ses marques favorites pour remplir son caddie **rapidement**.<br>Voici les règles pour emballer **efficacement** vos produits.<br>Le consommateur comprend **immédiatement** le message. | directe<br>rapide<br>efficace<br>immédiate | directement<br>rapidement<br>efficacement<br>immédiatement |

Construction de l'adverbe : **adjectif au féminin + –*MENT***

⚠ Pour les adjectifs terminés en *-i*, *-é*, *-u*, on part du masculin de l'adjectif.
   *absolu* ➡ *absolument*      *vrai* ➡ *vraiment*

⚠ Pour les adjectifs en –*ent* ➡ adverbe en –*emment*      *évident* ➡ *évidemment*
   Pour les adjectifs en –*ant* ➡ adverbe en –*amment*      *courant* ➡ *couramment*

# ENTRAÎNEZ-VOUS

## 1. Vacances pour tous

**Une agence de voyages propose ce questionnaire. Transformez les questions en utilisant la forme soutenue.**

1. Est-ce que vous êtes partis en vacances ces trois dernières années ?
2. Est-ce qu'il vous arrive de partir en week-end ?
3. Qu'est-ce que vous faites pendant vos vacances ?
4. Combien de fois par an est-ce que vous prenez l'avion ?
5. Sur quel site est-ce que vous avez réservé votre dernier voyage ?
6. Où est-ce que vous avez acheté vos valises ? À quel prix vous les avez achetées ?
7. Combien d'enfants de moins de 15 ans il y a dans votre famille ? Est-ce qu'ils voyagent parfois sans vous ?
8. Est-ce que les brochures éditées par les agences vous intéressent ?

## 2. Super collègue !

**Complétez les descriptions avec les pronoms relatifs *que* ou *dont*.**

C'est un collègue
1. … je me souviens très bien.
2. … le travail était irréprochable.
3. … je voyais tous les jours.
4. … tout le monde parlait.
5. … je respectais beaucoup.
6. … le bureau était au premier étage.
7. … la direction envoyait souvent en mission.
8. … je n'oublierai pas.

## 3. Grands changements

**Utilisez la forme passive pour rendre les informations plus attractives.**

1. On a remplacé le directeur.
2. On redéfinira les responsabilités de chaque collaborateur.
3. On engagera de nouveaux collaborateurs.
4. On va changer le nom de l'entreprise.
5. On va rénover les bureaux.
6. On ouvrira rapidement un restaurant d'entreprise.
7. On est en train d'installer de nouveaux ordinateurs.
8. On vient de repeindre la salle de réunion.
9. On a commandé de nouvelles voitures de fonction.
10. On offre des places de cinéma gratuites aux employés de l'entreprise.

## 4. Règles de base

**Transformez les règles en exprimant la nécessité (*il faut / il est important / impératif / indispensable / nécessaire que…*). Utilisez le *vous* puis le *tu*.**

**Voici 8 règles pour réussir votre participation à un salon professionnel :**

1. Prendre tôt la décision de participer au salon.
2. Choisir un emplacement de qualité.
3. Savoir se différencier des autres.
4. Réfléchir à un slogan pour vous identifier.
5. Soigner la décoration du stand.
6. Utiliser des panneaux visibles et attractifs.
7. Être cordial et professionnel quand vous recevez les visiteurs.
8. Se préparer à répondre aux questions des visiteurs.

## 5. Présence obligatoire

**Transformez les adjectifs entre parenthèses en adverbes.**

– Merci pour l'invitation mais je ne pourrai (malheureux) pas venir.

– Pourquoi ? Dis-le moi (franc).

– J'ai un rendez-vous et je pourrai (difficile) me libérer.

– Tu es sûr que tu ne peux (vrai) pas te libérer ?

– Non, c'est très important. Je rencontre un partenaire allemand qui travaille (régulier) avec nous et nous devons parler très (sérieux) d'un nouveau projet.

– Combien de temps va (réel) durer ton rendez-vous ?

– Il va (probable) durer tout l'après-midi mais, si on finit (rapide), je viendrai (immédiat) à ton pot.

– D'accord.

# TESTEZ-VOUS

 Mon portfolio

## 1. Des services client

Lisez les documents suivants et répondez aux questions en choisissant la bonne réponse.

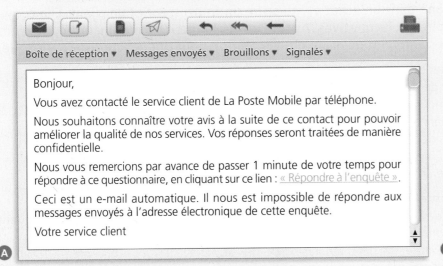

**A**

Boîte de réception ▾ | Messages envoyés ▾ | Brouillons ▾ | Signalés ▾

Bonjour,

Vous avez contacté le service client de La Poste Mobile par téléphone.

Nous souhaitons connaître votre avis à la suite de ce contact pour pouvoir améliorer la qualité de nos services. Vos réponses seront traitées de manière confidentielle.

Nous vous remercions par avance de passer 1 minute de votre temps pour répondre à ce questionnaire, en cliquant sur ce lien : « Répondre à l'enquête ».

Ceci est un e-mail automatique. Il nous est impossible de répondre aux messages envoyés à l'adresse électronique de cette enquête.

Votre service client

**B**

**ARTICLE 3 :** PRIX
Toutes les offres sont calculées hors TVA et droits de douane.
Les frais d'emballage, de transport et d'assurance ne sont pas inclus.
Toutes les offres peuvent être soumises à des variations de prix. Foodex aura le droit d'augmenter les prix en cas d'augmentation de coûts : coûts des matières premières, de transport, de stockage, d'emballage, de taxes de douane, etc.

**1. Dans le document A, on vous demande :**
  a. de répondre par e-mail.
  b. de participer à une enquête sur Internet.
  c. de faire une étude de marché.

**2. Dans le document B, les prix :**
  a. sont calculés avec toutes les taxes et les frais.
  b. sont fermes et définitifs.
  c. sont donnés sans les taxes.

**GUIDE D'ACHAT**

Faites **30%** d'économie

**Trouvez des fournisseurs fiables**

**Gagnez du temps**

**Obtenez plusieurs devis avec une seule demande et comparez-les ! Un service 100 % gratuit et sans engagement avec des prestataires fiables !**

Pour assurer un bon fonctionnement à votre photocopieur, différents services sont proposés par nos prestataires :
– l'entretien et la maintenance ;
– la fourniture des pièces détachées ;
– les mises à jour ;
– l'assistance téléphonique.

**C**

**3. Grâce au document C, on peut :**
  a. sélectionner un prestataire.
  b. bénéficier d'une promotion.
  c. faire une offre de service.

## 2. Une enquête de satisfaction   Mes audios ▸ 15

**Vous allez entendre une personne qui participe à une enquête de satisfaction. Écoutez et, pour chaque question, indiquez si la personne est satisfaite, pas satisfaite ou si elle ne se prononce pas.**

| | Satisfaite | Pas satisfaite | Ne se prononce pas |
|---|---|---|---|
| 1. Ambiance du magasin | | | |
| 2. Choix des produits | | | |
| 3. Compétence des conseiller(ère)s | | | |
| 4. Attente à la caisse | | | |
| 5. Accueil à la caisse | | | |

# Repères professionnels

## Comprendre une **facture** ⓞ Mes documents

**La facture est obligatoire dans un achat-vente entre un fournisseur et un client. Elle comporte des mentions obligatoires et facultatives. Avant l'achat, le client peut demander une estimation du prix à payer, il s'agit d'un devis ou d'une cotation pour une prestation touristique.**

- Il existe différents types de facture comme par exemple :
  - **la facture simple** ou **de doit** entre un vendeur et un acheteur ;
  - **la note** d'un faible montant pour des fournitures courantes ou pour des frais d'hôtel ;
  - **l'addition** dans les bars et restaurants ;
  - **la note d'honoraires** des avocats, architectes, médecins, etc. ;
  - **la facture d'avoir** (ou **un avoir**) faite par un fournisseur quand un client retourne une marchandise ou pour rectifier une erreur ou un oubli de remise par exemple.

- La facture peut comporter **une réduction** sous forme :
  - **d'une remise** : accordée en fonction de la qualité du client ou pour les achats en grande quantité ;
  - **d'un escompte** : accordé quand on paie au comptant, immédiatement ;
  - **d'un rabais** : accordé sur des articles abîmés ou de fins de série ;
  - **d'une ristourne** : accordée sur des achats déjà effectués (ristourne de fin d'année, c'est-à-dire une somme remboursée en fin d'année par rapport aux achats effectués).

- Avant de payer, le client doit vérifier sa facture.

**Vérifiez si les mentions obligatoires et facultatives figurent bien sur la facture ci-dessous. Faites correspondre les légendes aux parties correspondantes de la facture.**

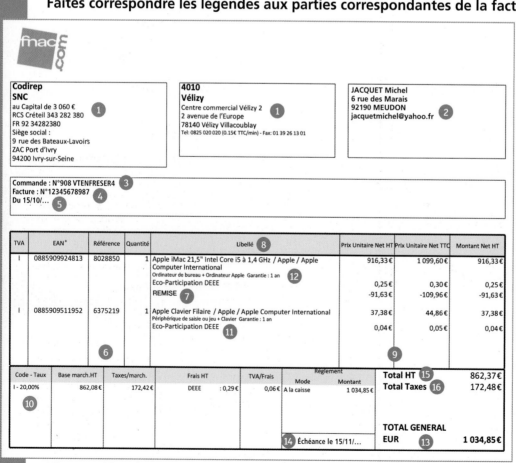

a. Nom et adresse du fournisseur

b. Montant de la TVA totale (Taxe sur la valeur ajoutée)

c. Taux de TVA

d. Numéro de facture

e. Date de la facture

f. Prix par article

g. Numéro de commande

h. Références des articles

i. Réduction

j. Montant total TTC (Toutes Taxes Comprises) / Net à payer

k. Identification des marchandises

l. Montant total hors taxes (HT)

m. Nom et adresse du client

n. Date de paiement

o. Durée de la garantie

p. Montant de l'éco-participation

\* *European Article Number (système européen de codification des produits codes)*

# Les **comportements** d'achat

**1. Répondez à l'enquête sur vos habitudes d'achat.**

**1 Où faites-vous vos achats ?**

Petit commerçant ○
Supermarché / Hypermarché ○
Grande surface spécialisée ○
Internet ○
Autre ○

**2 Quel critère est le plus important dans vos achats ?**

La qualité des produits ○
Le choix ○
La marque ○
L'information sur les produits ○
Le prix ○
La facilité pour commander ○
Autre ○

**3 Si vous faites des achats sur Internet, qu'est-ce que vous utilisez ?**

Un ordinateur ○
Une tablette ○
Un téléphone portable ○

**4 Si vous faites des achats sur Internet, quel est le critère le plus important ?**

La confiance dans le site ○
Les informations sur les produits ○
Le choix des produits ○
Le prix ○
La facilité pour commander
(panier, paiement) ○
La facilité de recherche
et de navigation ○
Le prix et le mode de livraison ○
Autre ○

**5 Utilisez-vous votre smartphone dans les magasins pour faciliter vos achats ?**

Oui ○   Non ○

**6 Pour quel(s) motif(s) utilisez-vous votre smartphone dans les magasins ?**
*(Plusieurs réponses possibles.)*

Vous utilisez une application ○
Vous cherchez une information
en ligne ○
Vous demandez un avis à vos amis
par téléphone ou texto ○

**7 Dans quel(s) secteur(s) de produits ou services achetez-vous sur Internet ?**
*(Plusieurs réponses possibles.)*

Tourisme (voyage, hôtel, etc.) ○
Produits culturels (spectacles,
musées, livres, etc.) ○
Habillement / Accessoires ○
Alimentation / Produits pour
la maison ○
Produits high tech ○
Électroménager ○
Meubles ○
Automobile ○
Autre (préciser) .............................

**2. Lisez les résultats de l'enquête suivante et comparez avec vos réponses.**

> **Vos comportements d'achat ont-ils changé ?**
> **Que pouvez-vous dire des comportements d'achat dans votre pays ?**

**Les consommateurs utilisent de plus en plus Internet pour préparer leurs achats.**

Selon une enquête, la moitié des personnes interrogées à travers le monde déclare que l'utilisation du smartphone a changé leur façon de faire leurs achats. Ils sont 37% à l'affirmer en France.

88% des consommateurs mondiaux effectuent des recherches en ligne et font leurs achats en magasin. 92% des Français interrogés se renseignent sur Internet avant d'acheter en magasin.

19% des consommateurs mondiaux reconnaissent avoir déjà quitté un magasin après avoir consulté leur smartphone et y avoir comparé les prix ou consulté des informations. En France, c'est le cas pour 16% des personnes interrogées et 29% pensent le faire surtout dans les secteurs de l'high tech, de l'électroménager et de la culture.

Le prix est le critère essentiel qui pousse à sortir du point de vente pour près de la moitié des consommateurs français interrogés mais le magasin reste la source d'information préférée des Français.

L'influence des médias sociaux et le partage social sont très variables selon les pays. Pour 31% des utilisateurs français des réseaux sociaux, Facebook ou Twitter influencent leurs achats.

# **Partez** à l'international

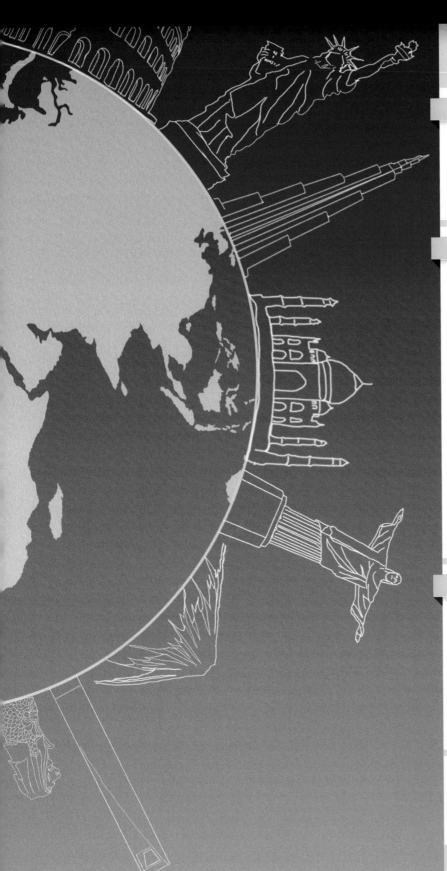

**B1**

## Pour être **capable de**

〉 **parler d'un parcours professionnel et faire part de motivations**
〉 **parler d'un mode d'organisation**
〉 **réagir lors d'un problème**
〉 **rendre compte d'une mission**

## Vous allez **apprendre à**

〉 exprimer une volonté / un souhait
〉 indiquer des motivations professionnelles
〉 donner des indications de durée
〉 faire des recommandations
〉 signaler des difficultés possibles
〉 exprimer le but d'une action
〉 préciser la manière de faire
〉 indiquer des situations hypothétiques
〉 indiquer votre mécontentement
〉 décrire des problèmes en déplacement
〉 parler d'indemnisation
〉 décrire des conséquences
〉 relater des faits passés
〉 féliciter / exprimer votre satisfaction
〉 exprimer votre opinion
〉 insister

## Vous allez **utiliser**

〉 le subjonctif présent et l'infinitif dans l'expression du souhait
〉 l'expression de la durée et du but
〉 l'accord du participe passé avec le verbe *avoir* et les pronoms COD
〉 le gérondif
〉 l'expression de la conséquence
〉 les temps du passé (rappel)

 Mes vidéos
〉 Charles-Antoine Descotis, lauréat du trophée Entrepreneur
〉 Jérôme Chanson, lauréat du trophée Environnement

# A Expérience valorisante

**1** Réalisez la tâche

On vous propose un poste à l'international. Avant de donner votre réponse, vous recherchez sur Internet l'avis de personnes qui sont ou ont été expatriées.

**Lisez les témoignages sur le forum et notez les avantages et les difficultés de l'expatriation puis relevez les recommandations faites par les internautes.**

## internati🌐.com

🏠 › Forum › Expérience valorisante, CV international    Signaler › **Poser votre question**

### Pour réussir sa carrière, faut-il passer par l'international ?

On me propose une belle opportunité de carrière mais… à l'étranger !
Il s'agit d'un poste avec de grosses responsabilités et des conditions financières très intéressantes mais voilà… j'hésite pour diverses raisons mais surtout à cause de ma famille car, si j'accepte, cela impliquera un grand changement de vie pour ma femme et mes deux filles de 8 et 12 ans. Et puis, je pense aussi à mes parents. Comment vont-ils prendre cette décision ? Autre chose aussi, si je m'expatrie, ce sera peut-être difficile de rentrer au pays par la suite.
Je souhaiterais que vous me fassiez part de vos expériences. Merci d'avance. **Franck**

**Philippe**

L'international permet d'acquérir de l'expérience dans un contexte différent. Par ailleurs, rencontrer des gens de langue et de culture différentes est la meilleure formation. Mais attention, pour réussir à l'international, il faut une grande capacité d'adaptation et accepter l'imprévu et la prise de risques. Ça fait huit ans que je suis expatrié et je l'ai constaté.
D'un point de vue familial, ce n'est pas toujours simple. Moi, j'ai toujours fait appel à mon réseau professionnel pour obtenir toutes les informations nécessaires à notre installation. Les collègues expatriés que j'ai contactés dans le pays de destination m'ont toujours bien aidé. Vous devriez faire la même chose. Quand on est bien préparé et qu'on a déjà fait un maximum de démarches, c'est plus facile une fois sur place.

➡ Répondre

**Linda**

Pendant plusieurs années, j'ai enchaîné les missions à l'étranger mais je les ai toutes faites en contrat local. Pour moi, c'était l'aventure mais je souhaitais développer mes compétences. Je peux dire aujourd'hui que toutes les expériences que j'ai eues m'ont apporté quelque chose. J'ai vraiment beaucoup appris.
L'année dernière, mon père est tombé malade et j'ai voulu rentrer. Le retour a été très dur car je me suis retrouvée sans travail. Je suis restée 6 mois au chômage.
Si j'ai un conseil à donner, c'est d'anticiper le retour dans son pays.

➡ Répondre

**Xu**

Si j'étais vous, je n'hésiterais pas mais je vous recommande de bien étudier la situation pour ne pas avoir de regrets. Je suis chinoise et je suis arrivée en France il y a deux ans pour ouvrir un bureau de représentation de mon entreprise à Paris. C'était un défi formidable et je voulais que cette expérience se passe dans les meilleures conditions.
C'est parfois difficile de comprendre les différences culturelles mais la plus grande difficulté que j'ai rencontrée, c'est la maîtrise de la langue alors j'ai suivi des cours de français des affaires pendant 6 mois pour mieux communiquer.
En deux ans, j'ai réussi à signer de gros contrats avec des chaînes d'hypermarchés. Ma mission se termine dans un an et j'aimerais bien que mon entreprise m'envoie dans un autre pays.

➡ Répondre

**Valentino**

Je suis ingénieur agronome et je travaille pour une ONG qui intervient dans le domaine de l'eau.
Ma mission : trouver de l'eau là où on n'en trouve pas.
De 2009 à 2012, j'ai travaillé dans différents pays d'Afrique, puis j'ai travaillé 2 ans au siège avant de repartir à l'étranger. Je suis en mission en Inde depuis un an.
Les motivations pour partir, ce n'est pas toujours de gagner de l'argent ou de faire carrière, mais de pouvoir changer les choses, d'être utile, d'aider les gens, de monter de nouveaux projets et de donner un sens à sa vie. À votre place, je partirais et, pour vos enfants, ce sera une belle expérience aussi.

➡ Répondre

## 2 Retenez

**Pour exprimer une volonté / un souhait :**
**Je souhaiterais que** vous me fassiez part de vos expériences.
**J'ai voulu** rentrer.
**Je voulais que** cette expérience se passe dans les meilleures conditions.
**J'aimerais bien que** mon entreprise m'envoie dans un autre pays.

(→ voir Outils linguistiques, 1 p. 84)

**Pour donner des indications de durée :**
**Ça fait huit ans que** je suis expatrié.
**Pendant plusieurs années**, j'ai enchaîné les missions à l'étranger.
Je suis restée **six mois** au chômage.
Je suis arrivée en France **il y a deux ans**.
J'ai suivi des cours de français des affaires **pendant six mois**.
**En deux ans**, j'ai réussi à signer de gros contrats avec une chaîne d'hypermarchés.
Ma mission se termine **dans un an**.
**De 2009 à 2012**, j'ai travaillé dans différents pays d'Afrique, puis j'ai travaillé **deux ans** au siège avant de repartir à l'étranger. Je suis en mission en Inde **depuis un an**.

(→ voir Outils linguistiques, 2 p. 84)

**Pour indiquer des avantages ou des motivations à l'expatriation :**
L'international **permet d'acquérir de l'expérience**.
**Rencontrer des gens de langue et de culture différentes est la meilleure formation**.
Je souhaitais **développer mes compétences**.
C'était **un défi formidable** !
Les motivations pour partir, ce n'est pas toujours de **gagner de l'argent** ou de **faire carrière**, mais de **pouvoir changer les choses**, d'**être utile**, d'**aider les gens**, de **monter de nouveaux projets** et de **donner un sens à sa vie**.

**Pour faire des recommandations :**
**Vous devriez** faire la même chose.
**Si j'ai un conseil à donner, c'est d'**anticiper le retour dans son pays.
**Si j'étais vous / À votre place**, je n'hésiterais pas mais **je vous recommande de** bien étudier la situation pour ne pas avoir de regrets.

**Pour signaler des difficultés possibles :**
Mais **attention**, pour réussir à l'international, il faut **accepter l'imprévu et la prise de risques**.
D'un point de vue familial, **ce n'est pas toujours simple**.
Le retour a été **très dur**.
**C'est parfois difficile de** comprendre les différences culturelles.

## 3 Passez à l'action

**1. Parcours professionnel.**
**Vous souhaitez étudier à l'étranger ou vous recherchez un stage ou un travail à l'étranger. Vous demandez de l'aide à un(e) ami(e) francophone qui connaît bien l'international. Vous lui décrivez votre parcours (études et/ou expérience professionnelle) et vous lui faites part de vos motivations. Vous rédigez le courriel.**

**2. Projet d'expatriation.**
**Un(e) ami(e) francophone veut s'expatrier dans votre pays et vous demande votre avis.**

### VOUS
- Vous répondez à ses interrogations.
- Vous faites des recommandations.
- Vous le / la prévenez des difficultés possibles.

### L'AMI(E)
- Il / Elle exprime son souhait de partir et ses motivations.
- Il / Elle vous fait part de ses préoccupations et vous pose des questions.

# B Un déplacement bien organisé

C'est la première fois que vous partez en déplacement professionnel dans un autre pays. Vous avez votre billet d'avion et votre réservation d'hôtel a été faite. Vous voulez vous assurer de bien préparer ce voyage.

1. Notez dans votre agenda tout ce qui vous semble important de faire avant de partir.

2. Écoutez l'interview d'un coach en organisation et ajoutez sur votre liste ce que vous avez peut-être oublié.

À FAIRE

## 2 Retenez

**Pour exprimer le but d'une action :**
Je propose des pistes et des conseils **pour** aider les gens.
Déléguez vos dossiers **de manière à** ne pas être débordé à votre retour.
Mettez en place des mails de réponses automatiques d'absence **pour que** les gens sachent qui contacter en votre absence.
Créez un dossier en ligne **afin de** sauvegarder tous les documents propres à votre séjour.
Il est important de vous renseigner sur les coutumes locales **de façon à** montrer votre intérêt et votre respect.

(→ **voir Outils linguistiques,** 4 p. 85)

**Pour indiquer des étapes :**
**Dès que** vous avez votre billet et que votre réservation d'hôtel est faite, **la première chose à faire, c'est de** faire un planning.
**Une fois que** le voyage est planifié, on est tranquille.

**Pour exprimer son approbation :**
C'est un bon conseil **en effet** !
**C'est vrai que** les nouvelles technologies sont d'une grande aide aujourd'hui.
**C'est sage** en effet !

**Pour préciser la manière de faire :**
Prévenez vos collègues de votre absence **en l'inscrivant** dans votre agenda partagé.
Mettez en place des mails de réponses automatiques d'absence **en précisant** l'adresse mail d'un de vos collaborateurs.
Vous pourrez récupérer vos dossiers **en allant** sur Internet à partir d'un autre ordinateur.

(→ **voir Outils linguistiques,** 5 p. 85)

**Pour indiquer des situations hypothétiques / possibles :**
Je vous recommande de sauvegarder en ligne votre présentation professionnelle **au cas où** vous auriez un problème.
**Si jamais** vous n'avez plus votre ordinateur, vous pourrez toujours récupérer vos dossiers **en cas de besoin** en allant sur Internet à partir d'un autre ordinateur.

## 3 Passez à l'action

**1. Je pars tranquille !**
**Vous allez vous absenter pendant une semaine. Avant de partir, vous vous réunissez avec deux de vos collaborateurs pour organiser le travail en votre absence.**
**Ensemble :**
• **Vous planifiez les tâches à faire et la manière de les réaliser.**
• **Vous imaginez les situations possibles et vous prévoyez les solutions appropriées.**

**2. Question d'organisation.**
**Vous devez participer au journal de votre entreprise / de votre université.**
**Vous rédigez un petit témoignage sur votre mode d'organisation pour être efficace.**
**Vous choisissez une situation (les études, le travail, les vacances, les voyages, etc.).**

# C Vols perturbés

Vous travaillez au service des réclamations d'une compagnie aérienne. Vous devez préparer une prochaine réunion pour discuter des réponses à apporter aux réclamations clients.

**Lisez les lettres et faites un tableau récapitulatif. Pour chaque courrier, notez le nom du/de la client(e), le numéro du vol concerné, le motif de la réclamation, le(s) problème(s) rencontré(s) et les demandes du/de la client(e).**

---

**❶**

Alice Doan
25 rue des Jonquilles
78960 Versailles

Air blue
15 rue de Rennes
75006 Paris

Versailles, le 14 avril ...

Objet : Vol LAS756 annulé

Madame, Monsieur,

Cliente régulière de votre compagnie, je tiens à vous faire part de mon mécontentement.

En effet, je devais voyager sur le vol LAS756 Paris-Jakarta du 3 mars.

Le vol a été annulé pour des raisons techniques alors on m'a proposé un autre vol avec correspondance à Londres.

À l'arrivée à Jakarta, ma valise était manquante et je l'ai récupérée seulement quatre jours plus tard. Résultat, je me suis retrouvée sans mes effets personnels alors que je devais assister à une conférence importante dès le lendemain de mon arrivée.

J'ai immédiatement informé le service « bagages » et rempli une fiche de réclamation auprès de votre compagnie. On m'a bien versé une indemnité à l'arrivée pour que je puisse m'acheter des vêtements mais cette somme a été insuffisante.

Je trouve qu'il est anormal d'attendre quatre jours pour récupérer un bagage. Par conséquent, je vous demande de me rembourser la totalité des frais engagés et de faire un geste commercial pour me dédommager du préjudice subi.

Vous trouverez ci-joint les factures correspondant aux achats effectués.

Dans l'attente d'un prompt règlement, je vous prie de croire, Madame, Monsieur, à l'expression de mes salutations distinguées.

Alice Doan

---

**❷**

Jules Lenoir
24 impasse des Oiseaux
33680 Lacanau

Air blue
15 rue de Rennes
75006 Paris

Lacanau, le 27 mars ...

Objet : Vol MBF76 retardé
PJ : Copie billets d'avion et note d'hôtel

Madame, Monsieur,

J'ai le regret de vous faire part de ma très grande insatisfaction concernant le vol MBF76 du 4 février assurant la ligne Bordeaux-Casablanca. Ce vol devait décoller à 8 h 07 et est finalement parti à 11 h 45, soit avec plus de trois heures et demie de retard.

Ce retard m'a causé de nombreux désagréments. En effet, j'ai raté ma correspondance pour un autre vol à Casablanca si bien que j'ai manqué un rendez-vous important que j'ai dû reprogrammer pour le lendemain. J'ai donc dû prendre une chambre d'hôtel et acheter un autre billet d'avion puisque je n'ai pas pu repartir le jour même comme j'avais prévu de le faire.

En conséquence, je vous demande le remboursement de tous les frais engagés.

Vous trouverez ci-inclus la copie de mon billet d'avion dont le vol a été retardé ainsi que la note de l'hôtel et la copie de mon deuxième billet d'avion.

Dans l'attente d'une réponse rapide de votre part, veuillez agréer, Madame, Monsieur, mes salutations distinguées.

Jules Lenoir

## 2 Retenez

**Pour indiquer son mécontentement :**
Je tiens à vous faire part de mon mécontentement.
J'ai le regret de vous faire part de ma très grande insatisfaction.

**Pour décrire des conséquences :**
Le vol a été annulé **alors** on m'a proposé un autre vol.
**Résultat**, je me suis retrouvée sans mes effets personnels.
**Par conséquent / En conséquence**, je vous demande le remboursement de tous les frais engagés.
J'ai raté ma correspondance **si bien que** j'ai manqué un rendez-vous important.
J'ai **donc** dû prendre une chambre d'hôtel.

(→ voir Outils linguistiques, 6 p. 85)

**Pour parler d'indemnisation :**
On m'a bien versé **une indemnité**.
**Je vous demande de me rembourser la totalité des frais** et de faire **un geste commercial** pour me **dédommager du préjudice subi**.
Je vous demande **le remboursement de tous les frais engagés**.

**Pour décrire des problèmes en déplacement :**
**Le vol a été annulé.**
À l'arrivée à Jakarta, **ma valise était manquante**.
**Je me suis retrouvée sans** mes effets personnels.
**Ce vol** est parti avec **plus de trois heures et demie de retard**.
**J'ai raté ma correspondance.**
**J'ai manqué** un rendez-vous important.
**J'ai dû acheter un autre billet** d'avion puisque **je n'ai pas pu** repartir le jour même.

## 3 Passez à l'action

### 1. Ce n'est pas normal !
**Vous êtes parti(e) en déplacement professionnel en avion et vous n'avez pas été satisfait(e) du voyage. Vous complétez le formulaire de la compagnie pour exprimer votre mécontentement.**

Sélectionnez l'objet de votre demande

● Une réclamation    ○ Un compliment
En vol
○ Confort    ○ Restauration
○ Distraction    ○ Autres

Votre message

*
Merci de nous communiquer toutes les informations qui nous aideront à répondre au mieux à votre demande.

Pièce jointe

Nombre de caractères restants :   1 500

### 2. Bagage détérioré.
**Vous arrivez à destination après un voyage en avion. Au moment de récupérer vos bagages, vous constatez que votre valise est détériorée. Vous vous rendez au comptoir de la compagnie pour faire une réclamation.**

**VOUS**
- Vous expliquez le problème.
- Vous donnez des informations sur le vol et l'état de votre bagage.
- Vous réagissez à la solution proposée.

**L'EMPLOYÉ(E) DE LA COMPAGNIE**
- Il / Elle demande votre identité et les références du vol.
- Il / Elle demande des informations sur l'état du bagage avant et après le vol.
- Il / Elle propose une solution.

# D Retour de mission

Vous allez bientôt être en charge d'une zone export dans votre entreprise. Pour vous informer, vous assistez à une réunion entre votre responsable et un commercial de retour de mission.

1. **Écoutez l'entretien et prenez des notes. Utilisez la fiche de compte rendu ci-dessous.**

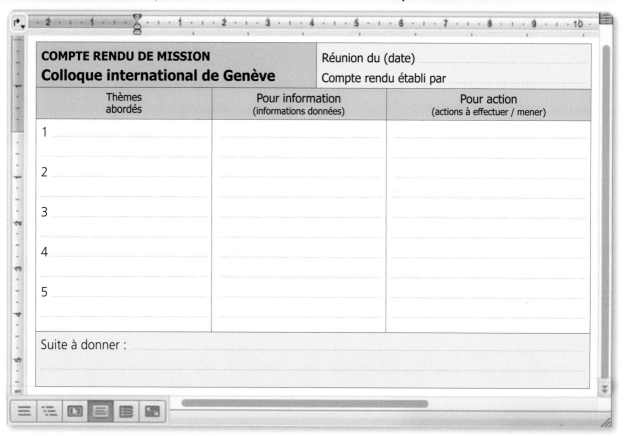

| COMPTE RENDU DE MISSION<br>**Colloque international de Genève** | | Réunion du (date)<br>Compte rendu établi par |
|---|---|---|
| Thèmes<br>abordés | Pour information<br>(informations données) | Pour action<br>(actions à effectuer / mener) |
| 1 | | |
| 2 | | |
| 3 | | |
| 4 | | |
| 5 | | |
| Suite à donner : | | |

2. **À la suite de la réunion, vous recevez un courriel en copie de votre responsable commercial à Paul Lucas concernant la nouvelle offre à KBS. Notez sur quel point Paul Lucas et Michel Lebris sont en accord et sur quel point ils sont en désaccord.**

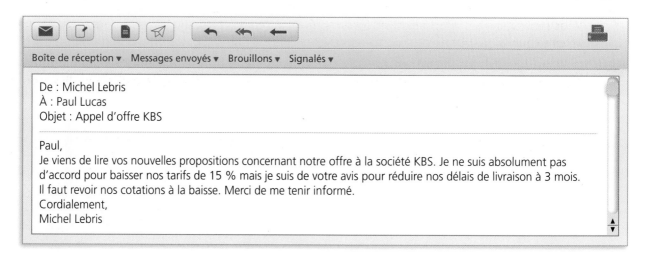

Boîte de réception ▾ Messages envoyés ▾ Brouillons ▾ Signalés ▾

De : Michel Lebris
À : Paul Lucas
Objet : Appel d'offre KBS

Paul,
Je viens de lire vos nouvelles propositions concernant notre offre à la société KBS. Je ne suis absolument pas d'accord pour baisser nos tarifs de 15 % mais je suis de votre avis pour réduire nos délais de livraison à 3 mois. Il faut revoir nos cotations à la baisse. Merci de me tenir informé.
Cordialement,
Michel Lebris

## **2** Retenez

> **Pour relater des faits passés :**
> Vous **aviez demandé à** me voir à mon retour de mission. Je **viens juste d'**arriver.
> De nombreuses délégations **s'étaient déplacées.**
> Nous **avons pu** prendre de nombreux contacts très intéressants parce qu'il y **avait** beaucoup de monde.
>
> (→ **voir Outils linguistiques,** 7 **p. 85)**

> **Pour décrire un succès :**
> Ça s'est très bien passé.
> Tout s'est déroulé comme nous l'avions prévu.
> Nous avons eu beaucoup de succès.

> **Pour féliciter / exprimer sa satisfaction :**
> Félicitations ! / Bravo !
> Parfait !
> Vous avez très bien fait !

> **Pour exprimer une convergence d'opinions / d'idées :**
> **C'est vrai / exact !**
> Je suis (tout à fait) **d'accord** avec vous.
> Je suis **de votre avis.**
> **Vous avez raison.**

> **Pour exprimer une divergence d'opinions / d'idées :**
> Je ne suis (absolument) **pas d'accord / de votre avis.**
> Je suis **contre** votre proposition.

> **Pour être mis au courant :**
> Il ne vous a rien dit d'autre ?
> Tenez-moi au courant / informé.
> Merci de me tenir au courant / informé.

> **Pour insister :**
> Je pense qu'il faut **vraiment** revoir nos conditions de vente.
> Il faut **absolument** que nous communiquions davantage sur nos produits.

## **3** Passez à l'action

**1. Voyage d'affaires.**

**Vous rentrez d'un déplacement professionnel. Vous rédigez un courriel à votre responsable pour lui rendre compte de ce qui s'est passé et des actions qu'il faudrait mener.**

**2. Réorganisation.**

**Il y a une réorganisation dans votre service et vous avez un surplus de travail. Vous allez trouver votre responsable pour lui en parler.**

| **VOUS** |
| --- |
| • Vous expliquez votre problème. |
| • Vous exprimez votre insatisfaction. |
| • Vous proposez des solutions. |

| **VOTRE RESPONSABLE** |
| --- |
| • Il / Elle pose des questions sur la situation de travail. |
| • Il / Elle vous demande des suggestions d'amélioration. |
| • Il / Elle réagit à vos propositions. |

# OUTILS LINGUISTIQUES

## 1 Le subjonctif présent et l'infinitif

**Pour exprimer une volonté / un souhait.**

| **Je souhaitais** avoir une formation à l'international.<br>**J'ai voulu** rentrer. | **Je souhaiterais que vous** me **fassiez** part de vos expériences.<br>**Je voulais que cette expérience** se passe dans les meilleures conditions.<br>**J'aimerais** bien **que mon entreprise** m'**envoie** dans un autre pays. |
|---|---|
| **Le sujet des deux verbes est le même.**<br>Le deuxième verbe est à l'infinitif. | **Les sujets des deux verbes sont différents.**<br>Le deuxième verbe est au subjonctif.<br>⚠ Avec le verbe *espérer*, on utilise le futur simple.<br>*J'espère que mon entreprise m'**enverra** à l'étranger.* |

## 2 Depuis / Il y a / Ça fait / En / Dans

**Pour exprimer la durée.**

| **Ça fait huit ans que** je **suis expatrié.**<br>Je **suis** en mission **depuis un an.** | Je **suis arrivée** en France **il y a deux ans**. | **En deux ans**, j'**ai réussi** à signer de gros contrats avec des chaînes d'hyper-marchés. | Ma mission **se termine dans un an**. |
|---|---|---|---|
| Durée d'une action / situation qui commence dans le passé et qui continue dans le présent.<br><br>⬇<br><br>Le verbe est au présent.<br>⚠ Avec *depuis*, le verbe est au passé composé si la phrase est à la forme négative avec *ne… pas*.<br>*Je ne **suis** pas retournée en Asie depuis un an.* | Durée entre le moment d'une action passée et le présent.<br><br>⬇<br><br>Le verbe est au passé composé. | Durée nécessaire à la réalisation d'une action.<br><br>⬇<br><br>Le temps du verbe dépend du moment de l'action. | Durée entre le moment présent et la fin ou le début d'une action / situation future.<br><br>⬇<br><br>Le verbe est au présent ou au futur. |

## 3 L'accord du participe passé avec le verbe *avoir* et les pronoms COD

| **Les collègues** que j'ai **contactés** dans le pays de destination **m'ont** toujours bien **aidé**.<br>J'ai enchaîné **les missions à l'étranger** mais je **les** ai toutes **faites** en contrat local.<br>**Toutes les expériences** que j'ai **eues** m'ont **apporté** quelque chose.<br>**La plus grande difficulté** que j'ai **rencontrée**, c'est la maîtrise de la langue. |
|---|
| **Le** participe passé **s'accorde avec le complément d'objet direct si celui-ci ou le pronom** (COD ou relatif) **qui le remplace est placé avant le verbe** *avoir*. |

(→ Voir Liste des participes passés les plus fréquents p. 212)

## 4 Pour (que) / Afin (de / que) / De manière (à / à ce que) / De façon (à / à ce que)

### Pour exprimer le but.

| | |
|---|---|
| Je propose des pistes et des conseils **pour aider** les gens.<br>Il est important de <u>vous</u> renseigner sur les coutumes locales **de façon à** / **de manière à montrer** votre intérêt et votre respect. | <u>Vous</u> mettez en place des mails de réponses automatiques d'absence **pour que** / **afin que** / **de façon à ce que** / **de manière à ce que** <u>les gens</u> **sachent** qui contacter en votre absence. |
| **Les sujets des deux verbes sont les mêmes.**<br>→ Le deuxième verbe est à l'infinitif. | **Les sujets des deux verbes sont différents.**<br>→ Le deuxième verbe est au subjonctif. |

## 5 Le gérondif

### Pour donner des précisions de temps, de manière et de condition.

| | | |
|---|---|---|
| Vous pourrez récupérer vos dossiers **en allant** sur Internet à partir d'un autre ordinateur. | **En faisant** cela, vous vous assurez que les personnes seront bien là. | Parler la langue de vos interlocuteurs est un bon moyen d'entrer en contact **en arrivant**. |
| Le verbe au gérondif exprime la manière.<br>→ *Comment récupérer les dossiers ? Vous allez sur Internet.* | Le verbe au gérondif exprime la condition ou l'hypothèse.<br>→ *Si vous faites cela, vous vous assurez que les personnes seront bien là.* | Le verbe au gérondif exprime le temps.<br>→ *Quand ? Au moment où on arrive.* |

Construction du gérondif : *EN +* **participe présent du verbe**
Construction du participe présent : conjugaison du ***nous*** au présent mais terminaison *–ANT*
~~Nous~~ allo̶n̶s̶ → Allant

⚠ *Avoir* : *ayant* / *Être* : *étant* / *Savoir* : *sachant*

## 6 L'expression de la conséquence

### Pour indiquer le résultat d'un fait ou d'une action.

J'ai raté ma correspondance **si bien que** j'ai manqué un rendez-vous important.
J'ai manqué un rendez-vous important. J'ai **donc** dû prendre une chambre d'hôtel.
Le vol a été annulé **alors** on m'a proposé un autre vol.
Ma valise était manquante. **Résultat**, je me suis retrouvée sans mes effets personnels.
**Par conséquent** / **En conséquence**, je vous demande le remboursement de tous les frais engagés.

⚠ *Si bien que* et *alors* relient le fait / l'action et la conséquence dans une même phrase.
*Par conséquent* / *En conséquence* est plutôt utilisé dans le langage administratif.

## 7 L'alternance des temps du passé

### Pour relater des événements passés.

Vous **aviez demandé** à me voir à mon retour de mission. Je **viens** juste **d'arriver**.
Tout **s'est déroulé** comme nous l'**avions prévu** et nous **avons eu** beaucoup de succès.
Nous **avons pu** prendre de nombreux contacts très intéressants parce qu'il y **avait** beaucoup de monde. La salle **était** pleine.

| Pour indiquer **une action finie ou un résultat** | Pour indiquer **une action récente** | Pour indiquer **des circonstances et pour décrire** | Pour indiquer **l'antériorité d'un fait passé par rapport à un autre** |
|---|---|---|---|
| → on utilise<br>le passé composé. | → on utilise<br>le passé récent. | → on utilise<br>l'imparfait. | → on utilise<br>le plus-que-parfait. |

# ENTRAÎNEZ-VOUS

## 1. Désaccords

**Complétez les dialogues avec les verbes proposés. Utilisez l'infinitif, le futur simple ou le subjonctif présent.**

1. (organiser)
   – Ils souhaitent … une réunion.
   – Ah non ! Je ne veux pas qu'ils en … une. C'est trop tôt !
2. (lire)
   – Je voudrais que vous … ce dossier.
   – Ah non ! Ce n'est pas mon travail. Moi, j'aimerais que Marie le … . J'espère qu'elle le … rapidement.
3. (faire)
   – Tu veux bien … cette enquête ?
   – Ah non, pas toute seule. Je voudrais que nous la … ensemble.
4. (mettre)
   – Nous souhaiterions … une affiche ici.
   – Ce n'est pas possible ! La direction ne veut pas que les employés … des affiches non professionnelles dans les bureaux.
   – Très bien ! Nous la … sur un panneau dehors.

## 2. Colère noire !

**Conjuguez les verbes au passé composé et accordez les participes passés, si nécessaire.**

1. J'en ai assez ! Cela fait trois semaines que j'attends les livres que je (commander) !
2. Comment ça ? Les fournisseurs que nous (sélectionner), vous (ne pas les contacter) !
3. Je suis furieuse ! Mon ordinateur, vous (ne pas le réparer) !
4. Ce n'est quand même pas normal ! Les photocopies que je (demander), vous (ne pas les faire).
5. La salle que nous (réserver) pour le séminaire est sale ! C'est inacceptable !
6. Nous devons encore attendre pour appliquer les décisions que nous (prendre) ?

## 3. Libre expression

**Remplacez les énoncés en gras par un verbe au gérondif et indiquez ce qu'il exprime.**

| 1. Frédérique | Pour éviter que les cadres fassent trop d'heures, il faudrait qu'ils pointent **quand ils arrivent** au bureau et **quand ils repartent** le soir. |
|---|---|
| 2. Paul | Il y a trop de gaspillage de papier dans les bureaux. On devrait faire un effort. **La solution : éviter** de faire des photocopies systématiquement. |
| 3. Martin | Mme Marchand a fait évoluer le service. **Elle a mis** en place de nouvelles règles. On est vraiment contents. |
| 4. Léo | **Si elle continue** d'agir comme elle le fait, la direction va perdre notre confiance. |
| 5. Ahmed | Je trouve que notre agence n'est pas assez connue. On pourrait toucher plus de consommateurs. **Pour cela, réfléchissons** mieux à nos stratégies de communication. |
| 6. Victor | **Quand il a pris** son poste, notre nouveau chef nous a fait comprendre qu'il allait tout changer. Ce n'est vraiment pas normal ! |
| 7. Sylviane | Je suis sûre que **si on était vigilants** sur la qualité de nos produits, on retrouverait notre clientèle. |

## 4. Bugs professionnels

**Transformez les textes au passé.**

1. Je fais une présentation. Je passe beaucoup de temps à la préparation de mon PowerPoint et je suis très contente de moi. Le jour J, je m'aperçois en arrivant que j'oublie ma clé USB avec toute ma présentation dessus. Je dois improviser mais heureusement tout se passe bien.

2. Je pars à Madrid parce que j'ai rendez-vous avec les responsables d'une entreprise pour discuter d'un contrat important. Comme le rendez-vous est le lendemain, je m'habille de manière décontractée et je mets mon costume gris et ma cravate dans ma valise. En arrivant à Madrid, j'ai une mauvaise surprise : ma valise n'arrive pas et il est tard le soir. Je dois aller au rendez-vous en jean et je récupère ma valise seulement le jour d'après !

# TESTEZ-VOUS

 Mon portfolio

## 1. Des Français entreprenants

**Lisez l'article et répondez aux questions en choisissant la bonne réponse.**

### Des Français entreprenants

Les Français qui font le choix d'entreprendre à l'étranger sont de plus en plus nombreux. Ces entrepreneurs sont souvent d'anciens expatriés qui sont déjà installés dans le pays d'accueil et ont trouvé une opportunité pour créer leur entreprise. Voici le portrait de plusieurs d'entre eux.

**Sophie Marozeau**, journaliste passionnée de lettres, a découvert en 2010 l'ebook alors qu'elle travaillait à la numérisation de guides touristiques à Melbourne. S'appuyant sur le développement des liseuses et des tablettes, elle a décidé de fonder une maison d'édition pour faire découvrir la littérature contemporaine francophone. Vingt-six auteurs français, roumains, serbes, italiens, suisses ont été connus grâce à elle. Sa société EMUE, située en Australie, a déjà publié douze livres papier et plus de cinquante ebooks.

**Benjamin**, lui, est installé au Sénégal depuis trois ans. Il a créé Hotai, une entreprise sociale qui a pour but de financer, construire, gérer et commercialiser un écovillage solidaire innovant. Il s'adresse aux voyageurs respectueux de l'environnement qui apprécient de passer des vacances à la recherche de la sérénité et du confort tout en améliorant la vie de la communauté locale.

À la suite d'une expatriation familiale à Hong Kong, **Catherine Biron** lance une école de savoir-vivre, la première société en Chine à proposer des ateliers pour apprendre les bons comportements et faciliter la compréhension interculturelle. Banques et entreprises de luxe font appel à ses compétences pour améliorer leur image, former des managers de boutique et des réceptionnistes, éviter les conflits entre collègues ou bien encore aider un chef de service à interagir avec des collaborateurs locaux.

**Ingrid**, elle, a suivi son conjoint à New York. Sa formation en gestion et en management lui a donné des atouts pour occuper des postes dans l'industrie cosmétique et pour décider de se lancer. Préoccupée par l'alimentation de ses enfants, elle a eu l'idée de créer son entreprise de livraison de boîtes-repas équilibrées et variées à domicile pour des parents débordés qui veulent faire découvrir à leurs enfants des goûts différents.

Entreprendre à l'étranger, c'est partir de zéro. Vous ne connaissez personne, vous êtes seul(e) mais tout est possible à condition d'avoir de la volonté et de l'énergie.

*D'après Le petit journal*

1. De nombreux Français qui décident de créer une entreprise à l'étranger :
   a. vivent déjà dans le pays.
   b. découvrent le pays visé.
   c. viennent s'installer dans le pays.

2. On apprend que Sophie Marozeau :
   a. s'occupe d'un journal pour les expatriés francophones.
   b. rédige des guides touristiques.
   c. diffuse des livres d'auteurs en langue française.

3. Dans quel secteur est l'entreprise de Benjamin ?
   a. La construction.
   b. Le tourisme.
   c. La finance.

4. Catherine Biron propose :
   a. des cours en management de l'hôtellerie.
   b. des formations en gestion d'équipe.
   c. un enseignement sur les bonnes manières.

5. D'après cet article, Ingrid :
   a. a obtenu un poste important à New York.
   b. a fondé une entreprise qui cible les enfants.
   c. a créé une société spécialisée dans les cosmétiques.

## 2. À chacun son discours  Mes audios ▸ 18

**Écoutez ces cinq personnes. Identifiez l'intention de chacune d'elles.**

Personne 1
Personne 2
Personne 3
Personne 4
Personne 5

A. Se plaindre d'un problème
B. Demander des renseignements
C. Donner des précisions sur la manière de faire
D. Exprimer son approbation
E. Demander à être mis(e) au courant
F. Indiquer des motivations professionnelles
G. Faire des recommandations
H. Prévenir de difficultés

# Repères professionnels

## Comment bien rédiger une **lettre de réclamation** ?

De nombreuses situations peuvent donner lieu à des lettres de réclamation de la part d'un client, d'un particulier ou d'une entreprise pour obtenir satisfaction ou un compromis à la suite d'un problème. Il est toujours préférable d'envoyer une réclamation par lettre recommandée avec accusé de réception et non par courriel. Elle doit être précise afin de permettre à l'interlocuteur de bien comprendre le contentieux*.

*un désaccord, un litige, un différend entre deux personnes

**Vérifiez si la lettre suivante respecte bien les règles de présentation d'une lettre formelle de réclamation. Faites correspondre les conseils donnés dans le désordre aux parties correspondantes de la lettre.**

**a** Précisez bien le sujet abordé dans la lettre en quelques mots.

**b** Notez les pièces jointes : documents, justificatifs, etc.

**c** Choisissez la bonne interpellation : *Madame, Monsieur* quand les personnes n'ont pas de titre particulier ou mentionnez le titre de la personne : *Monsieur le directeur*.

**d** Notez le lieu et la date d'expédition. Écrivez le mois en toutes lettres.

**e** Écrivez le nom et l'adresse du destinataire.

**f** Inscrivez votre nom, votre adresse et votre numéro de téléphone.

**g** Corps de la lettre :

1. Informez des documents joints à la lettre.
2. Faites référence à l'objet de la réclamation.
3. N'oubliez pas de prendre congé avec une formule de politesse.
4. Concluez avec une demande de réponse ou des remerciements.
5. Expliquez en détail les motifs de la réclamation.
6. Exprimez une demande de réparation.

---

Pierre Carrère **1**
18 avenue de Verdun
64200 Biarritz
Port : 06 76 54 34 32

**2** voyagenet.com
239 avenue du Prado
13008 Marseille

**3** Biarritz, le 20 mars …

**Lettre recommandée avec accusé de réception**

**Objet :** Prestations non conformes à votre contrat de vente N° XC 657654 **4**

**PJ :** Photocopies de la facture et du contrat de vente **5**

Madame, Monsieur, **6**

Le 28 février, nous avons effectué l'achat d'un séjour tout compris en Martinique sur votre site Internet. Nous avions choisi la formule de séjour en pension complète, boissons et activités sportives incluses. **7**

Or, à la fin de notre séjour, nous avons eu la mauvaise surprise de constater qu'on nous avait facturé les cours de voile et de tennis contrairement à votre contrat de vente. **8**

Malgré notre vive contestation, nous avons été obligés de payer le montant demandé.

En conséquence, nous vous prions de nous rembourser l'intégralité des frais indûment facturés, soit 650 euros. Nous vous demandons également un geste commercial en réparation du préjudice subi. **9**

Vous trouverez ci-joints les justificatifs. **10**

**11** Dans l'attente d'un prompt règlement, nous vous prions de croire, Madame, Monsieur, à nos sentiments distingués. **12**

P. Carrère

# Réussir ses contacts à l'international

Du premier contact à la signature du contrat, travailler à l'international demande une bonne connaissance des habitudes culturelles du pays avec lequel on traite. Pour éviter des malentendus, des contresens culturels et des erreurs de jugement, faites une liste avant de partir. Pensez à des détails comme :
• le comportement • le code vestimentaire • l'usage des titres • l'échange des cartes de visite • la conduite de discussions informelles avant de commencer des négociations commerciales, le processus de décision (individuel ou collectif) • la ponctualité plus ou moins respectée selon les cultures • l'usage des cadeaux • l'humour.

**1. Quelles sont les pratiques dans votre pays ? Répondez aux questions.**

### Le comportement

1/ Quand vous entrez dans le bureau de quelqu'un, vous asseyez-vous tout de suite ?
2/ Y a-t-il une manière particulière de se tenir assis ? Y a-t-il des attitudes à éviter ?
3/ Est-il gênant de répondre à un appel téléphonique quand vous êtes avec un client ?
4/ Pouvez-vous interrompre un entretien / une conversation entre des personnes ?
5/ La ponctualité est-elle importante ?

### Les échanges

10/ Est-il possible de parler de sa vie privée dans le cadre de relations professionnelles ?
11/ Y a-t-il des questions personnelles qu'il ne faut jamais poser aux gens ?
12/ Est-il courant de faire des compliments à des collaborateurs ?
13/ L'humour est-il le bienvenu au cours des rendez-vous professionnels ?
14/ Au moment d'une première entrevue, commencez-vous par des banalités ou, au contraire, par ce qui est important ?
15/ Quand vous faites une présentation, allez-vous droit au but ou commencez-vous par des préliminaires ?

### Le code vestimentaire

6/ Le port d'une cravate est-il obligatoire lors d'un rendez-vous professionnel ?
7/ Quelles tenues les hommes et les femmes qui travaillent dans les bureaux adoptent-ils ?

### La hiérarchie

16/ La distance hiérarchique est-elle importante ?
17/ Par qui sont prises les décisions ? Qui les valide ? Le / La chef(e) ou un groupe de personnes ?

### L'échange des cartes de visite

8/ Dans quel(s) cas donne-t-on sa carte de visite ? À quel(s) moment(s) ?
9/ Y-a-t-il une façon particulière de présenter sa carte de visite ?

### Les cadeaux

18/ Est-il conseillé d'offrir des cadeaux dans le cadre professionnel ?
19/ Y a-t-il un geste particulier à faire pour remettre un cadeau ?

**2. Un Français a répondu à ces questions. Lisez ses réponses et comparez-les avec les vôtres.**

**Quelles sont les différences avec les usages dans votre pays ? Quels conseils donneriez-vous à un Français qui a une première entrevue dans votre pays ? Faites une liste de recommandations.**

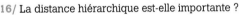
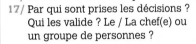

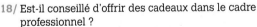
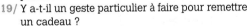

**1.** Non, j'attends qu'on m'invite à m'asseoir. **2.** Si, en Arabie Saoudite, il est impoli de montrer la semelle de sa chaussure et, au Japon, de croiser les jambes, en France, il n'y a pas d'attitude particulière déconseillée mais on évite de mettre sa jambe sur sa cuisse. **3. et 4.** Oui, c'est impoli de prendre un appel mais si je préviens mon interlocuteur avant il peux être dérangé ou interrompu par une personne. **5.** La ponctualité est importante lors d'une première entrevue mais le quart d'heure de retard est toléré mais je suis toujours ponctuel en réunion. **6. et 7.** Je suis toujours cravate en costume lors d'un premier contact mais le code vestimentaire varie selon l'activité de l'entreprise. **8. et 9.** Il est courant de remettre sa carte de visite au début ou à la fin d'une première rencontre mais ne soyez pas choqué(e) si le Français la lit rapidement et la range. **10. et 11.** On peut poser des questions sur la famille, les voyages, mais on ne pose pas de question sur l'âge, la religion, la politique et l'argent. Vous pouvez montrer votre intérêt pour la France, les monuments, la cuisine, les régions françaises. **12.** Non, les Français ne félicitent pas beaucoup. **13.** Vous pouvez plaisanter avec les Français mais ce n'est pas habituel et qu'ils vous répondent avec humour. **14. et 15.** On nous reproche souvent de faire des présentations trop longues et pas assez concrètes, de s'étendre sur l'historique par exemple. **16. et 17.** En France, la distance hiérarchique est forte et il apparaît normal que la décision soit prise par le / la chef(e). **18. et 19.** On n'offre généralement pas de cadeaux dans le cadre professionnel mais il est conseillé de venir avec un petit cadeau pour la maîtresse de maison si vous êtes invité(e) chez des Français.

# Participez à des événements professionnels !

B1

## Pour être **capable de/d'**

› **échanger à propos d'un événement professionnel et de son organisation**
› **inviter à un événement professionnel**
› **faire un discours simple**
› **faire le bilan simple d'un événement professionnel**

## Vous allez **apprendre à**

› préciser les rôles de chacun
› décrire des actions à venir
› indiquer des intentions
› formuler une invitation / un vœu
› donner des indications sur le lieu / le moment / le thème / le programme d'un événement
› demander une confirmation de présence
› exprimer des sentiments
› justifier une action
› annoncer des réussites professionnelles
› décrire des choix prioritaires
› donner / commenter des chiffres / des données économiques / un bilan

## Vous allez **utiliser**

› *quand, lorsque, une fois que, dès, dès que, aussitôt que, à partir de*
› le futur antérieur
› les pronoms compléments (rappel)
› le subjonctif présent et l'infinitif pour l'expression des sentiments
› le participe présent

◉ Mes vidéos
▸ Interview de Stéphane Gœury, responsable des ventes Belgique chez Kymco

# A Question d'organisation

 Votre entreprise va participer à un salon. Vous assistez à une réunion pour la préparation de cet événement.
Vous devez faire un compte rendu pour un collègue qui n'a pas pu y participer.

 Écoutez les échanges pendant la réunion et cochez sur la liste de tâches tous les points abordés.
Notez aussi sur votre bloc-notes toutes les informations importantes et la répartition des tâches.

## À FAIRE

- ☐ télécharger et diffuser aux collaborateurs l'annuaire des exposants
- ☐ réaliser la brochure de l'entreprise
- ☐ rédiger les invitations pour l'inauguration
- ☐ distribuer les badges « exposant » aux collaborateurs
- ☐ élaborer le dossier de presse
- ☐ louer le mobilier pour le stand
- ☐ passer commande des objets publicitaires
- ☐ organiser un / des atelier(s) de démonstration sur notre stand
- ☐ contacter le fleuriste pour la décoration du stand
- ☐ commander les panneaux d'affichage
- ☐ imprimer les fiches clients à remettre aux visiteurs
- ☐ réserver un espace publicitaire dans le catalogue du salon
- ☐ contacter le traiteur pour le cocktail d'inauguration

## 2 Retenez

**Pour préciser les rôles de chacun :**

Qui **sera responsable du** stand ?

Martine Lelouche **s'occupera de** la location du mobilier.

Julien Moal **sera en charge de** l'organisation.

Danielle, **vous vous chargez des** invitations ?

**Pour décrire des actions à venir :**

Je vous **indiquerai** notre emplacement exact **dès que** les organisateurs m'**auront communiqué** l'information.

Je vous **informerai quand** j'en **aurai discuté** avec le directeur marketing.

Il faudrait concevoir l'invitation **dès maintenant**.

Je **pourrai** m'en occuper **à partir de** lundi.                   (→ **voir Outils linguistiques, 1 p. 100**)

**Pour indiquer des intentions :**

Qu'est-ce qui **est prévu pour** la communication sur le stand ?

**Nous comptons** aussi distribuer une brochure.

**Nous avons l'intention de** distribuer des objets publicitaires.

**Nous avons prévu d'**inviter nos principaux clients à une petite réception / un cocktail.

**Les salons professionnels**

| | | | |
|---|---|---|---|
| une affiche | une clôture | un exposant / exposer | un panneau |
| un annuaire | une distribution / distribuer | une inauguration / inaugurer | une plaquette |
| un badge | un emplacement | un mobilier | une réception / recevoir |
| une brochure | un encart | un objet publicitaire | un salon |
| un catalogue | un espace (publicitaire) | un organisateur / organiser | un stand |

## 3 Passez à l'action

**1. C'est la fête !**

**C'est la fin de l'année. Avec deux collègues ou deux ami(e)s, vous êtes chargé(e)s d'organiser une fête pour votre service / votre entreprise / votre classe. Vous vous réunissez et vous en discutez. Vous faites ensuite part de vos décisions à vos autres collègues / ami(e)s.**

**2. Voyage en vue.**

**Avec deux autres collègues / camarades, vous devez organiser un déplacement à l'étranger (recherche de partenariat, mission de reconnaissance, voyage d'études). Vous devez présenter la planification de ce projet de voyage à votre direction / vos partenaires.**

**Étape 1 :** Vous préparez une présentation de type PowerPoint qui servira de support à la présentation orale de votre projet de voyage.

Vous indiquez chaque étape du projet avec les tâches à effectuer. Vous précisez l'attribution des tâches.

**Étape 2 :** Vous faites votre présentation devant les membres de la direction / vos partenaires / vos camarades de classe.

# B Vous êtes invité(e)s

## 1 Réalisez la tâche

Vous travaillez au service communication de l'entreprise RIGECO. Votre équipe a préparé différents documents pour des événements professionnels organisés par votre société. Vous devez exposer le travail de votre équipe lors d'une réunion de service.

Relisez les documents et complétez le mémo qui vous servira lors de la réunion.

**Objet :** Invitation

Chère cliente, cher client,

Nous sommes heureux de vous inviter sur notre stand 145, allée B, au Salon Naturally qui se tiendra du 1er au 4 juin à la porte de Versailles.

Nous vous comptons parmi nos clients privilégiés et, à cette occasion, vous êtes convié(e) au cocktail d'inauguration qui aura lieu le 1er juin à 18 h 30.

Nous vous remercions de nous confirmer votre présence avant le 15 mai afin que nous puissions vous envoyer votre badge d'accès gratuit.

Avec nos sentiments dévoués,

Hervé Pourtain
Directeur général
Société **Rig**eco

**❶**

**Rig**eco                                        Direction marketing

Asnières, le 12 mai ....
Au personnel des services production et administratif

**NOTE D'INFORMATION N° 123**
Objet : Salon Naturally

Vous êtes conviés à visiter notre stand les jeudi 2 et vendredi 3 juin au Salon Naturally qui aura lieu du 1er au 4 juin à la porte de Versailles. Vous pourrez vous y rendre après avis de votre hiérarchie.
Votre badge d'entrée est à récupérer auprès du service communication.
Nous vous remercions de vous organiser en interne afin de ne pas perturber l'activité des services.

Charles Dumont
Directeur marketing

**❷**

**Rig**eco

a le plaisir de vous convier au forum
« Emballage et développement durable »
Le lundi 19 mai, de 9 h 30 à 17 h 30
Salle Orion de l'hôtel Mérion à Nantes

**Rig**eco, le leader de l'emballage recyclable, organise une journée d'information et d'échanges sur « l'emballage et le développement durable »

- Le matin, une table ronde réunira des entrepreneurs qui ont initié une démarche de développement durable dans le choix de leur emballage. Ils ont créé leur propre réseau pour sensibiliser les consommateurs au recyclage. Ils s'y investissent et ils l'animent en organisant régulièrement des rencontres. Pourquoi avoir pris cette initiative ? Qu'est-ce qu'ils en retirent ? Venez les écouter pour profiter de leurs expériences.

- L'après-midi débutera par une présentation des acteurs du développement durable. Puis, différents ateliers se dérouleront jusqu'à 18 h.

Vous êtes les bienvenus au pot de clôture qui sera organisé à l'issue des ateliers.
Inscrivez-vous par e-mail : rigeco.com@yahoo.fr
Invitez vos contacts au forum ! Pour leur envoyer un e-mail avec un lien vers une invitation gratuite,

( cliquez ici. )

**❸**

| Type de document | | | |
|---|---|---|---|
| Événement | | | |
| Date(s) et lieu | | | |
| Objet | | | |
| Destinataires | | | |
| Programme | | | |
| Demande de confirmation de présence | | | |

## 2 Retenez

**Pour formuler une invitation :**
**Nous sommes heureux de vous inviter**…
**Vous êtes convié(e) au** cocktail d'inauguration / **à** visiter notre stand.
Rigeco **a le plaisir de vous convier / inviter au** forum « Emballage et développement durable ».
**Vous êtes les bienvenus au** pot de clôture.

(→ **voir Outils linguistiques, 4 p. 101**)

**Pour demander une confirmation de présence :**
**Nous vous remercions de nous confirmer votre présence** avant le 15 mai.
**Inscrivez-vous** par e-mail.

**Pour donner des indications sur le lieu et le moment d'un événement :**
Le Salon Naturally **se tiendra du** 1er **au** 4 juin **à** la porte de Versailles.
Le cocktail d'inauguration **aura lieu le** 1er juin **à** 18 h 30 sur notre stand.
Un pot de clôture **sera organisé à l'issue des** ateliers.

**Les événements professionnels**
un acteur
un atelier
un cocktail
un colloque
un congrès
une foire
un forum
une journée d'information
un participant
un pot
une table ronde

**Pour indiquer le thème et / ou le programme d'un événement :**
Rigeco **organise** une journée d'information et d'échanges.
Le matin, **une table ronde réunira** des entrepreneurs.
L'après-midi **débutera par** une présentation.
Différents ateliers **se dérouleront jusqu'à** 18 h.

## 3 Passez à l'action

**1. Venez nombreux !**
**Vous organisez un congrès.**
**Étape 1 :** Par petits groupes, vous discutez pour définir le thème et le programme du congrès.
Vous fixez les détails (date, lieu, participants).
**Étape 2 :** Vous identifiez les destinataires / les personnes ciblées et vous rédigez l'invitation.

**2. C'était super !**
**Vous êtes allé(e) à un événement professionnel. Vous en parlez à un(e) collègue / ami(e) qui n'a pas pu y aller.**

**VOUS**
- Vous donnez des informations sur l'événement.
- Vous indiquez le programme.
- Vous donnez votre avis sur l'événement professionnel.
- Vous lui conseillez de s'y rendre.

**VOTRE COLLÈGUE / AMI(E)**
- Il / Elle vous pose des questions sur le déroulement et le programme de l'événement.
- Il / Elle vous demande votre avis.

# C Bienvenue !

Votre entreprise participe au Salon de l'industrie et y tient un stand. Vous assistez au discours d'inauguration du directeur général. Vous êtes chargé(e) de rédiger un article dans le journal de l'entreprise à propos de cet événement.

 Écoutez le discours de M. Picoli, directeur général de l'entreprise, et prenez des notes qui pourront vous servir pour rédiger votre article.

> Le Salon de l'industrie ouvre ses portes le 25 mai. C'est le salon incontournable des professionnels de l'industrie. Il permet aux entreprises de découvrir des solutions et des idées pour développer leur compétitivité et leur performance industrielle.

| Notes | Mardi 25 mai 11:18 |
|---|---|
| | |

**Nouvelle note**

## 2 Retenez

**Pour exprimer des sentiments :**
**Nous sommes très heureux de** vous recevoir à ce cocktail.
**Nous sommes vraiment touchés que** vous soyez si nombreux.
**Nous sommes particulièrement fiers** aujourd'hui **de** vous présenter nos nouveaux produits.
**Nous sommes ravis que** vous puissiez découvrir nos solutions innovantes.
(→ **voir Outils linguistiques, 4 p. 101**)

**Pour proposer de boire en formulant un vœu ou en l'honneur de quelqu'un :**
**Je vous invite à lever votre verre à** la réussite de cette édition.
**Je vous propose de trinquer en l'honneur de** Stéphane.
**Portons un toast à** nos nouveaux projets !
**Buvons à** notre succès !

**Pour justifier une action :**
**Cela nous permet de** vous rencontrer et d'échanger avec vous et avec nos clients.
**Cela nous donne l'occasion de** développer de nouveaux partenariats.

**Les sentiments**
content(e)
désespéré(e)
ému(e)
enchanté(e)
fâché(e)
fier (fière)
heureux(se)
mécontent(e)
ravi(e)
satisfait(e)
touché(e)
triste

**Pour annoncer des réussites professionnelles :**
**Nous avons mobilisé** l'énergie de toutes nos équipes.
**Nous avons avancé** sur des projets importants.
**Nous avons acquis** de nouvelles capacités de production.

## 3 Passez à l'action

**1. Au revoir !**
**Vous quittez votre entreprise pour un autre poste ou vous partez en stage à l'étranger dans le cadre de vos études.**
**Étape 1 :** Vous rédigez un petit discours à l'attention de vos collègues / amis. Vous donnez des précisions (vous parlez de votre parcours, de vos rencontres, de vos réussites, vous exprimez vos sentiments, etc.).
**Étape 2 :** Vous lisez votre discours à vos collègues / amis.

**2. Bonne année !**
**C'est le début de l'année. Vous rédigez un message que vous enverrez à vos proches collaborateurs. Vous rappelez les réussites de l'année passée, vous exprimez des sentiments et vous formulez des vœux personnels et professionnels pour l'année à venir.**

# D Un bilan intéressant

Vous travaillez au service marketing d'une agence de voyages en ligne qui a participé au Salon mondial du tourisme à Paris. Vous êtes chargé(e) de préparer une courte présentation orale du bilan du salon.

Lisez le bilan que votre responsable vous a donné et notez les informations importantes pour votre présentation. Sélectionnez les graphiques qui conviennent pour illustrer celle-ci et écrivez un petit commentaire sur chacun.

## Bilan du **Salon mondial du tourisme**

### QUELQUES CHIFFRES

Le Salon mondial du tourisme a réuni cette année **450** exposants et a accueilli **109 000** visiteurs. Ces chiffres représentent une progression de **+ 6,2 %** par rapport à l'année dernière.

Bénéficiant de promotions intéressantes, **20 %** des personnes visitant le salon ont acheté leur voyage ou ont l'intention de le faire dans les quinze jours. Le budget vacances annuel est supérieur à **3 000 €** pour 42 % des visiteurs, ce chiffre reste stable par rapport à l'année dernière.

Le temps de visite s'est allongé puisque 2 visiteurs sur 3 ont passé plus d'une demi-journée sur le salon. La satisfaction des visiteurs est en hausse : **88 %** ayant l'intention de revenir l'année prochaine (contre 84 % l'année dernière).

### LE TOURISME RESPONSABLE

- Une grande majorité des visiteurs connaissent le « tourisme responsable » et nombreux sont les voyageurs qui sélectionnent en priorité une agence de voyages ayant une démarche responsable (respect des populations locales, réduction des impacts sur l'environnement et développement local).
- **88 %** des voyageurs interrogés se disent prêts à agir en faveur de l'environnement et beaucoup sont d'accord pour payer plus cher pour une destination écologique.

### NOTRE STAND

- Nous avons eu une moyenne de **150 visiteurs par jour**.
- De nombreux visiteurs ont montré un vif intérêt pour notre concept :
  – le contact direct avec des agents locaux ;
  – notre idée de tourisme responsable proposant la possibilité de faire du bénévolat au cours du voyage, l'hébergement chez l'habitant et l'utilisation des transports collectifs.
- Les visiteurs ont également apprécié le fait de profiter d'un prix très attractif, de **15 % à 20 % moins cher** que des agences classiques pour des prestations meilleures et personnalisées.
- Nous avons pris douze contacts avec des agents locaux de passage au salon qui nous ont proposé leurs services.
- Nous avons distribué **400 plaquettes** et **250 objets publicitaires**.

### ACTIONS À MENER

- Envoyer des lettres d'informations ciblées en fonction des demandes recueillies sur les **250 fiches contacts remplies**.
- Contacter les **douze candidats d'agence locale** pour une sélection et leur envoyer notre charte éthique.

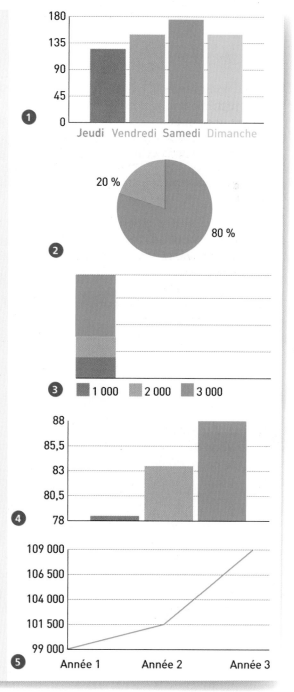

## 2 Retenez

**Pour décrire des choix prioritaires :**
Nombreux sont les voyageurs qui **sélectionnent en priorité** une agence de voyages ayant une démarche responsable.
88 % des voyageurs interrogés **se disent prêts à** agir en faveur de l'environnement.
Beaucoup **sont d'accord pour** payer plus cher pour une destination écologique.
20% des personnes visitant le salon ont acheté leur voyage ou **ont l'intention de** le faire dans les quinze jours.

**Pour donner des chiffres / des données économiques :**
**Le Salon** mondial du tourisme **a réuni 450 exposants** et **a accueilli 109 000 visiteurs.**
**Le budget** vacances annuel **est supérieur à 3 000 € pour 42 % des visiteurs.**
**2 visiteurs sur 3** ont passé plus d'une demi-journée sur le salon.
**Nous avons eu une moyenne de 150 visiteurs par jour.**
**Nous avons pris douze contacts** avec des agents locaux.
**Nous avons distribué 400 plaquettes** et **250 objets publicitaires.**
**Une grande majorité des visiteurs** connaissent le « tourisme responsable ».
**20% des personnes** visitant le salon ont acheté leur voyage.

**Pour commenter des chiffres / un bilan :**
Ces chiffres **représentent une progression de + 6,2 % par rapport** à l'année dernière.
**Ce chiffre reste stable** par rapport à l'année dernière.
**Le temps de visite s'est allongé.**
**La satisfaction** des visiteurs **est en hausse** : 88 % ayant l'intention de revenir l'année prochaine (contre 84% l'année dernière).

**Des actions sur un salon professionnel**
accueillir des visiteurs
distribuer des plaquettes
prendre des contacts
remplir des fiches contact
réunir des exposants
visiter un salon

## 3 Passez à l'action

**Un bon bilan.**
**Vous avez participé ou assisté à un événement professionnel. Vous êtes chargé(e) de présenter le bilan de cet événement professionnel à vos collègues francophones ou à votre classe.**
**Étape 1 :** Vous collectez toutes les informations importantes sur l'événement professionnel (nom, lieu, dates, nombre d'exposants, de visiteurs, situation du stand, points intéressants, actions à mener, etc.).
**Étape 2 :** Vous préparez une présentation de type PowerPoint : vous rédigez de petits textes pour accompagner les informations importantes et les graphiques.
**Étape 3 :** Vous présentez oralement le bilan à vos collègues / votre classe en vous appuyant sur le PowerPoint.

# OUTILS LINGUISTIQUES

## 1 QUAND, LORSQUE, UNE FOIS QUE, DÈS, DÈS QUE, AUSSITÔT QUE, À PARTIR DE

**Pour indiquer le point de départ d'une action.**

| |
|---|
| Il faudrait concevoir l'invitation **dès** maintenant. <br> Je vous indiquerai notre emplacement exact **dès que** / **aussitôt que** / **quand** / **lorsque** / **une fois que** les organisateurs m'auront communiqué l'information. <br> Je pourrai m'en occuper à **partir de** lundi. |
| **Dès / à partir de** + moment (exemples : lundi, demain, la semaine prochaine, 2016, etc.) <br> **Dès que / quand / lorsque / une fois que** + action <br> ⚠ Les contractions sont parfois nécessaires quand on utilise **à partir de**. <br> *À partir du lundi 25 / de la semaine prochaine.* |

## 2 Le futur antérieur

**Pour indiquer la chronologie d'actions futures.**

| Je vous **indiquerai** notre emplacement | ➜ **dès que** les organisateurs m'**auront communiqué** l'information. |
|---|---|
| Je vous **informerai** | ➜ **quand** j'en **aurai discuté** avec le directeur marketing. |
| **2ᵉ action dans le temps** | **1ʳᵉ action dans le temps** |

Pour indiquer qu'une action future (1ʳᵉ action dans le temps) doit être réalisée avant une autre action future (2ᵉ action dans le temps), on conjugue le verbe de la première action à réaliser au futur antérieur.

⚠ On emploie les indicateurs temporels *quand*, *dès que*, *aussitôt que* pour introduire cette première action à réaliser.

⚠ On peut intervertir l'ordre de présentation des actions dans la phrase.
*Je vous informerai quand j'en aurai discuté… = Quand j'en aurai discuté…, je vous informerai.*

**Formation du futur antérieur :** *Être* ou *avoir* au futur simple + participe passé du verbe

⚠ Toutes les règles du passé composé sont valables pour le futur antérieur (choix de l'auxiliaire, accord du participe passé, forme négative, conjugaison d'un verbe pronominal).

(➜ Voir Tableaux de conjugaison p. 208 à 211 et Liste des participes passés les plus fréquents p. 212)

## 3 Les pronoms compléments (rappel)

**Pour éviter les répétitions.**

| Nous **vous** remercions de **nous** confirmer votre présence. <br> Venez **les** écouter. Ils **l'**animent. <br> Pour **leur** envoyer un e-mail, … | Qu'est-ce qu'ils **en** retirent ? <br> Ils s'**y** investissent. <br> Vous pourrez vous **y** rendre. |
|---|---|
| • **Les pronoms compléments directs** (*me*, *te*, *le*, *la*, *l'*, *nous*, *vous*, *les*) sont utilisés avec des verbes sans préposition. *Le / la / les* peuvent remplacer un nom d'objet. <br> • **Les pronoms compléments indirects** (*me*, *te*, *lui*, *nous*, *vous*, *leur*) sont utilisés avec un verbe utilisant la préposition *à*. Ils remplacent un nom de personne. | • **Le pronom complément** *en* remplace un nom d'objet ou de personne précédé d'une quantité. Il remplace aussi un nom d'objet utilisé avec un verbe précédé de la préposition *de*. <br> • **Le pronom complément** *y* remplace un nom de lieu ou un nom d'objet précédé de la préposition *à*. |

## 4 Le subjonctif présent et l'infinitif

**Pour exprimer des sentiments à propos d'une action ou d'un fait présent ou futur.**

| | |
|---|---|
| **Nous** sommes **très heureux de** vous **recevoir** à ce cocktail.<br>**Nous** sommes particulièrement **fiers** aujourd'hui **de** vous **présenter** nos nouveaux produits. | **Nous** sommes vraiment **touchés que vous soyez** si nombreux.<br>**Nous** sommes **ravis que vous puissiez** découvrir nos solutions innovantes. |
| Les sujets des deux verbes de la phrase sont **identiques**.<br><br>**Verbe exprimant un sentiment + *de* + infinitif** | Les sujets des deux verbes de la phrase sont **différents**.<br><br>**Verbe exprimant un sentiment + *que* + subjonctif présent** |

## 5 Le participe présent

**Pour exprimer la cause ou apporter une précision.**

| | |
|---|---|
| Ils sélectionnent en priorité une agence de voyages **ayant** une démarche responsable.<br>20 % des personnes **visitant** le salon ont acheté leur voyage. | La satisfaction des visiteurs est en hausse : 88 % **ayant** l'intention de revenir l'année prochaine.<br>**Bénéficiant** de promotions intéressantes, 20 % des personnes ont acheté leur voyage. |
| Le participe présent remplace le pronom relatif *qui* + verbe.<br>*Une agence de voyage **qui a**...*<br>*Des personnes **qui visitent** le salon...* | Le participe présent exprime **la cause**.<br>*La satisfaction est en hausse **puisque** 88 % ont l'intention de revenir.*<br>***Comme** ils ont bénéficié de promotions intéressantes, 20 % des personnes ont acheté leur voyage.* |

**Formation du participe présent : radical de la 2ᵉ personne du présent (*nous*) + -ant.**

Il est invariable (= ne change pas).

finir ➜ nous **finiss**ons ➜ finiss**ant**

⚠ Trois verbes irréguliers :
>*Être* ➜ *étant*
>*Avoir* ➜ *ayant*
>*Savoir* ➜ *sachant*

⚠ Les verbes en ***QUER*** et en ***GUER*** gardent le ***U*** au participe présent.
*provoquant / communiquant – naviguant / fatiguant*

⚠ Les verbes en ***GER*** prennent un ***E*** avant ***ANT***.
*mangeant / engageant*

## 6 Les emplois du participe présent et du gérondif

| | | |
|---|---|---|
| Pour exprimer la manière | Le gérondif | J'ai trouvé un emploi **en surfant** sur Internet. |
| Pour exprimer la condition | Le gérondif | **En prenant** un taxi, vous arriverez plus vite à votre rendez-vous. (= si vous prenez un taxi…) |
| Pour exprimer le temps | Le gérondif | **En partant**, pensez à éteindre la lumière. (au moment où vous partez) |
| Pour indiquer la simultanéité de deux actions | Le gérondif | Je travaille **en écoutant** de la musique. (les deux actions se font en même temps) |
| Pour exprimer la cause | Le participe présent | N'**ayant** pas les compétences, il n'a pas pu réaliser la tâche demandée. (comme il n'a/avait pas les compétences…) |
| Pour apporter des précisions | Le participe présent | Nous recherchons une assistante **sachant** utiliser plusieurs logiciels. (une assistante qui sait utiliser…) |

# ENTRAÎNEZ-VOUS

## 1. Stratégies claires

**Complétez les bulles en mettant les verbes au futur simple ou au futur antérieur.**

1. Quand Mme Goiffon (partir) à la retraite, nous (embaucher) une nouvelle assistante.

2. Tu (pouvoir) m'appeler lorsque tu (obtenir) toutes les informations.

3. Une fois qu'ils (se mettre d'accord) sur la date de la conférence, les commerciaux (faire) la maquette.

4. Je (s'occuper) de ce dossier quand je (rentrer) de Colombie.

5. Dès que les délégués (présenter) les chiffres, vous (devoir) prendre une décision.

## 2. Urgence

**Dans chaque phrase, choisissez le bon indicateur parmi les trois propositions. Faites les modifications, si nécessaire.**

Bonjour Dominique,
Nous sommes dans l'urgence. Je serai absent (lorsque / une fois que / à partir du) 14. Tu devras appeler M. Morel (dès / aussitôt que / lorsque) mardi matin. Vous déciderez des actions à réaliser (dès / à partir de / quand) il aura terminé sa mission mais tu peux (dès / aussitôt que / une fois que) maintenant en parler avec ton équipe.
Merci d'avance,
François

## 3. C'est professionnel !

**Complétez les SMS avec les pronoms compléments qui conviennent. Faites les modifications, si nécessaire.**

1. Ne t'inquiète pas pour le dossier de financement. Je ... pense ;-)

2. Grégoire est incompétent. Ne ... confie pas cette mission !

3. J'ai le numéro de nos correspondants. Je ... appelle demain.

4. Je m'occupe de la commande de cartouches d'encre. Vous ... voulez combien ?

5. Nos partenaires nous ont écrit. Nous ... envoyons notre accord ce soir.

6. Bousquin m'a parlé de son projet mais je ne ... crois pas du tout.

## 4. Jeu test

**Lisez les propositions et barrez la forme qui ne convient pas puis faites le jeu test.**

### Quelles sont vos relations avec vos collègues ?

**1** Un collègue part à la retraite.

a. Vous êtes triste *de partir / qu'il parte*.
b. Vous êtes furieux(euse) *d'avoir / qu'il ait* plus de travail.
c. Vous êtes content(e) *d'apprendre / qu'il apprenne* la nouvelle.

**2** Un collègue vous invite chez lui avec d'autres collègues.

a. Vous êtes heureux(euse) *d'y aller / qu'il y aille*.
b. Vous êtes fâché(e) *d'inviter / qu'il invite* d'autres collègues.
c. Vous êtes triste *de ne pas être / qu'il ne soit pas* libre.

**3** Un collègue veut emprunter votre ordinateur.

a. Vous êtes heureux(euse) *d'utiliser / qu'il utilise* l'ordinateur.
b. Vous êtes gêné(e) *qu'il ait accès à vos données / d'avoir accès à ses données*.
c. Vous êtes surpris(e) *de ne pas demander / qu'il ne demande pas* l'autorisation.

## 5. Petite annonce

**Choisissez entre le gérondif ou le participe présent pour donner du sens à cette annonce.**

Nous recherchons une personne *parlant / en parlant* anglais et chinois. Elle devra développer notre réseau *allant / en allant* sur le terrain et trouver des partenaires *correspondant / en correspondant* à nos besoins.

# TESTEZ-VOUS

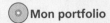 **Mon portfolio**

 **1. Des chiffres du tourisme**

**Lisez le document et les affirmations suivantes puis choisissez la bonne réponse.**

| Les touristes internationaux en France selon le pays de résidence | | |
|---|---|---|
| Pays | Nombre de visiteurs (en millions) | Variation par rapport à l'année précédente |
| Allemagne | 13,0 | + 6,5 % |
| Royaume-Uni | 12,6 | + 3,4 % |
| Belgique | 9,3 | – 10,1 % |
| Italie | 7,8 | – 3,0 % |
| États-Unis | 3,1 | +2,7 % |
| Chine | 1,7 | + 23,4 % |
| Japon | 0,6 | – 6,7 % |

1. Ce tableau nous informe sur
   a. le nombre de touristes étrangers satisfaits de leur séjour en France.
   b. la part du budget dépensé par les visiteurs internationaux en France.
   c. le nombre de touristes internationaux ayant l'intention de visiter la France.
   d. le nombre de visiteurs étrangers venus en France.

2. Selon ce tableau,
   a. le nombre de visiteurs japonais reste stable.
   b. environ 10 % des résidents belges visitent la France.
   c. le nombre de visiteurs allemands présente une progression.
   d. 3,4 % des Britanniques ont l'intention de revenir en France.

 **2. Une invitation**

**Lisez le document puis choisissez la bonne réponse.**

1. Il s'agit d'une invitation à :
   a. un salon professionnel.
   b. une journée d'information.
   c. une discussion.

2. L'entrée est :
   a. gratuite.
   b. payante.
   c. ce n'est pas précisé.

Nous vous convions à un petit déjeuner débat sur le thème « Mondialisation et Innovation » qui aura lieu dans les salons de l'hôtel Iris,

*29 rue de Château, 78000 Versailles*
*Le mardi 16 février*
*De 8 h 30 à 10 h*

À l'issue du débat,
un exemplaire du livre *Entreprise et défis*
sera offert à chaque participant.
La participation aux frais est de 20 €.

 **3. Merci pour tout** ◎ Mes audios ▶ 21

**Vous allez entendre un discours. Écoutez-le et indiquez pour chaque énoncé si c'est « vrai », « faux » ou si « on ne sait pas ».**

| | Vrai | Faux | On ne sait pas |
|---|---|---|---|
| 1. La personne parle à des clients. | ☐ | ☐ | ☐ |
| 2. Elle va changer de travail. | ☐ | ☐ | ☐ |
| 3. Elle a travaillé plus de 15 ans ici. | ☐ | ☐ | ☐ |
| 4. Elle est radiologue. | ☐ | ☐ | ☐ |
| 5. Elle est triste de partir. | ☐ | ☐ | ☐ |
| 6. Elle va bientôt partir en voyage. | ☐ | ☐ | ☐ |
| 7. Elle pense qu'elle pourra revenir. | ☐ | ☐ | ☐ |

# Comment bien rédiger
# une **note d'information** ou **de service** ?

La **note d'information** a un but informatif.
La **note de service** transmet un ordre / des instructions.
La présentation des notes n'est pas normalisée mais on y trouve des éléments communs.

**Voici, dans le désordre, les éléments communs aux notes professionnelles.**
**Faites correspondre les mentions ci-dessous aux parties correspondantes de la note d'information et de la note de service.**

a. Lieu et date
b. Pas de formule de politesse pour prendre congé
c. Pas de titre de civilité
d. Service émetteur
e. Objet
f. Le signataire

g. Le ou les destinataire(s) : la note peut s'adresser à une seule personne, à plusieurs personnes d'un même service ou à l'ensemble du personnel
h. Conclusion
i. Titre
j. En-tête simplifié

---

 **DURUIT VOYAGE** ❶　　　　　　　　❷ Lille, le 18 octobre 20…
Direction commerciale ❸　　　　　　　　❹ Aux conseillers de clientèle

**NOTE D'INFORMATION N° 98** ❺

Objet : Séminaire annuel des conseillers de clientèle ❻

❼

Le séminaire annuel des conseillers de clientèle se déroulera cette année les 12 et 13 avril dans les nouveaux locaux de notre siège social.

Pour nous permettre d'organiser dans les meilleures conditions l'accueil des participants, nous vous prions de nous retourner pour le 20 mars au plus tard le coupon réponse ci-joint.

Nous vous remercions de votre collaboration. ❽

❾　　　　　　　　　　　　　　　Le Directeur commercial ❿

---

 **MEDIUM SERVICES** ❶

　　　　　　　　　　　　　　　　　　　❷ Nice, le 5 octobre ….

De : Direction des ressources humaines ❸
À : L'ensemble du personnel ❹

**Note de service n° 25** ❺

Objet : Horaires variables ❻
❼

À la suite de la mise en place des horaires variables, nous vous rappelons les plages horaires mobiles :
– heures d'arrivée entre 7 h 30 et 9 h 30
– heures de départ entre 16 h et 18 h 30
Vous êtes priés de respecter strictement ces horaires.

Nous vous remercions de votre coopération. ❽

❾

La Directrice des ressources humaines ❿

# L'art de **trinquer**

## Porter un toast

- « Porter un toast » signifie lever son verre avant de boire. On lève son verre pour formuler un vœu, un souhait, un engagement, rendre hommage ou pour fêter un accord ou un événement, en invitant les personnes présentes à faire la même chose. On peut porter un toast après un discours pour souhaiter une réussite, par exemple.

- L'action de trinquer\* est le fait d'entrechoquer son verre avec celui d'une autre personne avec laquelle on s'apprête à boire. On trinque à l'occasion d'un événement privé (un mariage, un anniversaire, un diplôme, une invitation chez des amis, etc.) ou professionnel.

- En général, quand on trinque, on se regarde dans les yeux, on ne pose pas son verre entre le moment où on trinque et celui où on boit la première gorgée et on attend que tout le monde soit servi pour trinquer.

- En France, on dit « Tchin tchin ! » (le bruit que font les verres) ou « Santé ! » (la coutume de boire « à la santé » remonterait à l'Antiquité) en entrechoquant le verre une seule fois.

\*Le mot « trinquer » vient de l'allemand « trinken » qui veut dire « boire ».

## Un peu d'histoire

- La coutume de trinquer avant de boire vient de l'époque du Moyen Âge. On trinquait par peur d'un empoisonnement. On entrechoquait des verres solides et bien remplis pour qu'un peu de liquide passe dans le verre de l'autre. Chacun devait boire en regardant l'autre dans les yeux.
- L'expression « porter un toast » est aussi très ancienne et vient d'Angleterre. On avait coutume de manger une toastée (une tranche de pain épicée et grillée). On mettait une toastée dans les boissons pour honorer une personne. Le verre faisait le tour de tous les invités qui en buvaient une gorgée ; la personne qu'on voulait fêter, buvait la dernière en vidant le verre et mangeait le pain.

## Le rite du « pot »

« Prendre un pot », c'est boire une boisson d'une manière conviviale. En France, on organise des pots dans les entreprises pour fêter un événement de la vie de l'entreprise ou de la vie privée comme une naissance, un mariage, un départ de l'entreprise, une promotion ou encore un succès de l'entreprise ou l'inauguration de nouveaux locaux, par exemple. On peut aussi bien sûr inviter quelqu'un à prendre un pot dans un café, un bar ou à la maison.

**Ces pratiques existent-elles dans votre pays ? À quelle(s) occasion(s) ? À quel(s) moment(s) ? Qu'est-ce qu'on dit ? Est-ce qu'il y a un mot particulier ? Est-ce qu'il y a une gestuelle particulière, un comportement particulier ? Est-ce qu'il faut respecter un ordre particulier avec les personnes avec lesquelles on trinque ?**

# SCÉNARIO PROFESSIONNEL

**Vous êtes auto-entrepreneur et vous souhaitez faire connaître et vendre en France un produit typique de votre pays ou un produit qui peut être fabriqué dans votre pays (alimentation, décoration, ameublement, etc.).**

## ÉTAPE 1 — CHOISISSEZ VOTRE PRODUIT / VOTRE PROJET

1. Déterminez le produit, le mode de fabrication et la clientèle que vous ciblez.

2. Rédigez une fiche produit détaillée (nom du produit, caractéristiques techniques, usage, présentation, information sur la fabrication, clientèle visée…).

## ÉTAPE 2 — FAITES VOTRE ÉTUDE DE MARCHÉ

1. Effectuez des recherches sur Internet pour savoir :
   a. si le produit est déjà vendu en France ou sur des sites de distribution français ;
   b. qui vend le produit ;
   c. quels sont les prix pratiqués ;
   d. comment vous pourriez faire la promotion de votre produit et le vendre (vente en ligne ?, partenaires ?…).

2. À partir des informations récoltées, faites des choix selon vos préférences / votre stratégie et rédigez un mail (ou téléphonez) à un(e) ami(e) français(e) pour lui expliquer votre projet et lui demander son avis / de l'aide.

3. Préparez un questionnaire pour une étude de marché. Identifiez les questions à poser aux clients ciblés sur leurs habitudes en fonction du produit que vous avez choisi de commercialiser : usage, fréquence, préférences, etc.

4. Rédigez un compte rendu de tout votre travail de prospection.

## ÉTAPE **3** ⟩ RECHERCHEZ DES PARTENAIRES

Votre ami(e) français(e) connaît des partenaires potentiels pour la distribution de votre produit.

⟩ **1** Déterminez les conditions de vente de votre produit (prix, modalités de paiement et de livraison, conditionnement, retours / échanges / remboursements…).

⟩ **2** Préparez un argumentaire de vente pour votre produit.

⟩ **3** Réalisez une vidéo de présentation avec votre téléphone et envoyez-la à ces partenaires potentiels pour les convaincre.

⟩ **4** Rédigez un mail pour ces personnes auquel vous joindrez votre vidéo, la fiche produit et le compte rendu de votre travail de prospection.

## ÉTAPE **4** ⟩ PARTICIPEZ À UN SALON

Un des partenaires potentiels est convaincu par votre produit et vous propose de participer avec lui à la Foire de Paris.

⟩ **1** Allez sur le site de cet événement (www.foiredeparis.fr) et informez-vous sur cette foire (notez toutes les informations importantes).

⟩ **2** Rendez-vous dans l' « espace pro » du site, cliquez sur « demande d'information » et préparez vos réponses aux questions posées pour la pré-réservation.

⟩ **3** Préparez une invitation pour la foire que vous enverrez à des clients que vous aurez ciblés et / ou préparez un flyer de renseignements à distribuer aux visiteurs de votre stand.

⟩ **4** Préparez un petit discours d'inauguration du stand.

⟩ **5** Un journaliste vous interroge. Répondez à ses questions.

# Travaillez en collaboration

B1

## Pour être **capable de/d'**

⟩ **participer à un remue-méninges**
⟩ **travailler sur un document partagé**
⟩ **planifier / élaborer un planning en concertation**
⟩ **échanger sur l'organisation au travail**

## Vous allez **apprendre à**

⟩ inciter quelqu'un à faire part de ses idées
⟩ proposer une idée
⟩ donner votre opinion
⟩ vous expliquer ou reformuler vos propos
⟩ faire un retour positif
⟩ suggérer des modifications
⟩ décrire un arrangement
⟩ indiquer des périodes de congés
⟩ formuler des oppositions
⟩ décrire des problèmes d'organisation
⟩ approuver
⟩ exprimer votre désarroi
⟩ décrire votre ressenti
⟩ indiquer des contradictions

## Vous allez **utiliser**

⟩ l'adjectif indéfini *autre*
⟩ l'indicatif et le subjonctif pour exprimer une opinion
⟩ *ce qui, ce que, ce dont*
⟩ l'adverbe *bien*
⟩ l'expression de l'opposition
⟩ l'expression de la concession

◉ Mes vidéos ▸ Travaillez en collaboration

# A Tempête de cerveaux

 Vous travaillez au service recherche et développement (R&D) d'une grande enseigne de mobilier de jardin. Un remue-méninges* est organisé pour trouver de nouvelles idées innovantes. Vous y assistez pour collecter les idées de vos collègues.

  **Écoutez vos collègues et complétez la carte mentale avec toutes les idées données (objets + caractéristiques). Votez ensuite pour l'idée que vous préférez.**

*brainstorming

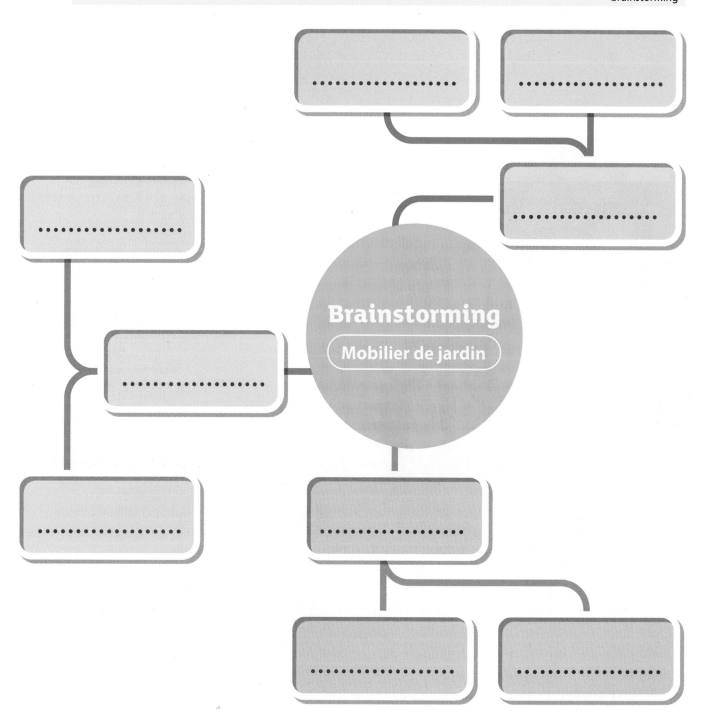

## 2 | Retenez

**Pour inciter à faire des propositions :**
Une autre idée ?
Vous avez des idées pour un autre type de produit ?
(→ **voir Outils linguistiques, 1 p.118**)

**Pour proposer une idée :**
**Je pense à** une chaise longue programmable.
**J'imagine** un hamac avec des poches.
**Je verrais bien** un hamac avec un petit sac.
**J'ai une idée ! Si on inventait** un fauteuil de massage ?

**Pour donner son opinion :**
**Je suis sûr que** vous allez avoir beaucoup
d'imagination !
**Je trouve que** c'est toujours difficile de se relever.
**Je suis convaincu(e) que** cette idée peut plaire.
**Je ne pense pas que** ce soit faisable.
(→ **voir Outils linguistiques, 2 p.118**)

**Pour s'expliquer ou reformuler ses propos :**
Excusez-moi, **je me suis mal exprimé(e).**
**Je m'explique :** il s'agit d'une chaise longue.
Pardon, **je veux dire** « se déplie ».

**Des caractéristiques techniques / produits**
isotherme
gonflable
pliable
programmable
rétractable
solaire

## 3 | Passez à l'action

**1. Nouveaux services.**
**Votre entreprise / université souhaite proposer de nouveaux services originaux. Vous participez avec des collègues / d'autres étudiants à un atelier de remue-méninges. Vous désignez un animateur.**
**Étape 1 :** L'animateur rappelle l'objectif de la réunion et les règles à suivre.
**Étape 2 :** Les participants lancent les idées. L'animateur note les idées au fur et à mesure sous forme de carte
          mentale sur un tableau.
**Étape 3 :** Les participants votent pour la / les meilleure(s) idée(s).

**2. Décision commune !**
**Votre entreprise a répondu à un appel d'offre\* important pour une prestation il y a quelques se-
maines. Vous n'avez toujours pas reçu de réponse. Un de vos collaborateurs s'impatiente et vous
propose de téléphoner au commanditaire pour avoir des nouvelles. Vous pensez que ce n'est pas
une bonne idée. Vous lui écrivez un courriel pour lui expliquer votre opinion.**

\* Un client potentiel / un commanditaire demande à plusieurs fournisseurs concurrents de faire une offre pour la fourniture
  de services ou de produits. Le client choisit ensuite l'offre la plus intéressante.

# B Document partagé

## 1 Réalisez la tâche

Vous travaillez au service marketing d'une école de langues.
Votre école a expérimenté un nouveau cours hybride (une partie en classe + une partie en ligne) et vous travaillez avec un collègue sur un questionnaire de satisfaction qui va être distribué aux étudiants qui ont participé à l'expérimentation.

**Lisez les commentaires de votre collègue sur votre ébauche de questionnaire et apportez les corrections suggérées.**

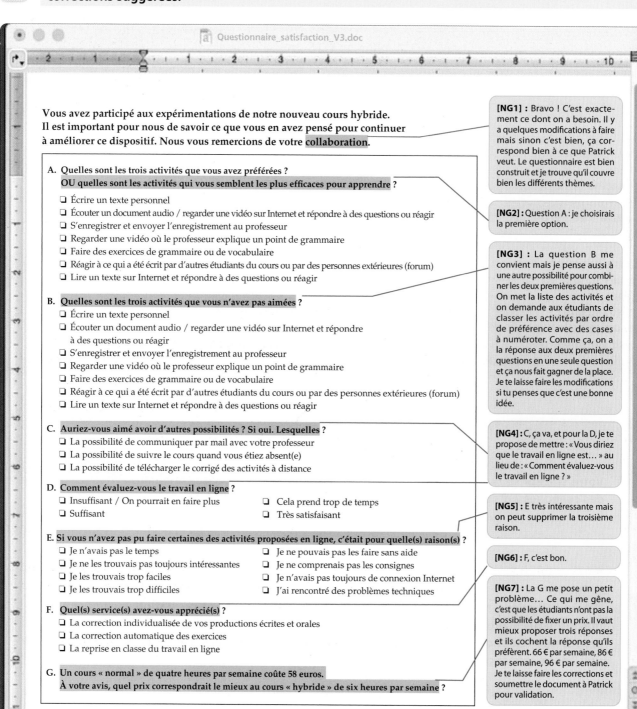

Questionnaire_satisfaction_V3.doc

Vous avez participé aux expérimentations de notre nouveau cours hybride.
Il est important pour nous de savoir ce que vous en avez pensé pour continuer à améliorer ce dispositif. Nous vous remercions de votre collaboration.

**A.** Quelles sont les trois activités que vous avez préférées ?
**OU quelles sont les activités qui vous semblent les plus efficaces pour apprendre ?**

- ❏ Écrire un texte personnel
- ❏ Écouter un document audio / regarder une vidéo sur Internet et répondre à des questions ou réagir
- ❏ S'enregistrer et envoyer l'enregistrement au professeur
- ❏ Regarder une vidéo où le professeur explique un point de grammaire
- ❏ Faire des exercices de grammaire ou de vocabulaire
- ❏ Réagir à ce qui a été écrit par d'autres étudiants du cours ou par des personnes extérieures (forum)
- ❏ Lire un texte sur Internet et répondre à des questions ou réagir

**B.** **Quelles sont les trois activités que vous n'avez pas aimées ?**
- ❏ Écrire un texte personnel
- ❏ Écouter un document audio / regarder une vidéo sur Internet et répondre à des questions ou réagir
- ❏ S'enregistrer et envoyer l'enregistrement au professeur
- ❏ Regarder une vidéo où le professeur explique un point de grammaire
- ❏ Faire des exercices de grammaire ou de vocabulaire
- ❏ Réagir à ce qui a été écrit par d'autres étudiants du cours ou par des personnes extérieures (forum)
- ❏ Lire un texte sur Internet et répondre à des questions ou réagir

**C.** **Auriez-vous aimé avoir d'autres possibilités ? Si oui. Lesquelles ?**
- ❏ La possibilité de communiquer par mail avec votre professeur
- ❏ La possibilité de suivre le cours quand vous étiez absent(e)
- ❏ La possibilité de télécharger le corrigé des activités à distance

**D.** **Comment évaluez-vous le travail en ligne ?**
- ❏ Insuffisant / On pourrait en faire plus
- ❏ Suffisant
- ❏ Cela prend trop de temps
- ❏ Très satisfaisant

**E.** **Si vous n'avez pas pu faire certaines des activités proposées en ligne, c'était pour quelle(s) raison(s) ?**
- ❏ Je n'avais pas le temps
- ❏ Je ne les trouvais pas toujours intéressantes
- ❏ Je les trouvais trop faciles
- ❏ Je les trouvais trop difficiles
- ❏ Je ne pouvais pas les faire sans aide
- ❏ Je ne comprenais pas les consignes
- ❏ Je n'avais pas toujours de connexion Internet
- ❏ J'ai rencontré des problèmes techniques

**F.** **Quel(s) service(s) avez-vous apprécié(s) ?**
- ❏ La correction individualisée de vos productions écrites et orales
- ❏ La correction automatique des exercices
- ❏ La reprise en classe du travail en ligne

**G.** **Un cours « normal » de quatre heures par semaine coûte 58 euros.**
**À votre avis, quel prix correspondrait le mieux au cours « hybride » de six heures par semaine ?**

**[NG1] :** Bravo ! C'est exactement ce dont on a besoin. Il y a quelques modifications à faire mais sinon c'est bien, ça correspond bien à ce que Patrick veut. Le questionnaire est bien construit et je trouve qu'il couvre bien les différents thèmes.

**[NG2] :** Question A : je choisirais la première option.

**[NG3] :** La question B me convient mais je pense aussi à une autre possibilité pour combiner les deux premières questions. On met la liste des activités et on demande aux étudiants de classer les activités par ordre de préférence avec des cases à numéroter. Comme ça, on a la réponse aux deux premières questions en une seule question et ça nous fait gagner de la place. Je te laisse faire les modifications si tu penses que c'est une bonne idée.

**[NG4] :** C, ça va, et pour la D, je te propose de mettre : « Vous diriez que le travail en ligne est… » au lieu de : « Comment évaluez-vous le travail en ligne ? »

**[NG5] :** E très intéressante mais on peut supprimer la troisième raison.

**[NG6] :** F, c'est bon.

**[NG7] :** La G me pose un petit problème… Ce qui me gêne, c'est que les étudiants n'ont pas la possibilité de fixer un prix. Il vaut mieux proposer trois réponses et ils cochent la réponse qu'ils préfèrent. 66 € par semaine, 86 € par semaine, 96 € par semaine. Je te laisse faire les corrections et soumettre le document à Patrick pour validation.

## 2 Retenez

**Pour faire un retour positif :**
Bravo !
**C'est exactement ce dont on a besoin.**
**C'est bien.**
**Ça correspond bien** à ce que Patrick veut.
Le questionnaire est **bien construit.**
**Il couvre bien** les différents thèmes.
La question B **me convient.**
La question C, **ça va.**
La question E **est très intéressante.**
La question F, **c'est bon.**
(→ **voir Outils linguistiques, 3 p.118)**

**Pour suggérer des modifications :**
Il y a **quelques modifications à faire.**
**Je choisirais** la première option.
Je pense aussi à **une autre possibilité.**
**Je te propose de** mettre : « Vous diriez que le travail en ligne est… » **au lieu de** : « Comment évaluez-vous le travail en ligne ? ».
**On peut supprimer** la troisième raison.
La dernière question me **pose un petit problème.**
**Il vaut mieux** proposer trois réponses.
Je te laisse faire les corrections.

## 3 Passez à l'action

C'est bien pensé !
**Votre entreprise / université va bientôt lancer un nouveau produit / service. Vous travaillez au service communication et vous êtes chargé(e) avec votre équipe d'élaborer une fiche informative pour ce produit / service. Cette fiche paraîtra sur le site de votre entreprise / université.**

**Étape 1 :** Identifiez le produit et ses qualités.
**Étape 2 :** Concevez la fiche informative avec un(e) collègue (description, caractéristiques techniques, avantages, coût, etc.).
**Étape 3 :** Chaque binôme présente sa fiche.
**Étape 4 :** Votez pour le produit / service le plus intéressant / novateur.
**Étape 5 :** Discutez tous ensemble pour améliorer la fiche informative choisie.

# C Il faut qu'on s'arrange !

Vous êtes l'assistant(e) du service commercial de votre entreprise. Vous participez à une réunion des commerciaux pour l'organisation des congés d'été et vous devez établir le calendrier des congés.

**Écoutez les commerciaux et cochez sur le calendrier la période d'absence de chacun.**

**Vérifiez que le planning des congés est bien conforme à la note de la direction puis complétez le courriel que vous enverrez à l'ensemble de l'équipe.**

| | Juillet | | | | Août | | | | Septembre | | | |
|---|---|---|---|---|---|---|---|---|---|---|---|---|
| | 1ʳᵉ sem | 2ᵉ sem | 3ᵉ sem | 4ᵉ sem | 1ʳᵉ sem | 2ᵉ sem | 3ᵉ sem | 4ᵉ sem | 1ʳᵉ sem | 2ᵉ sem | 3ᵉ sem | 4ᵉ sem |
| Lise | | | | | | | | | | | | |
| Justine | | | | | | | | | | | | |
| John | | | | | | | | | | | | |
| Amina | | | | | | | | | | | | |
| Gilles | | | | | | | | | | | | |

**ΘPHA** Direction

### Note de service

**Destinataires :** les chefs de service
**Objet :** Organisation des congés d'été

Les services doivent établir le planning des congés afin qu'un roulement soit organisé, l'entreprise restant ouverte tout l'été.
Pour rappel : le congé principal doit comporter au moins 2 semaines consécutives entre le 1ᵉʳ mai et le 31 octobre.
La direction encourage les équipes de chaque service à engager un dialogue interne pour établir le planning. En cas de désaccord, l'arbitrage se fera en tenant compte des priorités suivantes :
Priorité 1 : aux salariés ayant des enfants en âge scolaire,
Priorité 2 : aux salariés dont l'entreprise du conjoint ferme à des périodes fixes de congés.

Bien cordialement,
**La directrice**
**Pascaline Chula**

---

Boîte de réception ▾   Messages envoyés ▾   Brouillons ▾   Signalés ▾

Bonjour à tous,

Comme suite à la réunion, veuillez trouver ci-dessous un récapitulatif des congés des commerciaux :
En juillet, seront présents ..............................................................................................................................
En août, ce sera ........................................................................... qui assureront les permanences.
Il y aura donc toujours 4 commerciaux au moins sauf la ..............................................................................
de ................................. et la ................................. de ................................. où vous ne serez que 3.
Deux réunions sont prévues pour faire le point sur le suivi des dossiers.
Une première réunion aura lieu juste avant les premiers départs en vacances la ............. semaine du mois de
................................................. et la deuxième réunion, au retour de vacances, le mercredi de la ............. semaine du mois
de ................................. .

Bien à vous,
L'assistant(e) du service commercial

---

## 2 | Retenez

**Pour décrire un arrangement :**
Il faut qu'**on s'organise** pour que le service soit toujours assuré.
**On arrive** toujours **à s'arranger**.
On avait dit que ce serait **chacun son tour**.
On peut **trouver un arrangement**.
**On se débrouillera** sans vous.
Il faudra **une bonne répartition des tâches entre les personnes** qui seront là.

**Pour indiquer des périodes de congés :**
Ma femme **prend ses congés en** août.
**Les dates sont imposées** par son entreprise.
L'autre **partira du** 15 **au** 31 août.
Tu pourras donc **être en vacances à partir du** 15 août.
Cette année, je **prends trois semaines d'affilée**.
Vous avez bien raison de **partir hors saison**.
Je **repose une semaine pour la rentrée**.
Nous **serons** donc **absents** tous les deux la deuxième semaine de juillet.

**Pour formuler des oppositions :**
Toi, tu peux choisir grâce à ta femme **par contre**, moi qui suis célibataire, je suis obligée de m'adapter !
L'un prend les quinze premiers jours d'août **tandis que** l'autre partira du 15 au 31 août.
**Contrairement à** vous, j'ai décidé de partir après les vacances scolaires.

(→ **Voir Outils linguistiques, 5 p. 119**)

## 3 | Passez à l'action

**1. On se met d'accord.**
**Vous devez vous absenter et vous devez trouver une solution pour être remplacé(e) pendant votre absence. Vous discutez avec des collègues pour trouver un arrangement et répartir le travail / les tâches que vous ne pourrez pas assurer. Vous rédigez un mail pour récapituler les décisions prises.**

**2. Problème à régler.**
**Vous êtes surchargé(e) de travail et vous avez le sentiment d'être seul(e). Vous en parlez à votre responsable pour trouver un arrangement.**

### VOUS
- Vous expliquez votre problème.
- Vous faites des propositions de solutions.
- Vous réagissez.

### VOTRE RESPONSABLE
- Il / Elle vous pose des questions sur votre problème.
- Il / Elle vous interroge sur des solutions possibles.
- Il / Elle expose un / des arrangement(s) possible(s).
- Il / Elle accepte vos propositions d'arrangement ou s'y oppose.

# D Un séminaire utile !

Vous êtes consultant(e) en organisation. Une entreprise a fait appel à vous pour aider les membres d'un service à travailler ensemble.

Avec un collègue consultant, vous les rencontrez à l'occasion d'un séminaire organisé pour eux sans leur responsable.

  **1.** Écoutez les personnes décrire leur situation de travail et listez au tableau les forces et les faiblesses de l'équipe.

 **2.** Les participants ont ensuite fait des propositions sur des post-it. Lisez-les et associez-les aux faiblesses identifiées.

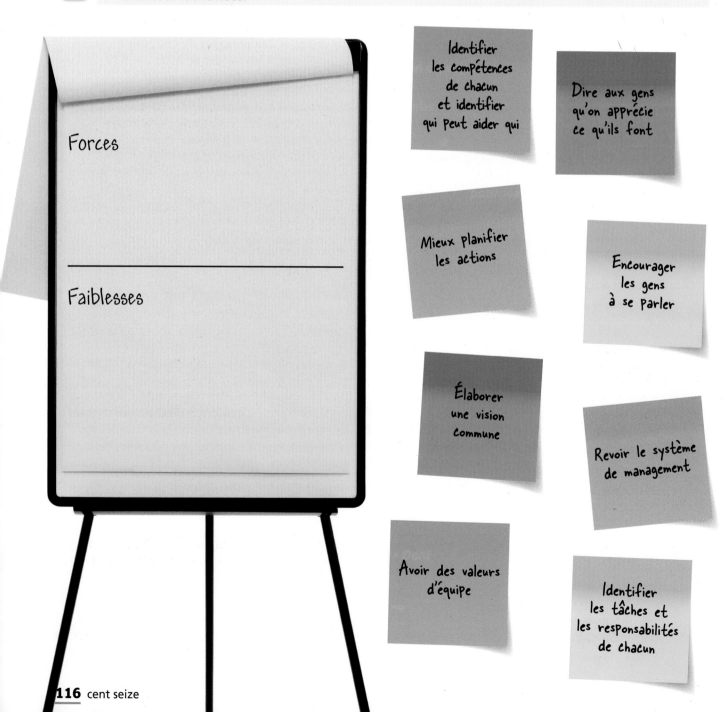

Forces

_____

Faiblesses

Identifier les compétences de chacun et identifier qui peut aider qui

Dire aux gens qu'on apprécie ce qu'ils font

Mieux planifier les actions

Encourager les gens à se parler

Élaborer une vision commune

Revoir le système de management

Avoir des valeurs d'équipe

Identifier les tâches et les responsabilités de chacun

## 2 Retenez

**Pour décrire des problèmes d'organisation :**
On travaille dans l'urgence.
On n'anticipe pas.
Tout le monde est débordé.
**On manque de** visibilité sur les objectifs du service.

**Pour décrire des problèmes de collaboration :**
Il n'y a **pas d'esprit d'équipe.** Il n'y a **pas d'entraide.**
Il n'y a **pas de communication / d'écoute.**
On n'a **pas de soutien hiérarchique.**
Il y a un **manque de** reconnaissance / de confiance.

**Pour approuver :**
**C'est vrai !**
**Je suis d'accord avec** Maryse.
Vincent **a raison.**
Ça, **c'est bien vrai !**

**Pour exprimer son désarroi :**
C'est catastrophique !
Ça ne peut plus durer !
C'est décourageant !

**Pour parler de son ressenti :**
**J'ai vraiment l'impression d'**être un pion.
**Je me demande pourquoi** je travaille autant !
**Je me sens** inutile.
**Je n'arrive pas à** me projeter dans l'avenir.
**Je ressens** la même chose.
**On a un sentiment de** solitude.

**Pour indiquer des contradictions :**
On doit travailler dix fois plus **alors qu'**on connaît bien nos interlocuteurs et nos outils.
Il n'y a pas d'entraide. **Pourtant**, nous avons des compétences complémentaires.
Nous avons alerté la direction **mais** on ne nous écoute pas.
(→ **Voir Outils linguistiques, 6 p. 119**)

## 3 Passez à l'action

**1. Service exemplaire.**
À l'occasion d'un audit, vous devez parler de votre service. Vous parlez de votre ressenti, des relations avec vos collègues et du mode d'organisation du service. Vous proposez des pistes pour l'amélioration de l'organisation.

**2. Petit guide.**
À l'occasion d'un séminaire, vous êtes chargé(e) de préparer un document intitulé « Comment travailler en équipe ? » Vous rédigez six petits paragraphes et vous trouvez des photos pour illustrer votre document.

# OUTILS LINGUISTIQUES

## 1 L'adjectif indéfini *autre*

**Pour exprimer la différence ou désigner un élément ou un groupe différent.**

Les idées que vous trouvez doivent inspirer tous **les autres** participants.
**Une autre** idée ?
Vous avez des idées pour **un autre** type de produit ?
Une poche pour son sandwich ou pour **d'autres** choses.

| Masculin singulier | Féminin singulier |
|---|---|
| un autre | une autre |
| l'autre | l'autre |
| **Masculin pluriel** | **Féminin pluriel** |
| d'autres | d'autres |
| les autres | les autres |

⚠️ *Autre* est précédé d'un article défini ou indéfini et suivi d'un nom.
Ne pas confondre **d'autres** et **des autres** !
*Des autres* est la contraction de la préposition *de* + *les autres*.
*Je ne comprends pas les idées **des autres**.*
*J'ai **d'autres** idées.*

## 2 L'indicatif ou le subjonctif

**Pour exprimer une opinion.**

| | |
|---|---|
| **Je suis sûr que** vous **allez** avoir beaucoup d'imagination !<br>**Je trouve que** c'est toujours difficile de se relever.<br>**Je suis convaincue que** cette idée **peut** plaire. | **Je ne pense pas que** ce **soit** faisable. |
| **Expression de la certitude**<br>**Opinion affirmative** ⟶ indicatif<br><br>*Je suis sûr(e) / convaincu(e) que...*<br>*Je pense / trouve / crois que...* | **Expression du doute** ⟶ subjonctif<br>*Je ne suis pas sûr(e) / convaincu(e) que...*<br>*Je ne pense / trouve / crois pas que...*<br>*Je doute que...*<br>*Ça m'étonnerait que...* |

## 3 *Ce qui, ce que, ce dont*

**Pour éviter les répétitions et alléger la phrase.**

C'est exactement **ce dont** on a besoin.
Ça correspond bien à **ce que** Patrick veut.
**Ce qui** me gêne, c'est que les étudiants n'ont pas la possibilité de fixer un prix.

*Ce* remplace un mot correspondant à un objet ou à une phrase exprimant une idée.
Le pronom relatif utilisé dépend de la fonction de **ce** :
– Quand *ce* remplace **un nom sujet**, on utilise *qui*.
– Quand *ce* remplace **un nom complément d'objet direct**, on utilise *que*.
– Quand *ce* remplace **un nom introduit par** *de*, on utilise *dont*.

## 4 L'adverbe *bien*

**Pour donner une appréciation.**

| | |
|---|---|
| C'est **bien**. | Le questionnaire est **bien** construit. |
| Ça correspond **bien** à ce que Patrick veut. | Il couvre **bien** les différents thèmes. |

– *Bien* + **verbe** indique :
1. **la conformité à l'idée ou l'effet attendu** → *Ça correspond **bien** à ce que Patrick veut.*
2. **la satisfaction** → *Nous avons **bien** travaillé.*
3. **le degré de perfection** → *J'ai **bien** lu le document.*

⚠ avec un verbe composé, ***bien*** se place après le premier verbe.
  *Nous avons **bien** travaillé.*

– *C'est* + *bien* est utilisé pour exprimer **une appréciation positive**.
⚠ Ne pas confondre ***C'est bon*** et ***C'est bien***.
***C'est bon*** est utilisé pour :
1. **exprimer le goût**
2. **indiquer un accord** (= *ça me va*)
3. **conclure**

⚠ ***Bien*** peut être précédé de *très* ou *vraiment* pour renforcer une appréciation / la satisfaction / la conformité / le degré de perfection.

## 5 L'expression de l'opposition

Toi, tu peux choisir grâce à ta femme, **par contre**, moi qui suis célibataire, je suis obligée de m'adapter !
L'un prend les quinze premiers jours d'août **tandis que** l'autre partira du 15 au 31 août.
**Contrairement** à vous, j'ai décidé de partir après les vacances scolaires.

**Deux faits / idées de même nature sont rapprochés pour expliquer / montrer des différences.**

L'opposition peut-être exprimée par :
*alors que / tandis que*
*par contre / en revanche*
*contrairement à / à l'opposé de / à l'inverse de*

## 6 L'expression de la concession

On doit travailler dix fois plus **alors qu'**on connaît bien nos interlocuteurs et nos outils.
Il n'y a pas d'entraide. **Pourtant**, nous avons des compétences complémentaires.
Nous avons alerté la direction **mais** on ne nous écoute pas.

La conséquence exprimée (*on doit travailler dix fois plus / il n'y a pas d'entraide / rien ne se passe*) n'est pas logique par rapport aux faits (*on connaît bien nos interlocuteurs et nos outils / nous avons des compétences complémentaires / nous avons alerté la direction*).

Pour exprimer des contradictions, on peut utiliser :
*mais*
*même si / bien que*
*pourtant / cependant*
*quand même*
*malgré*

⚠ *Bien que* est suivi d'un subjonctif.
  *Bien qu'on **connaisse** bien nos interlocuteurs, on travaille beaucoup plus.*

⚠ *Malgré* est utilisé avec un nom.
  *Malgré nos **compétences** complémentaires, on ne s'entraide pas.*

# ENTRAÎNEZ-VOUS

## 1. C'est de la pub

Complétez les publicités avec l'adjectif *autre* et un article.

1. Partez pour … rêves. Visitez l'Indonésie !
2. Envie d' … cuisine. Venez dans notre nouveau restaurant parisien.
3. Notre nouveau shampoing est incomparable. Découvrez aussi tous … produits de notre gamme.
4. … goût, … sensations, savourez notre eau !

## 2. Doutes et certitudes

Conjuguez les verbes entre parenthèses aux temps et modes qui conviennent pour exprimer une opinion.

1. – Tu crois qu'ils (embaucher) d'autres commerciaux l'année prochaine ?
   – On n'a pas eu de très bons résultats alors ça m'étonnerait qu'ils le (faire).
2. – Il paraît que le congé maternité va être prolongé de deux semaines.
   – C'est une bonne nouvelle ! Je trouve que la durée actuelle (être) insuffisante.
3. – Tu es pour ou contre le tutoiement au bureau ?
   – Moi, ça ne me gêne pas mais je doute que ma chef (vouloir) que je la tutoie.
4. – Tu penses que la situation financière de notre entreprise (s'améliorer) ?
   – Je ne suis pas très optimiste. Je crois au contraire que nous (mal finir) l'année.
5. – Je suis certain que la direction nous (imposer) de nouveaux horaires.
   – Oui, ça m'étonnerait qu'on (avoir) le choix.
6. – À partir de l'année prochaine, on va avoir des bureaux paysagers. Qu'en penses-tu ?
   – On va faire des économies sur le mobilier mais je ne suis pas certaine que ça (permettre) d'améliorer la productivité.

## 3. Nouvelle venue

Parlez de votre nouvelle directrice. Complétez les phrases avec *ce qui, ce que, ce dont*.

1. … j'aime chez elle, c'est sa spontanéité.
2. … est bizarre, c'est sa façon de s'habiller.
3. Je ne comprends pas toujours … elle dit.
4. Elle a du caractère. Elle sait vraiment … elle veut et … est important pour l'entreprise mais elle fera probablement … lui plaira.
5. … nous avons besoin, c'est d'un style de management souple. J'espère que c'est … elle fera.

## 4. Ils sont opposés

Comparez vos deux collaborateurs. Mettez en évidence les différences avec des expressions de l'opposition.

**PIERRE**
- Blond
- Célibataire
- Habite en ville
- Calme
- Spontané
- Brouillon

**MARC**
- Brun
- Marié
- Vit à la campagne
- Nerveux
- Réservé
- Méthodique

## 5. Pro de la négo

Complétez le témoignage en utilisant les expressions de la concession suivantes : *bien que, mais (× 2), malgré, même si, pourtant*.

Cette collaboratrice voulait absolument démissionner … nous avons réussi à la garder en négociant avec elle. Elle aimait notre entreprise … elle voulait partir en province. Je l'avais reçue deux fois pour essayer de la faire changer d'avis … elle n'avait pas changé d'avis … un salaire attrayant et les perspectives d'évolution que je lui proposais. Je ne me suis pas découragée … je savais qu'elle était déterminée. Et puis, j'ai eu une idée : je savais qu'elle aimait les affaires complexes et qu'elle souhaitait s'occuper plus de ses enfants alors je lui ai proposé de participer aux dossiers les plus prestigieux de l'étude et je lui ai aussi donné la possibilité de partir plus tôt du bureau … cela ne nous arrange pas trop. Mais j'ai bien fait, elle a fini par accepter de rester.

# TESTEZ-VOUS

 **Mon portfolio**

 **1. Management interculturel**

**Lisez l'article ci-dessous puis cochez la bonne réponse. Justifiez votre réponse si c'est faux.**

## MANAGEMENT INTERCULTUREL

La mondialisation ainsi que les possibilités de mobilité se développant de plus en plus, on voit cohabiter des groupes culturels différents dans une même entreprise, voire dans un même bureau ! Dans ce type d'environnement professionnel, il est important pour les managers de porter attention aux besoins spécifiques et aux spécificités des clients, partenaires et bien entendu des collaborateurs qui n'ont pas la même histoire. Comment faire ?

Le travail d'équipe est important dans tout environnement professionnel. Une mauvaise collaboration ou l'insuffisance d'échanges entre membres d'une équipe peut faire échouer un projet. Un manager d'équipe multiculturelle doit donc s'efforcer de faire travailler ensemble les membres issus d'horizons différents.

En plus des techiques de construction d'équipe à appliquer, l'idée est surtout de s'assurer que chaque membre de l'équipe se sente apprécié et reconnu et de prendre le temps de connaître et reconnaître la culture de chacun d'eux. Par exemple, en organisant un déjeuner ou un dîner et en demandant à ses collaborateurs de parler d'eux à cette occasion, le manager facilitera leur insertion dans l'équipe autour de conversations informelles.

Les modes de communication vont différer selon l'origine des personnes en fonction de leur langue maternelle, mais aussi dans les comportements permettant la communication. Le manager devra montrer plus d'attention à ceux qui n'ont pas la même langue native que la majorité des autres collaborateurs. Par ailleurs, un manager d'équipe multiculturelle devra également s'intéresser à la façon dont chacun de ces salariés multiculturels se positionne vis-à-vis du temps de travail, des jours de congés, etc. En bref, il devra essayer de discuter de tous les sujets qui pourraient fâcher avant qu'ils ne se transforment en problèmes litigieux.

Un manager multiculturel devra avoir une très bonne compréhension des sensibilités culturelles de son équipe et être capable de les arbitrer. ■

*D'après un article de Révolution RH*

| | Vrai | Faux | On ne sait pas |
|---|---|---|---|
| 1. On arrive toujours à un meilleur résultat quand on travaille avec une équipe interculturelle. | ☐ | ☐ | ☐ |
| 2. Le manager doit encourager ses collaborateurs à parler de leur vie personnelle lors de moments conviviaux. | ☐ | ☐ | ☐ |
| 3. Le manager interculturel doit agir de la même façon avec tous ses collaborateurs. | ☐ | ☐ | ☐ |
| 4. Il est nécessaire que le manager suive une formation à l'interculturel pour apprendre à gérer les conflits. | ☐ | ☐ | ☐ |
| 5. Des désaccords pourraient survenir avec les collaborateurs à cause de conditions de travail différentes. | ☐ | ☐ | ☐ |

 **2. Conseils de spécialiste**   ◉ Mes audios ▶ 25

**Écoutez l'interview d'une consultante en communication concernant le brainstorming puis choisissez la bonne réponse ou répondez.**

**1.** Pour organiser un remue-méninges,
a. le nombre de participants a de l'importance.
b. seule la catégorie de personnel concernée doit être représentée.
c. le niveau hiérarchique doit être respecté.

**2.** Quand on organise ce type de réunion, il est recommandé
a. de réserver une salle dans les locaux de l'entreprise.
b. de faire attention au choix du moment.
c. de planifier la réunion longtemps à l'avance.

**3.** Qui peut animer une séance de brainstorming ? *(trois réponses)*

**4.** L'animateur doit
a. laisser une grande liberté d'expression.
b. classer les idées par ordre d'importance.
c. faire des propositions.

**5.** À la suite de la séance de remue-méninges, il faut
a. soumettre toutes les propositions aux collaborateurs.
b. mettre en place immédiatement les projets.
c. programmer un plan d'action des idées retenues.

# Repères professionnels

# Les **congés** en France

**1.** **Répondez au questionnaire suivant.**

Quel est le nombre de jours de congé auxquels on a droit dans votre pays ?
Comment sont calculés les / vos congés ?
Les / Vos congés sont-ils payés par l'employeur ?
Quand les gens prennent-ils leurs congés dans votre pays ?
Qui décide de la période de congés ?
Existe-t-il différentes formes de congé dans votre pays ?
Avez-vous déjà utilisé un de ces types de congé ? Pour quelle(s) raison(s) ?

**2.** **Lisez la fiche pratique suivante et comparez avec vos réponses.**
**Qu'est-ce qui est identique et qu'est-ce qui est différent ?**

## LES CONGÉS EN FRANCE

Les salariés français ont droit chaque année à un congé payé annuel à la charge de l'employeur. Chaque mois de travail donne droit à 2,5 jours ouvrables[1] soit 5 semaines de congés payés par année complète de travail. Un maximum de 24 jours ouvrables peuvent être pris d'affilée. La 5e semaine doit être prise à part. S'il y a un jour férié[2] chômé[3] durant la période de vacances, la durée des congés est prolongée d'une journée. C'est l'employeur qui fixe les périodes possibles des départs en congé après consultation des représentants du personnel. Cette période s'étend du 1er mai au 31 octobre.
Les congés acquis l'année précédente doivent être épuisés avant le 30 avril de l'année en cours (le 31 mai dans certaines entreprises). Pendant ses congés payés, le salarié n'a pas le droit d'exercer une autre activité rémunérée.

**La loi prévoit différentes formes de congé :**

- **le congé individuel de formation** permet au salarié d'augmenter son niveau de compétence en se formant.
- **le congé sabbatique** permet au salarié de réaliser un projet personnel (de 6 à 11 mois).
- **le congé maternité** permet à la mère de se reposer et de s'occuper de son enfant après une naissance.
- **le congé paternité** permet au père de s'occuper de son enfant après une naissance.
- **le congé d'adoption** permet aux parents qui adoptent un enfant de s'occuper de lui.
- **le congé pour raisons familiales** permet au salarié de s'arrêter de travailler en cas de mariage, de décès, pour solidarité familiale, pour enfant malade.
- **le congé parental d'éducation** permet au père ou à la mère de s'occuper de l'éducation de son enfant à la suite d'une naissance (un an renouvelable 2 fois).
- **le congé de reclassement** permet à un salarié menacé de licenciement pour motif économique de continuer à toucher son salaire (4 à 12 mois).

**1. Jour ouvrable :** tous les jours de la semaine sauf le jour de repos hebdomadaire, le jour férié est habituellement non travaillé dans l'entreprise
**2. Jour férié :** jour non travaillé qui correspond à une fête nationale ou religieuse (le jour de l'An, le lundi de Pâques, le 1er mai – fête du Travail, le 8 mai – armistice de 1945, le jeudi de l'Ascension, le lundi de la Pentecôte, le 1er novembre – fête de la Toussaint, le 11 novembre – armistice de 1918, le 25 décembre – fête de Noël)
**3. Jour chômé :** jour non travaillé

**3.** **Dans les situations suivantes, dites quel type de congé vous pouvez demander si vous travaillez en France.**

| Situations | Type de congé demandé |
|---|---|
| 1. Vous souhaitez vous occuper de votre jeune enfant avant de reprendre le travail. | |
| 2. L'année prochaine, vous avez prévu de passer 10 mois en Inde pour une ONG. | |
| 3. Vous venez d'être parent pour la première fois. | |
| 4. Votre entreprise va fermer à la suite de mauvaises affaires. Vous voulez bénéficier de ce congé pour faire un bilan de compétences. | |
| 5. Vous voulez évoluer dans votre carrière et vous souhaitez suivre 6 mois de cours. | |

# Avez-vous l'**esprit d'équipe** ?

**Faites le test et lisez vos résultats.**

**1 Pour vous, accomplir une tâche avec d'autres personnes, c'est**

a) une expérience enrichissante.
b) une occasion de vous distinguer / faire reconnaître.
c) une corvée (un travail pénible, difficile).

**2 Un(e) ami(e) a un problème,**

a) vous cherchez à l'aider pour trouver avec lui / elle la meilleure solution.
b) vous en parlez à votre groupe d'amis.
c) vous le / la laissez se débrouiller.

**3 Quand il y a un travail d'équipe, en général**

a) on fait toujours appel à vous.
b) c'est vous qui choisissez les membres de l'équipe.
c) on fait appel à vous s'il manque une personne.

**4 Dans une discussion,**

a) vous acceptez les idées qui ne vont pas dans votre sens.
b) vous haussez le ton pour convaincre parce que votre idée est la meilleure.
c) vous gardez vos opinions pour vous.

**5 Vous devez organiser un événement avec un(e) collègue ou un(e) ami(e) mais il / elle attend que vous fassiez tout le travail,**

a) vous lui demandez de collaborer.
b) vous en profitez pour faire le programme qui vous plaît et vous lui proposez.
c) vous ne lui dites rien.

**6 Vous pensez que des changements seraient utiles dans votre entreprise. Vous en parlez**

a) avec les personnes concernées.
b) lors d'une réunion de travail.
c) à votre chef(e) dans son bureau.

**7 Vous devez organiser une fête avec une autre personne,**

a) vous faites tout à deux.
b) vous voulez tout décider et tout contrôler.
c) vous faites ce que vous voulez de votre côté.

**8 En ce qui concerne le travail fait par les autres membres du groupe,**

a) vous faites confiance aux autres personnes.
b) vous contrôlez l'avancement des tâches.
c) vous ne vous en occupez pas.

**9 Pour vous, diriger un groupe de personnes, c'est**

a) les consulter pour que chaque membre prenne part à la décision.
b) commander et donner des instructions.
c) laisser une grande autonomie à chacun.

**10 Êtes-vous favorable aux réunions informelles avec vos collègues / camarades (pot, café du matin, déjeuner...) ?**

a) Oui, cela resserre les liens de l'équipe.
b) Non, ce sont des occasions pour ne pas travailler.
c) Non, il y a assez de réunion comme ça.

**Résultats du test**

Vous avez une majorité de a : Vous êtes plutôt un partenaire, vous essayez de créer une bonne ambiance de travail entre les personnes.
Vous avez une majorité de b : Vous êtes plutôt un meneur, vous adorez mener les débats et tout contrôler.
Vous avez une majorité de c : Vous êtes un solitaire et vous préférez agir seul.

---

- Dans votre pays, est-ce que les gens aiment se retrouver avec d'autres personnes ? Dans quel(s) contexte(s) ?
- Dans les groupes ou associations (culturelles ou sportives), est-ce que le respect du chef / responsable est important ?
- Dans votre pays / votre entreprise / votre université, est-ce qu'on privilégie le travail de groupe ou est-ce qu'on donne plutôt de l'importance à l'individualisme et aux performances individuelles ?
- Si un travail de groupe débouche sur des décisions à prendre, est-ce que la décision finale est prise en concertation avec les membres du groupe ou est-elle plutôt prise par le responsable du groupe / le responsable hiérarchique ?

# Gérez
# les ressources humaines

B1

### Pour être **capable de/d'**

› discuter d'un contrat de travail
› interagir lors d'un différend
› participer à un entretien d'évaluation
› échanger à propos d'une démission

### Vous allez **apprendre à**

› préciser les caractéristiques d'un contrat
› décrire une clause de mobilité
› indiquer des points de désaccord
› décrire un salaire et des avantages financiers
› conseiller la vigilance
› formuler des préférences
› indiquer l'importance
› demander un avis
› introduire des explications ou des exemples
› exprimer son exaspération
› faire des reproches
› faire des suppositions
› interroger sur les objectifs
› émettre une réserve
› décrire des qualités professionnelles
› faire des hypothèses sur une situation passée
› décrire une situation de travail difficile
› rapporter des paroles
› exprimer l'empathie
› décrire les conditions d'une démission

### Vous allez **utiliser**

› les pronoms relatifs composés
› les pronoms démonstratifs neutres *ce* et *cela*
› le conditionnel passé
› l'expression de l'hypothèse passée
› le discours indirect au passé

Mes vidéos ▸ Les clés de l'entretien

# A Question de clauses

Vous travaillez au service des ressources humaines d'une agence d'urbanisme. Vous assistez à un entretien entre la RH et un futur salarié. Vous êtes chargé(e) de finaliser le contrat de travail.

**Lisez le contrat de travail et écoutez l'entretien. Puis apportez au contrat de travail les modifications validées par les deux parties.**

## Contrat de travail à durée indéterminée

Entre :
Foulquet&Associés
45 rue des Loriots – 31700 Blagnac
Et
Monsieur Pierre Pomard
10 rue Merly – 31000 Toulouse

### 1. Engagement - Essai
Le présent contrat est conclu, pour une durée indéterminée, à compter du 15 juin ….
Ce contrat est régi par la Convention Collective Nationale BET[1] et par le règlement intérieur.

M. POMARD déclare être libre de tout engagement et n'être tenu par aucune clause[2] de non-concurrence.

M. POMARD exercera la fonction de Paysagiste – chef de projet.

Cet engagement est conclu sous réserve d'une période d'essai de 4 mois de travail effectif, renouvelable une fois, pendant laquelle chacune des parties pourra reprendre sa liberté sans indemnité et suivant les dispositions conventionnelles concernant le préavis.

### 2. Fonctions
M. POMARD exercera ses fonctions sous l'autorité et selon les directives de son responsable hiérarchique auquel il rendra compte de son activité.

### 3. Lieu de travail
M. POMARD exercera ses fonctions au siège de la société. Il pourra être amené à se déplacer partout où les nécessités de son travail l'exigeront et notamment sur les divers chantiers sur lesquels il devra intervenir.

### > Mobilité
M. POMARD pourra également, en fonction des nécessités, être affecté à un autre établissement de l'entreprise en France métropolitaine. Cela n'entraînera pas de modification du contrat.

### 4. Horaires de travail
La durée hebdomadaire du travail est fixée à 35 h. Il est attribué 10 jours de RTT en plus des 5 semaines de congés légaux et conventionnés.

### 5. Rémunération
Le salaire mensuel forfaitaire est fixé à 2 950 € bruts.

### 6. Intéressement
M. POMARD bénéficiera de l'intéressement des salariés aux résultats de la Société.

### 7. Frais professionnels
Les frais professionnels que M. POMARD engage dans l'exercice de son activité professionnelle seront pris en charge sur justificatifs. M. POMARD pourra utiliser un véhicule de la société.

Pierre Pomard                    Francis Foulquet

1. Bureau d'Études Techniques
2. Une condition dans un contrat

## 2 Retenez

**Pour préciser les caractéristiques d'un contrat :**
**Le présent contrat est conclu pour une durée** indéterminée.
**Ce contrat est régi par** la Convention Collective Nationale BET et **par** le règlement intérieur.
Cet engagement **est conclu sous réserve d'une période d'essai de** 4 mois.

**Pour indiquer des points de désaccord :**
**Cela me paraît** long.
**Ça ne me convient pas.**
**Il est difficile pour moi d'accepter de** travailler loin de Toulouse.

(→ **Voir Outils linguistiques, 2 p. 134**)

**Pour refuser une requête / une demande :**
**Non, je suis désolée,** ce point n'est pas négociable.
**J'entends bien vos contraintes,** nous n'avons pas d'autres agences à moins de 100 km de Toulouse.

**Pour décrire une clause de mobilité :**
M. Pomard **pourra être amené à se déplacer.**
M. Pomard **pourra être affecté à un autre établissement** de l'entreprise.

**Pour décrire un salaire et des avantages financiers :**
**Le salaire mensuel forfaitaire est fixé à** 2 950 € bruts.
M. Pomard **bénéficiera de** l'intéressement des salariés aux résultats de la Société.
**L'intéressement correspond à** 20 % du salaire net annuel.
**Cette somme est exonérée de** cotisations sociales.
Les **frais professionnels** seront **pris en charge** sur justificatifs.

**Le contrat de travail**
Une clause (de non-concurrence / de mobilité / de confidentialité) • Un congé (légal / conventionnel) • Un contrat à durée indéterminée / déterminée • Une convention collective • Une disposition • Un engagement • Un exercice (exercer) • La mobilité • Une partie • Une période d'essai • Un préavis • Un règlement intérieur • Une RTT (réduction du temps de travail)

**La rémunération**
Un bonus / une prime
Des frais professionnels
Une indemnité
Un intéressement (sur le / la / les) / une participation (au / à la / aux) (résultats / bénéfices / chiffre d'affaires)
Un salaire (forfaitaire / net / brut / mensuel / annuel)

## 3 Passez à l'action

**1. Mon contrat de travail.**
**Un(e) ami(e) français(e) a reçu une proposition d'embauche dans une entreprise de votre pays. Avant de donner sa réponse définitive, il / elle vous demande des renseignements sur les conditions d'embauche, le contrat de travail et les clauses en vigueur dans votre pays. Vous lui écrivez un mail pour l'informer.**

**2. De mauvaises conditions de travail.**
**Vos conditions de travail actuelles (salaire, charge de travail, intéressement, mobilité…) ne vous conviennent pas. Vous allez voir votre responsable hiérarchique pour exposer votre requête.**

**VOUS**
• Vous exposez votre requête.
• Vous indiquez vos points de désaccord.
• Vous réagissez.

**LE RESPONSABLE**
• Il / Elle refuse votre requête mais propose un arrangement.

# B Il faut qu'on parle !

Vous avez suivi une formation sur la gestion des conflits dans l'entreprise. À l'issue de cette formation, vous avez reçu une fiche récapitulative. Vous souhaitez mettre en pratique ce que vous avez appris.

**Écoutez la conversation entre deux de vos collègues et relisez votre fiche. Dites quelles règles vous seraient utiles si vous deviez conseiller ces collègues.**

## LES 10 RÈGLES
## POUR DÉSAMORCER UN CONFLIT

① **Attention !** Abordez le plus rapidement possible le problème avec la personne concernée. Préférez une discussion franche au silence.

② **Prenez garde !** Évitez d'arriver sans prévenir dans le bureau de votre collègue. Il est indispensable de l'informer que vous désirez lui parler.

③ **Veillez à rester objectif :** réexaminez la situation avec du recul et prenez votre temps. Autrement dit, ne vous précipitez pas sur la personne concernée dans le couloir ou à la sortie d'une réunion pour lui faire tous vos reproches.

④ **Soyez attentif aux mots que vous utilisez** et n'exprimez pas votre colère par écrit. En effet, il vaut mieux discuter du problème en face à face.

⑤ Il est essentiel de **faire comprendre à votre collègue que vous parlez du problème** pour améliorer votre relation et l'efficacité de votre travail en équipe.

⑥ **Faites attention au ton** que vous employez et restez calme. Vous ne devez pas être agressif.

⑦ Il est préférable d'**exprimer clairement vos insatisfactions** en utilisant « je » plutôt que « tu ». Par exemple, dites : « Je suis ennuyé(e) car je ne peux pas m'exprimer » plutôt que : « Tu ne me laisses pas m'exprimer ».

⑧ **Essayez de poser des questions** pour amener la personne concernée à aborder le problème : « Qu'en penses-tu ? » ; « J'aimerais avoir ton avis. » ; « Est-ce que ça t'irait / ça te va (comme ça) ? »

⑨ **N'hésitez pas à proposer des solutions** pour trouver une issue constructive au conflit. Cela veut dire qu'il est important de chercher un accord sur le différend* avec la personne concernée.

⑩ **Essayez de régler le(s) problème(s)** sans faire appel tout de suite à votre / vos supérieur(s) hiérarchique(s).

*Un désaccord, un litige

## 2 Retenez

**Pour conseiller la vigilance :**
Faites attention à…          Soyez attentif à…
Veillez à…                   Évitez de…

**Pour formuler des préférences :**
Il vaut mieux…
Préférez… / Il est préférable de…

**Pour indiquer l'importance :**
Il est indispensable de… / Il est important de…
Il est essentiel de…

**Pour demander un avis :**
Qu'en penses-tu ? / Qu'est-ce que tu en penses ?
J'aimerais avoir ton avis.

**Pour introduire des explications ou des exemples :**
**Autrement dit,** ne vous précipitez pas sur la personne concernée dans le couloir.
**En effet,** il vaut mieux discuter du problème en face à face.
**Par exemple,** dites : « Je suis ennuyé(e) car… ».
**Cela veut dire qu'**il est important de chercher un accord.

**Pour faire des reproches :**
**Tu as vu** à quelle heure tu arrives ?
**Tu attends toujours le dernier moment pour** faire le boulot.
**Tu me transmets les informations avec du retard.** Ça me bloque dans l'avancement des dossiers.
**C'est toujours moi qui** dois régler les dossiers urgents.
**Tu aurais pu** attendre et m'en parler tranquillement dans mon bureau.
**Tu aurais dû** au moins m'appeler pour me prévenir de ton retard.
**Ce n'est pas une raison pour** m'agresser.
(→ **Voir Outils linguistiques,** 3 **p. 134**)

**Pour exprimer son exaspération :**
**J'en ai vraiment assez !**
**Je ne peux plus continuer à** travailler comme ça.
**Ce n'est plus possible de** fonctionner comme ça.

**Pour faire des suppositions :**
**Au lieu de** t'attendre, **j'aurais travaillé** sur le dossier avec Grégoire et **on l'aurait envoyé** ce matin.
(→ **Voir Outils linguistiques,** 3 **p. 134**)

## 3 Passez à l'action

**1. J'en ai assez !**
**Un acte ou le comportement d'un(e) de vos ami(e)s ou de vos collègues vous a déplu. Vous décidez de lui en parler pour régler le problème.**

**VOUS**
- Vous abordez votre ami(e) / collègue.
- Vous exprimez votre exaspération.
- Vous lui faites des reproches et / ou vous décrivez les problèmes.
- Vous faites des propositions pour améliorer la situation et vous lui demandez son avis.

**VOTRE AMI(E) / COLLÈGUE**
- Il / Elle répond à vos reproches et / ou s'explique.
- Il / Elle accepte ou refuse vos propositions.

**2. Des conseils avisés.**
**Un(e) de vos collègues / ami(e)s est en conflit avec un supérieur hiérarchique ou une personne de son entourage et il / elle vous fait part du différend dans un mail. Vous lui répondez, vous le / la mettez en garde et vous lui donnez des conseils pour désamorcer le conflit.**

# c Objectifs atteints ?

Vous allez bientôt remplacer Franck Savarin au poste de responsable commercial chez Vigo, un cuisiniste. Avant de quitter l'entreprise, il mène les entretiens annuels d'évaluation des commerciaux de son équipe. Vous assistez à un de ces entretiens dont vous devrez faire le compte rendu.

**Écoutez la conversation entre Franck Savarin et Claudine Lapeyre, commerciale chez Vigo. Complétez ensuite sa fiche d'évaluation.**

## Fiche d'entretien individuel

Claudine Lapeyre

Poste : ........................................................................................................................

|  | **Insuffisant** | **Bien** | **Excellent** |
|---|---|---|---|
| Capacité à vendre, à convaincre |  |  |  |
| Capacité à travailler en groupe |  |  |  |
| Autonomie |  |  |  |
| Relationnel avec la clientèle |  |  |  |
| Conclusion | Objectifs non atteints | Objectifs en partie atteints | Objectifs atteints |

## 2 Retenez

**Pour interroger sur les objectifs :**
**Est-ce que vos objectifs annuels ont été atteints ?**
**Quels sont vos résultats ?**
**Comment expliquez-vous** ces résultats ?

**Émettre une réserve :**
Ce n'est pas mal mais…
Vous avez raison mais cela n'explique pas tout…
Peut-être mais…

**Pour décrire des qualités professionnelles :**
**Vous êtes** autonome / adaptable / ponctuel(elle) /
disponible.
**Vous avez un excellent** contact avec la clientèle.
**Vous savez** travailler en équipe.
**Vous maîtrisez bien** nos outils.

**Pour faire des hypothèses sur une situation
passée :**
**S'ils avaient eu** mon secteur, **ils n'auraient pas fait**
mieux que moi.
**Si nous n'avions pas eu** de problèmes sur les cuisines
du nouveau catalogue, **j'aurais pu** en vendre plus.
**Si vous aviez atteint** vos objectifs, **je vous le
donnerais** sans hésiter.
(→ **Voir Outils linguistiques, 4 p. 135**)

**Pour différer une réponse :**
**On verra.**
**Je vais réfléchir.**
**Je vais voir ce que je peux faire.**

## 3 Passez à l'action

**Entretien sérieux.**
**Vous êtes chargé(e) de mener l'entretien individuel d'un(e) collaborateur(trice).**
  **Étape 1 :** – Choisissez une fonction pour le / la salarié(e) évalué(e) et définissez tous les critères à aborder
          (les objectifs, les compétences, les besoins en formation, l'évolution professionnelle…).
          – Élaborez une grille d'évaluation.
  **Étape 2 :** Faites passer l'entretien et complétez la grille d'évaluation.
  **Étape 3 :** Décidez des suites à donner à l'entretien (bonus, changement de poste, formation…) et annoncez-
          les dans un mail récapitulatif à votre collaborateur(trice).

# D Je m'en vais

 Votre collègue Marion Duval a décidé de démissionner de son poste et elle en parle à un collègue. Vous assistez à la conversation. Vous souhaitez aider votre collègue à rédiger sa lettre de démission.

 **Écoutez la conversation et complétez la lettre type que vous avez trouvée sur Internet.**

---

Marion Duval
3 rue des Lampions
78990 Élancourt

Madame Philippon
Directrice des ressources humaines
FIDUS S.A
14 rue de l'Abreuvoir
78000 Versailles

Versailles, le 18 décembre ….

Objet : ............................................................................................

Madame la Directrice,

Dans l'entreprise depuis .................... ans , je suis .................... de mon travail mais je souhaite vous présenter ma .................... pour les raisons suivantes :

Depuis plusieurs mois, j'ai des problèmes avec certains .................... et l'ambiance et .................... sont .................... Je ne souhaite plus ....................

Je sollicite de votre part la possibilité de .................... mon préavis en entier mais m'engage à ....................

Je vous prie de bien vouloir agréer, Madame la Directrice, l'expression de mes sentiments les plus respectueux.

Marion Duval

---

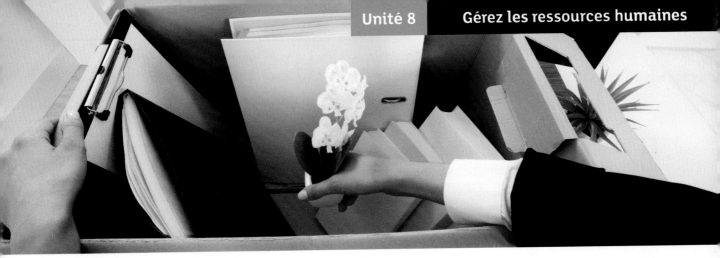

## 2 | Retenez

**Pour décrire une situation de travail difficile :**
L'ambiance et le stress **sont insupportables.**
**Je ne suis plus motivée.**

**Pour rapporter des paroles :**
Je lui ai **annoncé** que…
Je lui ai **dit** que…
J'ai **ajouté** que…
Je lui ai **promis** que…
Je lui ai **assuré** que…
Je lui ai **expliqué** que…
                    (→ **Voir Outils linguistiques, 5 p. 135)**

**Pour exprimer de l'empathie :**
Je te comprends.
Ne t'inquiète pas.

**Pour décrire les conditions d'une démission :**
Je **négocie un départ anticipé**.
Je ne souhaite pas **effectuer mon préavis.**
Je ne **fais** qu'**un mois de préavis.**
Ils me paieront **des indemnités de départ**.

**La démission**
démissionner / une démission
effectuer un préavis
négocier un départ anticipé
recevoir / payer des indemnités de départ
rédiger une lettre de démission
postuler pour un autre poste

## 3 | Passez à l'action

Une démission.

1. **Vous êtes responsable RH. Une personne de votre entreprise veut démissionner. Il / Elle vous rencontre pour en parler.**

**LE / LA SALARIÉ(E)**

- Il / Elle annonce son souhait de démissionner.
- Il / Elle justifie son envie de partir.
- Il / Elle réagit à vos arguments / propositions.
- Il / Elle ne change pas d'avis et négocie son départ.

**VOUS**

- Vous l'interrogez sur les raisons de son souhait de départ.
- Vous réagissez et essayez de le / la faire changer d'avis.
- Vous acceptez / refusez les souhaits de votre salarié(e).

2. **Suite à l'entretien, vous rédigez un mail officiel à votre collaborateur(trice) pour acter ce qui a été décidé lors de l'entretien.**

# OUTILS LINGUISTIQUES

## 1 Les pronoms relatifs composés

**Pour combiner des phrases et éviter des répétitions.**

Cet engagement est conclu sous réserve d'**une période d'essai pendant laquelle** chacune des parties pourra reprendre sa liberté.

M. Pomard exercera ses fonctions sous l'autorité de **son responsable hiérarchique auquel** il rendra compte de son activité.

M. Pomard pourra être amené à se déplacer sur **les divers chantiers sur lesquels** il devra intervenir.

Le pronom relatif composé remplace un complément pour éviter une répétition quand deux phrases sont combinées.

Il y a trois cas de figure.

| Auquel<br>À laquelle<br>Auxquels<br>Auxquelles | Duquel<br>De laquelle<br>Desquels<br>Desquelles | Avec<br>Sous<br>Sur<br>Pour<br>Par<br>Dans<br>Pendant<br>Sans | lequel<br>laquelle<br>lesquels<br>lesquelles |
|---|---|---|---|
| Le pronom relatif remplace un complément construit avec *à* | Le pronom relatif remplace un complément construit avec *de* | Le pronom relatif remplace un complément construit avec une préposition autre que *à* ou *de* | |

## 2 Les pronoms démonstratifs neutres *ce* (*c'*) et *cela* (*ça*)

**Pour éviter des répétitions.**

Vous indiquez **une période d'essai de quatre mois** renouvelable une fois. **Cela** me paraît long.
Je peux **être envoyé dans une autre région de France**. **Ça** ne me convient pas.
**Ce** serait possible de **limiter la clause de mobilité à un rayon de 100 km** ?

*Ce* (*c'* devant une voyelle) et *cela* (*ça* en langage familier) **remplacent une phrase** ou **un groupe nominal** (nom + adjectif ou complément du nom) qui indiquent un fait, une idée, etc. et qu'on ne veut pas répéter.

*Ce* (*c'*) est utilisé seulement avec le verbe ***être***.

## 3 Le conditionnel passé

**Pour présenter une action imaginée, éventuelle.**
**Pour (se) faire des reproches ou conseiller.**

Au lieu de t'attendre, j'**aurais travaillé** sur le dossier avec Grégoire et on l'**aurait envoyé** ce matin.
Tu **aurais pu** attendre et m'en parler tranquillement dans mon bureau.
Tu **aurais dû** au moins m'appeler pour me prévenir de ton retard.
J'**aurais dû** arriver à l'heure.

Formation du conditionnel passé : *Être* **ou** *avoir* **au conditionnel présent + participe passé du verbe**

⚠ Toutes les règles du passé composé sont valables pour le conditionnel passé (choix de l'auxiliaire, accord du participe passé, forme négative, conjugaison d'un verbe pronominal).

(➡ Voir Tableaux de conjugaison p. 208 à 211 et Liste des participes passés les plus fréquents p. 212)

## 4  *Si* + plus-que-parfait + conditionnel (présent ou passé)

### Pour exprimer une supposition.

**Si** vous **aviez atteint** vos objectifs, je vous le **donnerais** sans hésiter.

**S'**ils **avaient eu** mon secteur, ils n'**auraient pas fait** mieux que moi.

**Si** nous n'**avions** pas **eu** de problèmes sur les cuisines du nouveau catalogue, j'**aurais pu** en vendre plus.

**Pour indiquer une hypothèse ou une condition de réalisation irréelle située dans le passé, on utilise :**

**Si** + plus-que-parfait + conditionnel présent ➡ si la conséquence imaginée est dans le présent ou l'avenir ;

**Si** + plus-que-parfait + conditionnel passé ➡ si la conséquence imaginée est dans le passé.

## 5  Le discours indirect au passé

### Pour rapporter des paroles.

| Paroles prononcées | Paroles rapportées |
|---|---|
| « Je **vais quitter** l'entreprise. » | **Je lui ai annoncé que** j'**allais quitter** l'entreprise. |
| « Le travail **est** intéressant et j'**ai** vraiment **apprécié** tous les projets. » | **Je lui ai assuré que** le travail **était** intéressant et **que** j'**avais** vraiment **apprécié** tous les projets. |
| « Je **finirai** le dossier. » | **Je lui ai promis que** je **finirais** le dossier. |
|  | Pour rapporter des paroles prononcées dans le passé, il faut : |
|  | 1) **Des verbes introducteurs au passé :** Annoncer / dire / assurer / promettre / ajouter / expliquer, etc. |
|  | 2) **Un changement des temps verbaux des phrases prononcées :** |
| Futur proche ➡ | **Imparfait du verbe** *aller* **+ infinitif** |
| Présent ➡ | **Imparfait** |
| Passé composé ➡ | **Plus-que-parfait** |
| Futur simple ➡ | **Conditionnel présent** |
|  | ⚠ Les verbes au conditionnel, à l'imparfait, au plus-que-parfait et au subjonctif ne changent pas. |
|  | 3) **Un changement de pronoms personnels et d'adjectifs / pronoms possessifs :** |
| *Je prends ma retraite.* ➡ | *Il / elle a dit qu'il / elle prenait sa retraite.* |

# ENTRAÎNEZ-VOUS

## 1. Je compte sur vous

**Complétez le mail avec les pronoms relatifs composés qui conviennent (plusieurs réponses possibles).**

Bonjour à tous,
Je reviens vers vous avec des questions … nous devrons répondre lors de notre prochaine réunion.
Quel est le projet … vous voulez travailler ?
Comment allons-nous contacter les partenaires … nous allons travailler ?
Comment allons-nous organiser les périodes … nous serons surchargés ?
Je vous envoie en PJ un document … vous trouverez des informations intéressantes.
À mercredi,
Harry

## 2. Pause café

**Complétez les phrases entendues devant la machine à café avec *ce, c'* ou *ça*.**

1. Cette machine ne rend jamais la monnaie. … m'énerve !
2. – Encore un café ?
   – Oui, … sera le troisième de la journée !
3. Ce café est sucré. … n'est pas la peine de rajouter du sucre.
4. Je ne prends que du thé. Le café, … me fait mal à l'estomac !
5. J'ai mis les pièces qu'il faut et … ne marche pas. … est inadmissible !

## 3. Rumeurs folles

**Les informations suivantes ne sont pas réelles mais juste imaginées. Conjuguez les verbes entre parenthèses au conditionnel passé.**

1. Nos clients (accepter) de payer plus cher.
2. L'entreprise (fait) de gros bénéfices cette année.
3. Trois commerciaux (se rendre) en Chine.
4. La direction (prendre) la décision de réduire le temps de travail.
5. Nos principaux concurrents (venir) visiter notre site.
6. La DRH (se marier) avec le directeur financier.

## 4. Avec des *SI*

**Faites des hypothèses pour indiquer une situation et des conséquences.**

1. Il y a eu des grèves du personnel. La production s'est arrêtée quelques jours. Nous sommes très en retard sur les commandes aujourd'hui.
2. J'ai eu beaucoup de travail la semaine dernière. Je n'ai pas pu finir le document demandé. Aujourd'hui, nous sommes en retard sur le projet.
3. On a réfléchi sérieusement au problème. On a trouvé la solution. Le chef est content.

## 5. Discours de choc

**Rapportez le discours du président directeur général à un collègue qui était absent ce jour-là.**

Exemple : Le président directeur général a dit que la situation était difficile…

Chers collègues,
La situation est difficile. Le contexte mondial actuel ne nous permettra pas de faire des bénéfices cette année. Nous devons donc réorganiser notre entreprise pour éviter des licenciements. Nous avons décidé en comité de direction de regrouper certains services et nous sommes actuellement à la recherche d'un site moins cher pour installer nos bureaux.
Les différents responsables de service réfléchissent aussi à des actions pour développer notre communication afin de trouver de nouveaux clients et nous allons également diversifier les activités de l'entreprise.
J'espère que la situation s'améliorera et que notre entreprise pourra se développer à nouveau.

# TESTEZ-VOUS

◉ Mon portfolio

## 1. Au service du courrier

**Lisez les documents suivants et choisissez la bonne réponse.**

*Une lettre importante*

> Bordeaux, le 1er juin ….
>
> Madame, Monsieur
>
>     J'ai le regret de vous informer de ma décision de quitter le poste de comptable que j'occupe depuis le 01/09/2012 dans votre entreprise.
>
>     Comme l'indique la convention collective de la métallurgie applicable à votre entreprise, je respecterai un préavis d'une durée d'un mois.
>
>     Je vous prie d'agréer, Madame, Monsieur, mes salutations très distinguées.

**1.** Il s'agit d'une lettre de
a. licenciement.
b. démission.
c. demande de congé.

**2.** La personne
a. souhaite partir tout de suite.
b. demande un départ anticipé.
c. doit attendre un mois pour partir.

*Un entretien d'évaluation*

| | Insuffisant | Bien | Excellent |
|---|---|---|---|
| Organisation personnelle (respect des plannings, qualité du travail rendu) | + | | |
| Disponibilité | + | | |
| Autonomie | | + | |
| Esprit d'équipe | + | | |
| Qualités relationnelles | | + | |
| Capacité à négocier | | | + |
| Compétences techniques | | + | |
| Réalisation des objectifs | | | + |

**3.** La personne évaluée
a. a un bon contact avec la clientèle.
b. est ponctuelle dans l'exécution des tâches.
c. a des difficultés pour atteindre les résultats fixés.

## 2. Des problèmes à régler   ◉ Mes audios ▸ 30

**Écoutez les entretiens et, pour chacun, choisissez la bonne réponse.**

**1.** À la cafétéria de la fac, une personne explique qu'elle
a. a signé un contrat de travail à durée indéterminée.
b. risque de changer de lieu de travail.
c. va toucher un salaire net de 850 €.
d. a fait modifier une condition du contrat.

**2.** Au service des ressources humaines, un salarié indique qu'il
a. apprécie de travailler en équipe.
b. postule pour un autre poste.
c. a de l'empathie pour une collègue qui a des problèmes.
d. est exaspéré par les conditions de travail.

**3.** Dans un bureau, une collègue dit qu'elle
a. veut annuler son rendez-vous avec son chef.
b. a trouvé un arrangement avec son collègue.
c. rencontre des problèmes avec un collaborateur.
d. veut changer de service.

# Le **bulletin** de paie

> ↘ **Quel est le salaire moyen dans votre pays ? Quand les salariés touchent-ils leur paie ? Comment est calculé le salaire ? Est-ce qu'il y a des retenues ? Lesquelles ? Est-ce que des impôts sont retenus sur le bulletin de paie ?**

**Lisez le bulletin de paie et associez les explications aux parties correspondantes du bulletin. Comparez avec un bulletin de paie de votre pays. Quels sont les points communs et les différences ?**

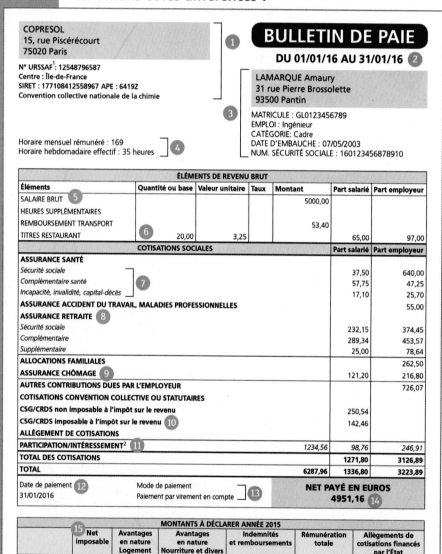

a. Montant brut du salaire mensuel
b. Cotisations pour l'assurance chômage
c. Moyen de paiement du salaire
d. Informations sur l'employeur
e. Nombre d'heures de travail
f. Impôts prélevés à la source (Contribution Sociale Généralisée, Contribution au Remboursement de la Dette Sociale)
g. Date de paiement
h. Période de travail
i. Informations sur le salarié
j. Montant du salaire déclaré aux impôts
k. Cotisations maladie
l. Montant total des tickets restaurant donnés par l'employeur
m. Montant du salaire net mensuel (ce que touche le salarié)
n. Cotisations pour la retraite
o. Somme versée en fonction des résultats de l'entreprise

1. Union de Recouvrement des Cotisations de Sécurité sociale et d'Allocations familiales. Cet organisme collecte les cotisations et contributions qui permettent la prise en charge ou le remboursement de soins médicaux, d'indemnités en cas de maladie, de congé maternité ou d'accident du travail, le paiement des retraites.

2. Redistribution d'une partie des bénéfices aux salariés.

# L'entretien d'évaluation

**1. Répondez aux questions et échangez avec votre groupe.**

↘ L'entretien d'évaluation est-il une pratique courante dans votre pays ?
Dans votre entreprise ? Avez-vous déjà passé ou fait passer un entretien d'évaluation ?
Que pensez-vous de cette pratique ? Quels sont les avantages et les inconvénients ?

↘ Parlez-vous de salaire ou d'argent avec vos collègues ou vos amis ?

↘ Comment se fait l'augmentation de salaire dans votre pays ?
Quels critères sont pris en compte ?

↘ Existe-t-il des alternatives à l'augmentation de salaire pour récompenser un employé performant (bonus, intéressement…) ?

**2. Lisez l'article suivant. Quelles différences constatez-vous avec ce qui existe dans votre pays ?**

# L'ENTRETIEN D'ÉVALUATION

De nombreuses entreprises françaises utilisent des procédures d'appréciation du travail. Elles organisent des entretiens d'évaluation pour dresser le bilan du travail accompli par les salariés au cours de l'année et fixer les objectifs pour l'année à venir. Les augmentations de salaire dépendent aussi de ces entretiens. C'est le moment approprié pour parler salaire mais les Français sont souvent embarrassés quand il faut parler d'argent.

En France, il n'est pas dans les habitudes de parler d'argent. C'est encore un sujet tabou. On ne connaît pas, par exemple, le salaire de ses collègues ou de ses amis. Bien qu'il existe des grilles de salaires, pour un même poste et dans une même entreprise, les rémunérations peuvent varier.

Il existe des possibilités pour récompenser des salariés performants sans augmenter leur salaire : les bonus, les primes sur objectifs, l'intéressement aux résultats, la participation aux bénéfices de l'entreprise. Un salarié peut aussi bénéficier, selon son poste / sa fonction, d'un logement ou d'une voiture de fonction ou encore d'un ordinateur ou d'un téléphone portable.

Aussi est-il important de bien préparer son entretien d'évaluation.

**Voici quelques conseils à suivre :**

- Préparez la réunion en établissant une liste de vos points forts et de vos points faibles ainsi que les axes d'amélioration et d'évolution.

- Illustrez votre point de vue avec des éléments précis et concrets : chiffre d'affaires, nombre de contrats conclus, développement du portefeuille clients, délais de réalisation des projets, économies réalisées. Veillez à vous en tenir aux faits et ne discutez pas de question de personnalités ou de personnes.

- Sachez accepter la critique.

- Participez activement à l'entretien : répondez aux questions et ne restez pas vague.

**3. Réécoutez l'entretien d'évaluation de la p. 130. L'employée a-t-elle suivi ces conseils ? Quels conseils pourriez-vous lui donner ?**

# Traitez des litiges

B1

## Pour être **capable de**

- **recevoir des clients mécontents**
- **faire des réclamations / rédiger un courrier de réclamation**
- **gérer une réclamation**
- **conseiller à propos de problèmes de paiement**

## Vous allez **apprendre à**

- proposer de l'aide
- indiquer des conditions de vente
- exprimer votre mécontentement
- indiquer une recherche de solution
- proposer un arrangement
- faire référence à un document / un événement
- expliquer les motifs d'une réclamation
- rappeler des engagements pris
- demander une suite
- demander réparation
- exprimer l'intérêt porté à une demande
- indiquer la prise en compte d'un problème
- présenter des excuses
- exprimer l'espoir de garder de bonnes relations
- suggérer des solutions
- décrire des situations prévisibles
- indiquer une urgence
- indiquer la durée d'une action

## Vous allez **utiliser**

- le subjonctif avec les expressions impersonnelles
- les doubles pronoms compléments
- l'infinitif passé
- les pronoms démonstratifs
- les indicateurs de temps : *tant que, jusqu'à ce que, jusqu'au moment où*

Mes vidéos ▸ Gérer une réclamation

# A Au service après-vente

Vous êtes en formation au service après-vente d'un grand magasin de produits électroniques et vous secondez un vendeur. Une cliente se présente pour une réclamation.

1. Écoutez l'échange entre le vendeur et la cliente et complétez la fiche de réclamation.

2. Analysez le comportement du vendeur puis préparez vos commentaires pour le compte rendu oral que vous lui ferez concernant ce cas pratique.

Aidez-vous du mémo et illustrez les quatre règles à respecter avec les exemples concrets que vous avez observés.

---

**Fiche de réclamation**

Nom du client : *Mme Picard*                                      Date : *28/08/....*

Adresse : *28 rue de la Convention 75015 Paris*          Tél : *06 76 98 00 49*

Type d'appareil : ...........................................................................................................

L'appareil est-il sous garantie ?          Oui* ○          Non* ○

Motif de la réclamation : ................................................................................................
....................................................................................................................................

Suite donnée : Réparation* ○          Échange* ○          Remboursement* ○

*Cochez la bonne réponse

---

## MÉMO

**Gestion des réclamations**

☑ **Être à l'écoute**
Accueillir le client mécontent avec empathie, le laisser parler, en se concentrant sur les faits et non sur la personne, ne pas l'interrompre. Chercher à savoir ce qui s'est passé et quel a été l'impact pour lui.

☑ **Rester positif**
Éviter les formulations négatives, regretter l'incident et montrer qu'on comprend le problème du client.
Insister sur ce qu'on peut faire pour le client et éviter les solutions impossibles à réaliser. Ne pas parler au client des difficultés internes et ne pas rejeter le problème sur quelqu'un d'autre, un autre service ou un fournisseur.

☑ **Maîtriser un client qui s'emporte**
Si le client s'énerve, rester calme et essayer par tous les moyens de le calmer.

☑ **Se mettre d'accord sur une solution**
Rechercher une solution alternative avec lui et vérifier qu'elle lui convient.

## 2 Retenez

**Pour proposer de l'aide :**
Je peux vous aider ?
Qu'est-ce que je peux faire pour vous ?

**Pour exprimer son mécontentement :**
**C'est incroyable qu'**un appareil de ce prix ait déjà
des problèmes.
**C'est** quand même **anormal que** vous ne fassiez pas
un échange.
**C'est inadmissible que** j'en subisse les conséquences.
(→ **Voir Outils linguistiques, 1 p. 150)**

**Pour proposer un arrangement :**
Nous allons **faire un geste commercial**.
Nous **acceptons exceptionnellement de** vous le
rembourser.

**Pour parler de conditions de vente :**
Avez-vous votre **facture** et votre **bon de garantie** ?
Je ne peux plus **appliquer la clause de
remboursement ou d'échange**.
Il est **sous garantie « pièces et main d'œuvre »**.

**Pour indiquer une recherche de solution :**
Je vais **essayer de trouver une solution**.
**Je vais voir** avec ma responsable **ce qu'on peut faire**.

**Le service après-vente**

un défaut (de fabrication)
un échange / échanger
un geste commercial
une main d'œuvre
une pièce (détachée)
un remboursement / rembourser
une réparation / réparer

## 3 Passez à l'action

**1. Encore en panne !**
**Vous êtes vendeur / vendeuse au service après-vente d'un magasin d'électroménager.**
**Un(e) client(e) se présente pour régler un problème concernant son appareil.**

| VOUS |
| --- |
| • Vous accueillez le / la client(e). |
| • Vous posez des questions pour comprendre le problème. |
| • Vous rappelez les conditions de vente. |
| • Vous proposez un arrangement. |

| LE / LA CLIENT(E) |
| --- |
| • Il / Elle explique son problème et exprime son mécontentement. |
| • Il / Elle donne des détails sur le problème. |
| • Il / Elle réagit négativement. |
| • Il / Elle accepte ou refuse l'arrangement. |

**2. Ce n'est plus possible !**
**Une situation vous énerve au bureau (votre chef est incompétent(e), le matériel tombe toujours
en panne, les conditions de travail ne vous satisfont pas ou vous avez trop de travail, etc.).
Vous en parlez dans un mail à un(e) ami(e). Vous exprimez votre mécontentement et vous lui
demandez conseil.**

# B Rien ne va plus

Vous travaillez au service clientèle de la société Logicexpress. Pour améliorer le suivi des réclamations dans une démarche qualité, vous êtes chargé(e) d'enregistrer et d'analyser les plaintes.

**Lisez les documents et écoutez les réclamations laissées sur le répondeur de votre entreprise. Puis, complétez le fichier d'analyse des réclamations.**

---

**1**

Société **Atic** ♻

5 avenue Cantéranne
33600 Pessac
Tél : 05 57 26 46 94

Société Logicexpress ○
9 boulevard Brotteaux
69006 Lyon

Pessac, le 12 juin 20..

Vos réf : PL / CT
Nos réf : AD / GD

Objet : N/commande du 03/06/….

Messieurs,

Le 3 juin, nous avons commandé des pièces de rechange destinées à la réparation urgente d'ordinateurs.

Vous nous les aviez promises pour le 10 juin et vous vous étiez engagés à respecter ce délai. Or, à ce jour, nous n'avons toujours pas reçu ces articles. Ce retard nous cause un important préjudice car nous ne pouvons pas honorer nos propres engagements.

Nous comptons sur une livraison rapide.

Veuillez agréer, Messieurs, nos salutations distinguées.

Le directeur des achats

G. Ducasse

Société anonyme au capital de 220 000 euros --
RCS Bordeaux B 157 987 654 – CCP Pessac 12365487 – www.atic.fr

---

**2**

À la lecture de mon dernier relevé de factures daté du 30 juin, j'ai constaté une erreur concernant ma facture d'avoir du 26 avril. Vous avez débité mon compte de la somme de 854 € au lieu de le créditer de 854 €.

En conséquence, je vous saurais gré de rectifier mon compte client dans les plus brefs délais.

---

**3**

www.logicexpress.com

Contrairement à vos conditions de vente qui stipulaient une livraison franco de port*, vous m'avez facturé des frais d'envoi sur ma commande du 5 mai et vous avez omis de déduire la remise de 10 %. J'attends une nouvelle facture rectificative. Je vous la règlerai dès réception.

*livraison dont les frais sont à la charge de l'expéditeur

---

**4**

**Objet :** Accusé de réception

Nous accusons réception de votre livraison du 9 juin relative à notre commande du 27 mai.

Malheureusement, lors du déballage, nous avons constaté que vous nous aviez livré 100 clés USB alors que nous vous en avions commandé 150. Par ailleurs, nous avons trouvé 5 disques durs endommagés. L'emballage extérieur ne portait pas de traces de détérioration. Par contre, l'emballage intérieur était défectueux et, par conséquent, insuffisamment protecteur.

Nous vous prions donc de nous expédier les clés manquantes et les disques de remplacement sous 48 heures.

---

**5 6 7 Répondeur Logicexpress**

NOUVEAUX MESSAGES
▶ ⏭ 02 : 21 min
▶ ⏭ 01 : 21 min
▶ ⏭ 02 : 40 min

---

| N° | Canal de transmission des réclamations (lettre, mail, téléphone, site) | Motif de la réclamation | Demande de l'expéditeur / du réclamant |
|----|----|----|----|
| 1 | | | |
| 2 | | | |
| 3 | | | |
| 4 | | | |
| 5 | | | |
| 6 | | | |
| 7 | | | |

## 2 Retenez

**Pour faire référence à un document / un événement :**
**À la lecture de** mon dernier relevé de factures…
J'ai constaté une erreur **concernant** ma facture d'avoir.
**Nous accusons réception de** votre livraison du 9 juin
**relative à** notre commande du 27 mai.

**Pour rappeler des engagements pris :**
**Vous nous les aviez promises** pour le 10 juin
et **vous vous étiez engagés** à respecter ce délai.
(→ **Voir Outils linguistiques, 2 p. 150**)

**Pour expliquer les motifs d'une réclamation :**
À ce jour, **nous n'avons toujours pas** reçu ces articles.
**Vous avez** débité mon compte de la somme de 854 €
**au lieu de** le créditer de 854 €.
**Contrairement à vos conditions de vente** qui
stipulaient une livraison franco de port…
**Vous avez omis de** déduire la remise de 10 %.
**Malheureusement**, lors du déballage, **nous avons
constaté que** vous nous aviez livré 100 clés USB
**alors que** nous vous en avions commandé 150.
**L'emballage intérieur était défectueux** et,
par conséquent, **insuffisamment protecteur.**
**Il y a une erreur** dans la livraison. Vous m'avez livré
des ordinateurs portables référence 5489F **au lieu des**
portables référence 6589 E.

**Pour demander une suite :**
**Nous comptons sur** une livraison rapide.
En conséquence, **je vous saurais gré de** rectifier
mon compte client dans les plus brefs délais.
**J'attends** une nouvelle facture rectificative.
**Nous vous prions donc de** nous expédier les clés
manquantes.
**Merci de** m'expédier d'urgence les articles conformes
à ma commande.

**Les réclamations**
un article endommagé / manquant / non conforme
un crédit / créditer
un débit / débiter
un dédommagement / dédommager
une déduction / déduire
un défaut / défectueux(euse)
un délai
une détérioration / détérioré(e)
une erreur / erroné(e)
une indemnisation / indemniser
une omission / omettre
un préjudice
une rectification / rectifier / rectificatif(ive)
un retard

## 3 Passez à l'action

**1. Un problème de livraison.**
**Vous avez passé une commande de fournitures de bureau à une entreprise française : Fournitex,
situé 10 rue de Paris, 97330 Vincennes. Lors du déballage, vous constatez des anomalies
(articles manquants, endommagés, livraison non conforme à la commande, etc.). Vous écrivez
une lettre de réclamation à la société Fournitex et vous donnez toutes les précisions utiles.**

**2. Une facture erronée.**
**Vous venez de recevoir une facture à payer (téléphone, Internet, électricité, etc.). Vous constatez
une erreur. Vous téléphonez à l'opérateur et vous donnez toutes les précisions utiles.**

**VOUS**
- Vous faites référence à votre facture.
- Vous expliquez les motifs de la réclamation.
- Vous demandez une suite.

**LE / LA CONSEILLER(ÈRE) CLIENTÈLE**
- Il / Elle vous demande des précisions sur la facture.
- Il / Elle vous pose des questions sur les motifs de la réclamation.
- Il / Elle prend un engagement pour vous satisfaire.

**1 Réalisez la tâche**  Mes audios ▸ 33

Vous travaillez au service consommateurs de la société Fairecost. Votre responsable a laissé des directives sur votre répondeur concernant la réponse à la lettre de réclamation d'une cliente.

**1. Écoutez les directives de votre responsable sur votre répondeur et complétez la lettre de réclamation avec l'information manquante.**

**FAIRECOST**

Direction générale France
3 avenue de l'Atlantique
91140 Les Ulis
Tél : 01 60 92 45 78

Madame Maunier
10 rue Amodru
91190 Gif-sur-Yvette

Vos réf : v / lettre du 15/02
Nos réf : MP / LG / 98574
Objet : N / produit café moulu
PJ : Bon d'achat

Les Ulis, le 21 février 2015

Chère Cliente,

Nous avons lu avec la plus grande attention votre lettre concernant notre café moulu « Fairecost » et nous vous remercions d'avoir choisi notre marque.

Nous avons tout de suite contacté notre fournisseur afin d'analyser avec lui le problème rencontré. Les panels de dégustation n'ont révélé aucune anomalie d'odeur et de goût et nous sommes vraiment désolés du désagrément subi.

Nous cherchons à satisfaire au mieux notre clientèle et la qualité de nos produits est pour nous une priorité ; c'est pourquoi nous vous remercions de votre remarque.

Nous vous prions d'accepter toutes nos excuses et afin de vous permettre de mieux juger la qualité de nos produits, ............................................................................
............................................................................

Nous espérons que vous continuerez à nous accorder votre confiance.

Soyez assurée que nous ferons tout notre possible pour qu'un tel incident ne se reproduise pas. Avec toutes nos excuses renouvelées, nous vous prions de croire, Chère Cliente, à nos sentiments dévoués.

Le Responsable des relations clientèle

Yves Guibert

SAS au capital de 19 000 000 euros– RCS Evry 567 987 098 – TVA FR 67 701 098 142 – www.fairecost.fr

**2. Avant d'envoyer la lettre, vérifiez qu'elle suit bien les étapes-clés d'une réponse type à une réclamation.**

**Comment bien traiter des réclamations en trois étapes**

**1) Une démarche d'écoute**
a ➜ Prendre rapidement contact avec le client insatisfait
b ➜ Montrer qu'on prend en compte la démarche du client

**2) Une démarche d'explication**
c ➜ Montrer que l'on a compris la raison du mécontentement
d ➜ Présenter l'analyse du problème et l'action de l'entreprise
e ➜ Donner des précisions sur la démarche qualité de l'entreprise
f ➜ Remercier le client d'avoir pris le temps d'écrire

**3) Une démarche d'action**
g ➜ Dédommager, proposer un geste commercial
h ➜ Présenter des excuses / des regrets

## 2 | Retenez

**Pour exprimer l'intérêt porté à une demande :**
Nous avons lu **avec la plus grande attention /
le plus grand intérêt** votre lettre.
Votre courrier **a retenu toute notre attention**.

**Pour présenter des excuses :**
**Nous vous prions d'accepter toutes nos excuses /
de nous excuser** pour l'incident / le retard /
le dommage / le désagrément subi / l'erreur…
**Je suis désolé de**…
**Avec toutes nos excuses renouvelées**.

**Pour indiquer la prise en compte d'un problème :**
Nous avons **tout de suite contacté** notre fournisseur
**afin d'analyser avec lui le problème rencontré**.
**Nous cherchons à** satisfaire au mieux notre clientèle.
**Soyez assurée que** nous ferons tout notre possible
pour…

**Pour exprimer l'espoir de garder de bonnes
relations :**
Nous espérons que **vous continuerez à nous accorder
votre confiance**.
Nous espérons que **nous continuerons à vous
compter parmi nos fidèles clients**.

## 3 | Passez à l'action

**1. Nous sommes désolés…**
**Vous travaillez dans un service clientèle et vous traitez les réclamations.**
**Choisissez une lettre de réclamation de la séquence B p. 144 et répondez-y.**
**Suivez la démarche donnée p. 146 pour bien traiter une lettre de réclamation.**

**2. Quelle déception !**
**Vous travaillez au service clientèle d'une entreprise de votre choix.**
**Un(e) client(e) a acheté un produit et il / elle est déçu(e) de la qualité. Il / Elle téléphone**
**et il / elle vous fait part de son mécontentement.**
**Vous lui répondez.**

**VOUS**
- Vous présentez des excuses / des regrets.
- Vous exprimez votre compréhension
  du problème.
- Vous faites un geste commercial pour
  dédommager et fidéliser le client.

**LE / LA CLIENT(E)**
- Il / Elle vous explique les motifs de la réclamation.
- Il / Elle vous exprime son mécontentement.

# D Mauvais payeurs

Vous travaillez au service comptabilité de votre entreprise et vous êtes chargé(e) de préparer une présentation de type PowerPoint sur la gestion des mauvais payeurs.

**Lisez l'article ci-dessous et relevez les phrases-clés qui résument chacune des six leçons afin de réaliser six diapositives sur PowerPoint.**

## SIX LEÇONS POUR GÉRER LES MAUVAIS PAYEURS

*Toute entreprise a des clients à problèmes. Il y a ceux qui règlent dix jours, trois semaines ou deux mois après la date prévue, ceux qui trouvent des prétextes pour ne pas payer et ceux dont l'objectif est de retarder les paiements au maximum. Face à ces situations, le mieux est d'éduquer vos clients. Pour cela, suivez la bonne démarche en six leçons.*

**Leçon n°1** Pour se faire payer par une entreprise, il faut d'abord bien connaître ses circuits internes. Quel est le processus qui va de la décision d'achat d'un produit ou d'un service jusqu'à son paiement ? Qui prend la décision de régler ?
Pour obtenir les informations dont vous avez besoin, le plus simple est d'interroger vos entreprises clientes. Celles-ci ne refuseront probablement pas de répondre à vos questions.

**Leçon n°2** Une grande part des problèmes de non-règlement provient d'erreurs souvent identifiables. En effet, si votre facture a été envoyée à une mauvaise adresse ou postée trop tard, il y a des risques que vous ne soyez pas réglé à la date prévue. Autre exemple : si les documents que vous avez fournis ne sont pas suffisants, il est probable que le paiement sera retardé.
Vous devez absolument détecter ces risques bien avant l'échéance. Pour cela, il suffit que vous demandiez à votre service comptable d'appeler la comptabilité de vos entreprises clientes pour vérifier que tout est en règle et qu'il n'y a pas d'obstacle au paiement à la date prévue.

**Leçon n°3** Le jour J est arrivé. Vous attendiez un virement bancaire, un chèque, une traite... Mais rien n'est venu. N'attendez pas et relancez immédiatement le retardataire.
Dans la majorité des PME, les relances sont faites par courrier mais ce n'est pas efficace. La meilleure solution est de décrocher son téléphone pour demander directement au client pourquoi il n'a pas envoyé son règlement.

**Leçon n°4** Il est nécessaire de contacter de manière urgente celui ou celle qui a le pouvoir de déclencher le virement ou de signer le chèque que vous attendez... Appelez cette personne et montrez votre volonté de régler les éventuels problèmes avec elle. Ne la lâchez pas tant qu'elle n'aura pas payé !
Si vous constatez que celle-ci ne débloque pas les fonds, demandez à parler à son supérieur. Si vous n'obtenez pas satisfaction, appelez d'autres responsables hiérarchiques jusqu'à ce que vous tombiez sur le vrai décisionnaire. Quand vous tenez la bonne personne, harcelez-la jusqu'au moment où vous obtenez satisfaction.

**Leçon n°5** Faites comprendre à votre interlocuteur que les retards de paiement vous causent des préjudices. Dites-lui, par exemple : « Notre société réalise avec la vôtre 600 000 euros de chiffre d'affaires par an. Vous réglez régulièrement avec quinze jours de retard. Cela provoque un écart de trésorerie de 25 000 euros que nous sommes obligés de financer. Comprenez qu'une petite structure comme la nôtre ne peut pas absorber ce type de frais ! »

**Leçon n°6** Si votre interlocuteur ne paye pas, n'hésitez pas à employer des moyens forts de persuasion. La première option est de facturer des pénalités de retard. Prévenez vos clients dès l'envoi de la facture que chaque jour de retard donnera lieu à des pénalités. Il y a des chances que cela les incite à respecter les délais de paiement.
Vous pouvez aussi menacer un mauvais payeur de cesser toute livraison de marchandises (ou prestation de services) s'il ne règle pas dans les meilleurs délais ce qu'il vous doit. ■

*D'après L'Express l'entreprise*

## 2 Retenez

**Pour indiquer la durée d'une action :**
Ne la lâchez pas **tant qu'**elle n'aura pas payé.
Appelez d'autres responsables hiérarchiques **jusqu'à ce que** vous tombiez sur le vrai décisionnaire.
Quand vous tenez la bonne personne, harcelez-la **jusqu'au moment où** vous obtenez satisfaction.

(→ **Voir Outils linguistiques, 5 p. 151)**

**Pour indiquer une urgence :**
**N'attendez pas** et relancez **immédiatement** le retardataire.
Il est nécessaire de contacter **de manière urgente** celui qui a le pouvoir de déclencher le virement.
Vous pouvez aussi menacer un mauvais payeur de cesser toute livraison s'il ne règle pas **dans les meilleurs délais** ce qu'il vous doit.

**Pour suggérer des solutions :**
Face à ces situations, **le mieux est d'**éduquer vos clients.
Pour obtenir les informations, **le plus simple est d'**interroger vos clients.
**La meilleure solution est de** décrocher son téléphone.
**N'hésitez pas à** employer des moyens forts de persuasion !
**Il suffit que** vous demandiez à votre service comptable d'appeler vos entreprises clientes.

**Pour décrire des situations prévisibles :**
Si votre facture a été envoyée à une mauvaise adresse, **il y a des risques que** vous ne soyez pas réglé à la date prévue.
Si les documents que vous avez fournis ne sont pas suffisants, **il est probable que** le paiement sera retardé.
Ces entreprises ne refuseront **probablement** pas de répondre à vos questions.
**Il y a des chances que** cela les incite à respecter les délais de paiement.

**La comptabilité**

| | |
|---|---|
| de l'argent | un paiement |
| un chèque | un (mauvais) payeur / payer |
| un chiffre d'affaires | une pénalité (de retard) |
| un/une comptable | une relance (une lettre de relance) |
| une comptabilité | |
| un délai (de paiement) | un règlement / régler |
| une échéance | une traite |
| un financement / financer | une trésorerie |
| des fonds | un virement / virer |
| des frais | |

## 3 Passez à l'action

**1. Un séminaire nécessaire.**

**Vous animez une formation sur la gestion des mauvais payeurs.**

Étape 1 : Présentez les règles d'une gestion réussie des mauvais payeurs en utilisant le PowerPoint que vous avez préparé (Voir Réalisez la tâche, p. 148).

Étape 2 : Témoignez à propos d'une situation que vous avez vécue face à un mauvais payeur. Indiquez les circonstances et racontez comment vous avez réglé le problème.

Étape 3 : Répondez aux questions de votre auditoire ou conseillez les personnes qui vous feront part d'un problème rencontré.

**2. Un prêt.**

**Un(e) de vos ami(es) ou collègues a prêté de l'argent / un objet et n'arrive pas à récupérer l'argent / l'objet auprès de l'emprunteur. Il / Elle vous demande conseil.**

**L'AMIE(E) / LE / LA COLLÈGUE**
- Il / Elle vous explique le problème et vous donne des détails sur le prêt.
- Il / Elle indique une urgence.
- Il / Elle vous demande conseil.

**VOUS**
- Vous décrivez une situation prévisible.
- Vous lui suggérez des solutions.

# OUTILS LINGUISTIQUES

## 1 Le subjonctif avec les expressions impersonnelles

**Pour formuler un jugement.**

C'est *incroyable* qu'un appareil de ce prix **ait** déjà des problèmes !
C'est quand même *anormal* **que** vous ne **fassiez** pas un échange !
C'est *inadmissible* **que** j'en **subisse** les conséquences !

Pour formuler un jugement à propos d'une situation particulière ou d'une action dont le sujet est précisé, on utilise :
**il est** ou **c'est** + *adjectif* + **que** + **sujet** + subjonctif

Quand le jugement concerne une action ou une situation particulière dont le sujet n'est pas précisé, on utilise :
**il est** ou **c'est** + *adjectif* + **de** + infinitif
*En France, c'est normal de dire bonjour aux clients.*

Quelques expressions de jugement :
*Inadmissible, dommage, normal / anormal, regrettable, inconcevable, bizarre, inacceptable, remarquable, appréciable, étonnant, admirable*

## 2 Les doubles pronoms compléments

**Pour éviter les répétitions.**

Vous **nous les** aviez promis pour le 10 juin.
Je **vous la** règlerai dès réception.
Nous **vous en** avions commandé **150**.
Vous **vous y** êtes engagés.

| L'ordre des pronoms dans la phrase se fait dans le sens de la flèche. | | | | Combinaisons possibles : |
|---|---|---|---|---|
| me / m' | le | lui | en | 1 + 2 |
| te / t' | la | leur | y | 1 + 4 |
| se / s' | l' | | | 2 + 3 |
| nous | les | | | 2 + 4 |
| vous | | | | 3 + 4 |
| **1** | **2** | **3** | **4** | |

⚠ **À l'impératif, l'ordre des pronoms est différent.**

*Donnez-**le-moi** !*
*Commandez-**lui-en** 150 !*

| le | moi | en |
|---|---|---|
| la | toi | y |
| les | lui | |
| | nous | |
| | vous | |
| | leur | |

## 3 L'infinitif passé
### Pour exprimer l'antériorité.

Nous vous remercions d'**avoir choisi** notre marque.
Je suis désolé de ne pas **avoir répondu** plus tôt.

Pour exprimer **une action antérieure** à un état ou à une autre action – passé(e), actuel(le) ou à venir –
dont le verbe nécessite la préposition *de*, on utilise **l'infinitif passé**.

Formation de l'infinitif passé : (NE PAS) AVOIR ou ÊTRE + **participe passé du verbe**

⚠ Avec *être*, **le participe passé s'accorde avec le sujet**.

⚠ S'il y a **un pronom complément** dans la phrase, il se place avant l'auxiliaire.
*Le fournisseur voulait connaître la nouvelle directrice, il est content de l'avoir rencontrée.*

L'infinitif passé s'utilise aussi après la préposition *après* pour marquer l'antériorité.
*Nous vous répondrons **après** avoir interrogé notre chef de produit.*

⚠ Avec *après* et les expressions qui expriment un sentiment (*je regrette, je suis désolé(e), je suis content(e),* etc.), l'infinitif passé est possible si les sujets sont les mêmes.
*Je suis content, j'ai fini ma présentation.*
→ *Je suis **content d'**avoir fini ma présentation.*

(→ Voir Liste des participes passés les plus fréquents p. 212)

## 4 Les pronoms démonstratifs
### Pour éviter des répétitions.

Toute entreprise a **des clients** à problèmes. Il y a **ceux qui** règlent après la date prévue et **ceux dont** l'objectif est de retarder les paiements au maximum.
Interrogez **vos entreprises clientes**. **Celles-ci** ne refuseront probablement pas de répondre à vos questions.
Il est nécessaire de contacter de manière urgente **celui** ou **celle qui** a le pouvoir de déclencher le virement.

Pour désigner une personne ou un objet dont on a déjà parlé ou que l'on peut voir / montrer,
on utilise les pronoms démonstratifs.

| | Singulier | Pluriel |
|---|---|---|
| **Masculin** | Celui | Ceux |
| **Féminin** | Celle | Celles |

Les pronoms démonstratifs sont généralement suivis d'un pronom relatif, d'un adverbe (*-ci/-là*) ou de la préposition *de*.

## 5 Les indicateurs de temps : *tant que, jusqu'à ce que, jusqu'au moment où*
### Pour exprimer la durée d'une action.

Ne la lâchez pas **tant qu'**elle n'aura pas payé.
Appelez d'autres responsables hiérarchiques **jusqu'à ce que** vous tombiez sur le vrai décisionnaire.
Harcelez-la **jusqu'au moment où** vous obtenez satisfaction.

*Tant que, jusqu'à ce que* et *jusqu'au moment où* indiquent qu'une action / un état dure jusqu'à l'arrivée d'une autre action ou d'un autre état.

*Tant que* et *jusqu'au moment où* sont suivis de l'indicatif.
*Jusqu'à ce que* est suivi du subjonctif.

# ENTRAÎNEZ-VOUS

## 1. Paroles de consommateurs

**Reformulez les jugements de consommateurs en utilisant des expressions impersonnelles.**

Exemple : Les rayons sont vides ? → C'est inadmissible que les rayons soient vides.

1. Il n'y a pas suffisamment de caisses ouvertes ?
2. Les vendeurs sont agréables avec les clients.
3. Les produits périmés sont encore vendus.
4. Le magasin interdit l'accès aux chiens.
5. On donne la priorité aux personnes handicapées à la caisse.
6. On ne peut pas régler ses achats en carte de crédit pour un montant inférieur à 10 euros.

## 2. Tout est OK !

**Complétez les phrases avec les pronoms compléments qui conviennent.**

1. – Vous avez parlé de votre problème aux techniciens ?
   – Mais oui, je … … ai parlé !
2. – Tu as expliqué la panne à la dame ?
   – Bien sûr que je … … ai expliquée !
3. – Tu as rapporté les produits défectueux au vendeur ?
   – Évidemment ! Je … … ai rapportés ce matin.
4. – Le monsieur du service après-vente t'a bien remis la facture ?
   – Bien sûr qu'il … … a remise.
5. – Vous avez obligé le directeur à vous donner des justificatifs ?
   – Eh oui ! Nous … … avons obligé.
6. – Ils t'ont assuré qu'ils me donneraient une garantie ?
   – Mais oui, ne t'inquiète pas. Ils m'ont assuré qu'ils … … donneraient une.

## 3. Que de sentiments !

**Combinez les phrases pour n'en obtenir qu'une en utilisant l'infinitif passé.**

1. Nous sommes ravis / Nous sommes venus
2. Nous étions désolés / Nous avons appris cette mauvaise nouvelle
3. J'ai regretté / Je n'ai pas pu vous rencontrer
4. Les clients étaient satisfaits / Ils ont obtenu des bons d'achats
5. Ma chef est furieuse / Elle n'a pas trouvé de solution au problème

## 4. Conversations utiles

**Complétez les phrases avec les pronoms démonstratifs qui conviennent.**

1. En réunion
   – Qui choisira-t-on pour ce poste ?
   – … ou … qui nous convaincra.
2. En boutique
   – Je ne suis pas satisfaite de ces chaussures. Je peux les échanger avec … qui sont exposées dans la vitrine ?
   – Désolé, ce n'est pas possible.
3. Au service informatique
   – Nous allons remplacer presque tous les ordinateurs du service RH parce que … que nous avons achetés il y a 6 ans sont trop vieux maintenant.
   – Bonne idée !

## 5. Menaces sérieuses

**Complétez les phrases avec l'expression qui convient (*tant que* / *jusqu'à ce que*).**

1. Nous resterons en grève … la direction n'aura pas accepté nos conditions.
2. Il restera devant le guichet … il obtienne satisfaction.
3. Je les harcèlerai … ils me fournissent le bon document.
4. Le comptable ne paiera pas … vous n'aurez pas fini les travaux.
5. Je répéterai les règles … tu les comprennes.

# TESTEZ-VOUS

Mon portfolio

## 1. Encore des problèmes !

**Lisez les documents suivants et cochez la bonne réponse.**

---

**De :** Société Mecanic

**À :** Établissements Ginex

Impossible de vous livrer demain matin votre commande de papier. Chaîne de production en panne. Pas de fabrication avant une semaine. Demande confirmation commande.

---

**1. La société Mecanic informe :**
a. d'un problème technique.
b. d'une marchandise non conforme.
c. d'une annulation de commande.
d. d'une commande de papier.

---

| REÇU CE JOUR À | 10 heures | LES MARCHANDISES |
|---|---|---|
| **OBSERVATIONS** | | |
| 25 sacs livrés au lieu des 30 commandés | | |
| **À** Bruxelles | **LE** | 12 avril |
| **SIGNATURE** | L. Hadjt | |

**2. Le client a reçu :**
a. un colis défectueux.
b. une quantité différente.
c. un article de mauvaise qualité.
d. une marchandise livrée avec retard.

---

Messieurs,

Nous constatons avec regret qu'à ce jour votre compte client présente un solde débiteur malgré notre lettre du 15 mai. Votre société n'a toujours pas procédé au règlement de notre facture n° 54678 à échéance du 30 avril.

Nous attendons un règlement sous huitaine.

**3. L'entreprise envoie**
a. une facture à payer.
b. une relance de paiement.
c. un avis d'échéance.
d. un accusé de réception de règlement.

---

## 2. Au service des ventes  Mes audios ▸ 34

**Écoutez ces cinq personnes. Identifiez l'intention de chacune d'elles.**

| | |
|---|---|
| Personne 1 • | **A.** Indiquer des conditions de vente |
| Personne 2 • | **B.** Suggérer des solutions |
| Personne 3 • | **C.** Demander une suite |
| Personne 4 • | **D.** Expliquer les motifs d'une réclamation |
| Personne 5 • | **E.** Proposer un arrangement |
| | **F.** Exprimer son mécontentement |
| | **G.** Présenter des excuses |

# Repères professionnels

## Comment présenter une **lettre commerciale** française ?

La lettre commerciale française respecte des normes de présentation mais, dans la pratique, les entreprises personnalisent la présentation de leurs lettres.

**Lisez la lettre ci-dessous et associez les indications données dans le désordre aux parties correspondantes de la lettre.**

**DÉCOMAISON**

25 rue d'Antin
55800 Lille
Tél : 03 86 38 45

② Madame Lefèvre
58 boulevard Raspail
75006 Paris

Vos réf : V / lettre du 16 juin ③
Nos réf : XM / AL 09876 ④

Lille, le 20 juin 20.. ⑤

Objet : V / abonnement ⑥
PJ : Offre promotionnelle ⑦

Madame, ⑧

    Nous accusons réception de votre demande d'abonnement à notre revue *Décomaison* et nous vous remercions de votre confiance. ⑨

    Malheureusement, un retard de livraison ne nous permet pas de vous envoyer le cadeau que nous vous avions réservé. À notre grand regret, nous ne pourrons vous le faire parvenir que fin juillet.

    Nous avons le plaisir de vous adresser ci-joint une offre promotionnelle pour un magazine de votre choix. ⑩

    Nous vous présentons toutes nos excuses pour ce fâcheux contretemps. ⑪

    Nous vous prions de croire, Madame, à nos sentiments dévoués. ⑫

Le responsable des relations clientèle

⑬

Xavier Molina

⑭ ⑮ ⑯
S.A. au capital de 89 000 € – RCS Lille B 345 987 123 – www.decomaison

a. Nom et adresse de l'expéditeur (raison sociale et siège social)
b. Développement (détails concernant le problème et l'offre commerciale)
c. Forme juridique de l'entreprise
d. Document(s) envoyé(s) avec la lettre
e. Titre de civilité
f. Identification de la lettre à laquelle on répond
g. Conclusion
h. Motif de la lettre
i. Signataire (titre de celui qui écrit sa signature et son nom)
j. Identification de la lettre que l'on écrit
k. Lieu et date d'expédition
l. Site Internet
m. Introduction (référence à ce qui motive la lettre)
n. Formule de politesse
o. Numéro d'immatriculation au registre du commerce (RCS)
p. Nom et adresse du destinataire

**Dans votre pays, les lettres commerciales suivent-elles des règles de présentation et de rédaction précises ? Quels sont les points communs et les différences avec la lettre commerciale française ?**

# Joindre le **geste** à la **parole**

Dans les échanges, des gestes peuvent s'ajouter aux mots ou remplacer des paroles. Certains gestes accompagnent des expressions familières ou argotiques.

Si certains gestes et attitudes sont appréciés des Français comme mettre sa main devant sa bouche quand on baille ou éternue ou tenir la porte à la personne qui vous suit quand vous entrez quelque part, d'autres **gestes ou phrases sont impolis** et sont donc à connaître pour éviter tout malentendu.

Pour ordonner à quelqu'un de se taire

Tu la boucles !

La ferme !

Tais-toi !

Ça suffit !

Pour refuser une demande

Tu peux toujours courir !

Pour dire à quelqu'un qu'il fait quelque chose qui ne convient pas, de fou

Ça ne va pas, non ?

Pour exprimer l'ennui

Il/Elle me rase !

La barbe !

Pour exprimer l'agacement, l'impatience

Pour dire à quelqu'un de partir

Va-t'en !

Dégage !

Pour dire à quelqu'un qu'on ne croit pas ce qu'il dit

Mon œil !

Pour refuser

> **Est-ce qu'il y a des gestes utilisés par les Français qui ont la même signification dans votre pays ? Quels gestes utilisés par les Français n'ont pas la même signification dans votre pays ?**

> **Présentez à votre groupe des gestes de la vie courante dans votre pays. Quelle est leur signification dans votre culture ? Y a-t-il des gestes à éviter ?**

# SCÉNARIO PROFESSIONNEL

La petite entreprise dans laquelle vous travaillez se développe et doit déménager dans un autre lieu pour bénéficier de locaux plus spacieux et d'un emplacement plus stratégique. Vous avez été désigné(e) comme responsable de l'organisation de ce déménagement avec deux autres collègues.

## ÉTAPE 1 ▸ INFORMEZ-VOUS

❯ Lisez l'article sur les déménagements d'entreprise et notez les idées les plus importantes. ⊙ **Mes documents**

## ÉTAPE 2 ▸ INFORMEZ TOUS LES COLLABORATEURS

❯ **1** Rédigez une proposition de courriel à adresser à tous les salariés de l'entreprise pour annoncer le déménagement des locaux et informer sur les modalités du déménagement.

❯ **2** Soumettez ce courriel au responsable RH pour vous mettre d'accord sur une version finale. Pour cela, utilisez un outil de stockage et de partage de fichiers en ligne ou réunissez-vous pour en parler.

## ÉTAPE 3 ▸ PLANIFIEZ ET ORGANISEZ LE DÉMÉNAGEMENT

❯ **1** Réunissez-vous avec vos deux autres collègues pour élaborer le planning des tâches avec un calendrier précis.
Pour vous aider :
a. Identifiez les tâches à faire.
b. Identifiez les personnes à qui confier ces tâches.
c. Planifiez les tâches en déterminant des dates précises ou des délais.

❯ **2** Rédigez un nouveau mail destiné à l'ensemble des collaborateurs pour transmettre le planning élaboré et informer sur les tâches / la répartition des tâches.

## ÉTAPE 4 ▸ GÉREZ LES RÉTICENCES

❯ **1** Réunissez-vous avec le responsable RH et vos deux collègues pour anticiper les réticences des salariés de l'entreprise. Identifiez les problèmes qui risquent d'être soulevés et envisagez toutes les solutions / réponses possibles grâce à un brainstorming. Notez toutes les idées dans un fichier.

> **2** À l'annonce du déménagement, un salarié souhaite démission-ner. Vous le recevez avec le responsable RH en entretien indivi-duel pour tenter de le faire changer d'avis. Utilisez les bonnes idées de votre brainstorming pour le convaincre de rester.

> **3** Rédigez le compte rendu écrit de l'entretien en précisant les dé-cisions finales.

ÉTAPE **5** ▷ PRÉSENTEZ LES NOUVEAUX LOCAUX

> **1** Réalisez les plans de vos nouveaux locaux.
> **2** Présentez-les à vos collègues lors d'une réunion. Répondez à leurs questions.

ÉTAPE **6** ▷ PRÉPAREZ LE DÉMÉNAGEMENT
ET L'EMMÉNAGEMENT

> **1** Contactez une entreprise de déménagement par téléphone et de-mandez-lui un devis en donnant des détails concernant vos besoins.

> **2** Rédigez une liste d'instructions et de conseils à l'attention de tous vos collègues concernant la manière de trier les papiers et dos-siers, de faire les cartons, de jeter ce qui ne sera pas gardé, etc.

> **3** Vous allez partager votre nouveau bureau avec une autre personne. Faites une recherche sur Internet ou allez sur le site adopteunbureau.fr et choisissez ensemble votre nouveau mobilier de bureau.

ÉTAPE **7** ▷ COMMUNIQUEZ APRÈS
LE DÉMÉNAGEMENT

> **1** Lors du déménagement il y a eu des problèmes avec le déména-geur. Rédigez une lettre de réclamation.

> **2** Vous prévoyez un cocktail pour l'inauguration de vos nouveaux bureaux. Réalisez l'invitation à envoyer à tous vos clients.

> **3** Avec la / les personne(s) en charge de la communication, conce-vez l'annonce à mettre sur le site de votre entreprise pour an-noncer le déménagement, donner vos nouvelles coordonnées et présenter vos nouveaux locaux.

# Participez à des projets

**B1**

## Pour être **capable de/d'**

› **décrire les missions et le profil d'un chef de projet**
› **interagir dans une réunion d'avancement de projet / de cadrage**
› **rédiger une note de cadrage / un cahier des charges**
› **pointer des problèmes et proposer des solutions correctives**

## Vous allez **apprendre à**

› décrire des fonctions d'encadrement
› nommer les étapes d'un projet
› définir un profil recherché
› interroger sur des besoins
› décrire une situation problématique
› indiquer une bonne compréhension
› donner la parole
› parler de l'état d'avancement d'un projet
› indiquer l'intensité
› indiquer des contraintes
› s'opposer à la proposition de quelqu'un
› exprimer une convergence de point de vue
› exprimer la déception et le regret
› formuler des hypothèses
› apporter des précisions et des explications

## Vous allez **utiliser**

› le subjonctif passé
› le subjonctif dans les propositions relatives
› la restriction *ne... que*
› *de plus en plus / de moins en moins*
› l'expression de l'intensité
› l'expression de l'hypothèse avec le conditionnel présent / passé (synthèse)

**Mes vidéos**
▸ À Montauban, l'usine Poult expérimente un nouveau management

# A Recherchons chef de projet

Vous travaillez dans une entreprise de transports. Votre direction recherche un(e) chef(e) de projet. Vous vous réunissez avec le responsable RH et la directrice des projets puis vous finalisez l'annonce à faire paraître sur un site d'offres d'emploi.

1. **Écoutez les échanges pendant la réunion et prenez des notes puis complétez l'annonce.**
2. **Vous êtes chargé(e) de trier les candidatures reçues.**
   **Lisez les résumés de CV et dites quelle candidature vous allez soumettre au RRH.**

---

Rechercher parmi les 12 003 offres d'emploi

## Détail de l'annonce

`Postuler à l'offre`

**Domaine :** transports

**Poste :** Chef(e) de projets transverses[1]
Notre structure, comptant 40 collaborateurs, se développe autour de projets stratégiques impliquant de nombreux partenaires. La Direction des Projets Systèmes et Process, composée d'une douzaine de collaborateurs, recherche un(e) Chef(e) de projets transverses (F/H).

**Mission**
Vous pilotez des projets transverses (Relation clients, nouvelles technologies, web, ........................., ............................... ) en assurant les phases de cadrage, de conception et de déploiement des projets, en étroite collaboration avec les acteurs concernés.
Vous conduisez les projets en organisant, coordonnant et réalisant ou faisant réaliser les travaux nécessaires, jusqu'à la mise en œuvre des solutions. Vous assurez un reporting régulier de l'avancement de vos projets, du ............................................. et des ................................................. tout en étant force de proposition dans la mise en œuvre des solutions.
Vous orchestrez les différentes expertises pour mener à bien cette mission. Vous accompagnez la mise en œuvre et les changements et contribuez à l'évaluation des impacts des solutions retenues (en termes organisationnels, processus, matériels, etc.). Vous vous appuyez à ce titre sur des prestataires externes et les savoir-faire internes qu'il faut fédérer afin de mener à bien le(s) projet(s). Vous assurez l'ensemble de vos missions en maîtrisant les coûts, la qualité et les délais dans le respect des contraintes qui vous sont communiquées.

**Profil**
.......................................................................................

**1.** Projets qui font intervenir des collaborateurs de métiers différents.

---

**1**

## GORGIO PIRANDI
CONSULTANT

**Résumé**

Après 4 ans d'expérience comme consultant en management de projets dans l'industrie automobile, je suis en charge depuis 3 ans du pilotage de projets de conception de sites marchands. Je possède une expérience approfondie de la conduite des projets : gestion des risques, planification, reporting[2], animation d'équipes. Mon goût pour le travail en équipe, ma capacité à convaincre et ma rapidité d'adaptation constituent mes clés de réussite au sein d'équipes pluridisciplinaires et internationales.

**2.** Le reporting consiste à rendre compte périodiquement de l'avancée d'un projet.

---

**2**

## AXEL RAJUN

DIPLÔMÉ DE EM[3] LYON BAC + 5

**Résumé**

Fort de 6 ans d'expérience dont 4 ans dans la gestion de projets transverses, j'interviens dans les phases suivantes :
– maîtrise d'ouvrage : recueil des besoins, cadrage, suivi des développements et des budgets ;
– conduite de projet : pilotage et coordination entre les différentes parties prenantes d'un projet.
Formé au marketing, j'ai un fort sens de la relation client.

**3.** École supérieure de commerce et de gestion.

---

**3**

## LEILA PIQUET

INGÉNIEUR INSA[4] STRASBOURG BAC + 5

**Résumé**

10 ans d'expérience professionnelle dont 7 ans en tant que Chefe de Projet dans les secteurs des télécommunications et de l'industrie, j'ai piloté plusieurs projets transverses, industrialisé de nouveaux produits, rédigé les cahiers des charges et les plannings, suivi la mise en œuvre et les coûts et managé des équipes pluridisciplinaires. Excellente communicante, autonome et ouverte d'esprit, je travaille en étroite collaboration avec tous les services et les prestataires externes.

**4.** Institut National des Sciences Appliquées.

## 2 Retenez

**Pour décrire des fonctions d'encadrement :**
**Vous pilotez** des projets.
**Vous conduisez** des projets **en organisant,
coordonnant** et **réalisant** ou **faisant réaliser**
les travaux nécessaires.
**Vous orchestrez** les différentes expertises.

**Pour définir un profil recherché :**
**Nous devons trouver la personne idéale.**
**Il nous faut quelqu'un qui ait** au moins un bac + 5.
**C'est important que la personne ait travaillé dans**
le conseil et **qu'elle se soit investie dans** des projets.
**Il faut que ce chef de projet ait acquis** les bonnes
techniques…
**Il nous faut une personne qui soit dotée d'**un excellent
relationnel et qui sache accompagner les équipes.
**Je voudrais quelqu'un qui puisse** travailler sur
des projets ambitieux.
(→ **voir Outils linguistiques, 1** et **2 p. 168**)

**Pour décrire des expériences professionnelles :**
**J'interviens dans** les phases suivantes…
**J'ai piloté** plusieurs projets transverses, **industrialisé**
de nouveaux produits, **rédigé** les cahiers des charges et
les plannings, **suivi** la mise en œuvre et les coûts
et **dirigé** des équipes pluridisciplinaires.
**Je suis en charge** depuis 3 ans **du** pilotage de projets
de conception de sites marchands. **Je possède une
expérience approfondie de** la conduite des projets :
gestion des risques, planification, reporting, animation
d'équipes.

**Pour nommer les étapes d'un projet :**
Vous pilotez des projets en assurant **les phases
de cadrage, de conception** et **de déploiement**
des projets.
Vous assurez un **reporting** régulier de l'avancement
de vos projets, du **suivi** des risques et des plannings.
Vous contribuez à l'**évaluation des impacts** des
solutions retenues.

**Pour indiquer des qualités professionnelles :**
**J'ai un fort sens de** la relation client.
**Excellente communicante, autonome et ouverte
d'esprit**, je travaille en étroite collaboration avec tous
les services et les prestataires externes.
**Mon goût pour** le travail en équipe, **ma capacité
à convaincre** et **ma rapidité d'adaptation** constituent
mes clés de réussite au sein d'équipes pluridisciplinaires
et internationales.

**La gestion de projet**

| | |
|---|---|
| un avancement (de projet) | un pilotage / piloter |
| un budget / budgétiser / budgétaire | une planification / planifier |
| un cadrage / cadrer | une programmation / programmer |
| un cahier des charges | un projet stratégique / transverse |
| une conduite (de projet) | un reporting |
| une équipe projet | un risque |
| un impact | |
| une maîtrise d'ouvrage / d'œuvre | |

⊙ **Mes documents** ▸ Gestion de projet

## 3 Passez à l'action

**1. Super expérience !**
**Vous appartenez à un groupe de réflexion sur un réseau social. Le sujet en cours concerne les
projets. Vous témoignez à propos d'une expérience de projet que vous avez vécue et réussie (projet
associatif ou projet personnel). Vous décrivez le projet et les tâches que vous avez effectuées.**

**2. Recrutons.**
**Vous êtes responsable d'un service et vous avez besoin de recruter un(e) collaborateur(trice).
Vous définissez le poste / les missions puis vous discutez avec votre responsable RH du profil
de la personne que vous souhaiteriez embaucher.**

# B Un projet bien cadré

## 1 Réalisez la tâche ◉ Mes audios ▸ 36

Vous travaillez pour une société qui édite des logiciels informatiques. Avec votre chef de projet, vous participez à la réunion de cadrage* d'un nouveau projet chez un client.

**Écoutez les échanges entre les clients et votre chef et relevez les informations utiles pour compléter la note de cadrage* du projet.**

◉ **Mes documents** ▸ Gestion de projets

| NOTE DE CADRAGE ⊚ COMMANDITAIRE | ........................................ |
|---|---|
| **CONTEXTE ET PROBLÉMATIQUE** | .............................................................. <br> .............................................................. <br> .............................................................. <br> .............................................................. <br> .............................................................. |
| **OBJECTIFS DU COMMANDITAIRE** | .............................................................. <br> .............................................................. <br> .............................................................. |
| **PRODUIT ATTENDU** | .............................................................. |
| **SPÉCIFICITÉS DU PRODUIT (RÉSULTATS ATTENDUS)** | .............................................................. <br> .............................................................. <br> .............................................................. <br> .............................................................. |
| **CRITÈRES DU PRODUIT** | .............................................................. <br> .............................................................. |
| **DÉLAIS ENVISAGÉS** | .............................................................. |
| **ENVELOPPE BUDGÉTAIRE** | .............................................................. |

\* Document élaboré par le prestataire dont le but est d'offrir une description claire, succincte et détaillée de la réalisation d'un projet.

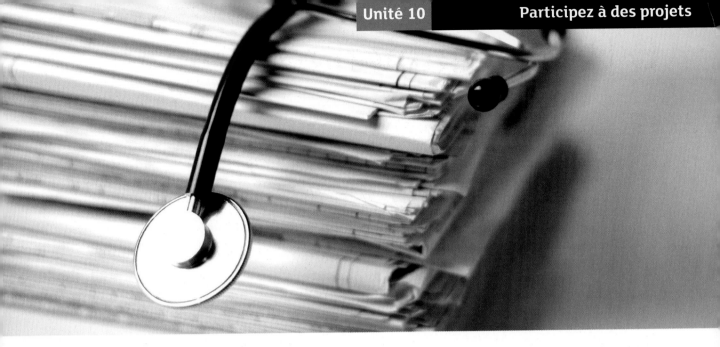

## 2   Retenez

**Pour interroger sur des besoins :**
**Dans quel but** voulez-vous mener ce projet ?
Pouvez-vous me **décrire la situation actuelle** ?
**Quelle est votre problématique ?**
**Quelle serait**, pour vous, **la situation idéale** ?
**Quels sont vos besoins ?**
**Qu'attendez-vous de** ce logiciel ?

**Pour indiquer une bonne compréhension :**
**Si je comprends bien**, vous n'avez que des dossiers papier.
**Je vois** le problème…
**En fait**, vous voulez pouvoir gérer informatiquement toutes les informations. **C'est bien ça ?**
**C'est noté.**
**Je comprends vos attentes.**
**C'est entendu.**

**Pour décrire une situation problématique :**
**Rien n'est** informatisé.
**Nous n'avons qu'**une assistante médicale.
**Ce n'est pas toujours facile de** trouver les informations sur un patient.
**Il y a vraiment trop de** documents.
Notre assistante **perd énormément de temps à** faire les classements.
**Nous avons de plus en plus de** patients **et de moins en moins d'**espace de stockage.
**On ne retrouve pas toujours** les messages quand on en a besoin. **C'est embêtant pour** le suivi d'un patient.
(→ **voir Outils linguistiques, 3 p. 168 et 4 p. 169**)

**Le domaine médical**

| | |
|---|---|
| un antécédent médical | un(e) patient(e) |
| un(e) assistant(e) médical(e) | une prescription / prescrire |
| un cabinet | un soin médical |
| une consultation | un suivi médical |
| un dossier médical | un traitement |
| un examen médical | un vaccin |
| un médecin | une visite (à domicile) |
| une ordonnance | |

## 3   Passez à l'action

**Environnement de travail.**
**Votre entreprise veut lancer un projet de rénovation des espaces de travail.**
**Vous êtes nommé(e) chef(e) de projet.**

**Étape 1 :** Vous participez à une réunion de cadrage du projet avec la direction et différents collègues concernés par le projet. Vous posez les questions pour identifier les besoins, définir les objectifs et les priorités et cadrer le projet.

**Étape 2 :** Vous rédigez la note de cadrage du projet (identité du client, objectifs du projet, délais à respecter, budget, utilité du projet). Utilisez la note de cadrage vierge de « Réalisez la tâche » pour vous aider.

# C Une réunion de validation

Vous travaillez dans une fabrique de jouets qui doit mettre sur le marché un robot chien. Vous participez à une réunion de validation pour faire le point sur l'avancement de ce projet. Vous êtes chargé(e) de mettre à jour le diagramme de Gantt*.

**Écoutez les échanges et corrigez / complétez le diagramme de Gantt.**

| | Tâches | Responsables | Janv. • Fév. • Mars • Avr. • Mai • Juin • Juil. • Août • Sept. • Oct. • Nov. • Déc. |
|---|---|---|---|
| Conception de prototype | Électronique | Éric, José | ▭ (Janv.–Mars) |
| | Mécanique | Thomas | ▭ (Fév.–Avr.) |
| | Design | Mika | ▭ (Janv.–Mars) |
| | Assemblage final | Tous | ▭ (Mai) |
| | Validation client | | ▭ (Juin) |
| | Mise en fabrication | | ▭ (Juil.–Sept.) |

\* Outil utilisé en gestion de projet permettant de visualiser le temps des différentes tâches qui composent le projet.

## 2 | Retenez

**Pour donner la parole :**
Oui, José, **tu veux intervenir ?**
**À propos**, Natalia, c'est toi qui m'as remplacé à la dernière réunion avec les clients. **Tu peux nous en parler ?**

**Pour indiquer l'intensité :**
On a pris **énormément** de retard.
La réunion s'est **vraiment** mal passée.
Les clients ne sont **absolument pas** d'accord entre eux.
Le directeur général a découvert le projet **beaucoup trop** tard et le design ne lui a **pas du tout** plu.
Du coup, ça a demandé **beaucoup plus de** temps que prévu.
Il faut donc **absolument** lancer la fabrication du robot en août, **c'est impératif !**
                                    (→ **voir Outils linguistiques, 5 p. 169**)

**Pour s'opposer à la proposition de quelqu'un :**
Le client **n'acceptera jamais** un délai aussi long.
**Il n'est pas question de** perdre le marché.

**Pour exprimer une convergence de point de vue :**
**On sait que** c'est un client difficile mais c'est un gros client.
**Je suis d'accord avec toi** mais il va falloir renforcer l'équipe.
**Tu as raison.**

**Pour parler de l'état d'avancement d'un projet :**
**Vous en êtes où du** prototype ?
**Ça en est où du côté du** design ?
Du coup, **ça a demandé plus de temps que prévu**.
À cause de ça, **on a pris énormément de retard**.
**Ça devrait être prêt début juillet**.
**On s'était engagés pour** fin mai.
**Il doit encore valider** le choix des couleurs **pour la mi-mai**.

**Pour indiquer des contraintes :**
**Il va falloir** revoir la répartition des tâches / faire le maximum.
**On a été dans l'obligation de** reprendre cette partie du projet.
**Il faut** revoir la planification du projet / lancer la fabrication du projet.

### La fabrication

| | |
|---|---|
| un assemblage | une mise au point |
| un circuit électronique | une pièce détachée |
| l'électronique (f.) | un prototypage |
| une maquette | un prototype |
| une mécanique | un réglage |
| un mécanisme | un robot |

## 3 | Passez à l'action

**1. État d'avancement.**
**Vous participez à une réunion de montage d'un projet et vous constituez une équipe.**
**Étape 1 :** Vous choisissez un produit et vous décidez de l'attribution des tâches. Vous reportez les tâches et leur durée, le nom des responsables sur un diagramme de Gantt.
**Étape 2 :** Vous participez à une réunion de validation du projet que vous avez imaginé. Vous reprenez le diagramme de Gantt élaboré et vous discutez de l'avancement du projet. Vous rectifiez le diagramme si nécessaire.

**2. Ça en est où ?**
**Votre chef(e) vous a confié une tâche (fabrication / vente de produit, visite d'un client, mise en place d'un service / d'une prestation, élaboration d'un catalogue, etc.) et il / elle vous convoque pour faire le point.**

**VOUS**
• Vous faites des propositions et réagissez.

**VOTRE CHEF(E)**
• Il / Elle s'oppose à vos propositions et réagit.

# D Témoignages utiles

## 1 Réalisez la tâche

Vous allez diriger un projet pour la première fois et vous vous informez sur les erreurs qu'il ne faut pas commettre. Vous trouvez un site intéressant.

**Lisez les posts d'internautes et faites un mémo sur les erreurs à éviter.**

---

**Sujet** : La gestion de projets

**Andréï**
Je dois faire un mémoire sur la gestion de projets ponctuels et je recherche des témoignages sur les difficultés que vous avez rencontrées lors d'un premier projet. Merci de votre aide.

**Ingrid**
Bonjour Andréï,
J'ai mis en place une nouvelle chaîne de montage en tant que chefe de projet industriel. Mon équipe et moi, on a rencontré beaucoup de problèmes parce qu'on avait mal évalué la durée de chacune des étapes du projet et parce que le planning était trop rigide pour pouvoir le modifier et l'adapter au terrain. Par ailleurs, on avait été trop optimistes sur les délais. Du coup, on n'a pas pu les respecter et on a dû payer des pénalités de retard. On aurait mieux fait de prendre le temps d'analyser la faisabilité technique à chaque étape du projet.

**Axel**
J'imagine bien les problèmes qu'ont rencontrés Ingrid et son équipe. C'est vrai qu'en évaluant mal la charge de travail, on prend le risque de mal planifier les tâches.
Nous, nous avons travaillé sur un projet qui visait l'amélioration énergétique d'un hôtel. Nous étions très ambitieux et avions bien planifié les tâches mais nous avions sous-estimé le coût du projet. Il a fallu tout revoir avec le budget disponible. On aurait dû être plus vigilants dès le départ et, en tout cas, si c'était à refaire, je m'y prendrais autrement.

**Pilar**
Ma récente expérience m'a montré qu'il ne faut pas sous-estimer l'aspect humain dans la gestion de projet. Je viens à peine de terminer mon premier projet. Il s'agissait d'aménager un nouveau restaurant pour notre entreprise. L'équipe projet n'était pas uniquement composée d'opérationnels (architecte, décorateur, installateur...) mais aussi d'utilisateurs dont mes propres collaborateurs. Il y a eu un problème d'organisation et des conflits entre les différentes personnes alors il a fallu que je négocie en permanence avec les uns et les autres. Ça n'a pas été facile parce que je suis jeune et parce que je n'avais aucun poids hiérarchique sur les gens. Si j'avais su, je n'aurais probablement pas accepté de gérer ce projet. En effet, j'ai eu énormément de pression et de stress que je n'aurais pas pu supporter si j'étais quelqu'un de fragile.
En fait, j'aurais préféré commencer par un projet plus simple.

**Maxou**
À ta place Pilar, j'aurais déprimé aussi !
Moi, j'ai travaillé sur un projet RH au sein de mon entreprise pour l'amélioration des relations entre les générations. Nous avions les moyens financiers et les ressources humaines pour y arriver. Malheureusement, le projet avait été mal défini et mal délimité. En fait, les objectifs étaient flous et on ne savait pas très bien ce qui était attendu par la direction. Alors, nous avons avancé au jour le jour et les résultats n'ont pas été à la hauteur des ambitions de l'entreprise. Quel dommage ! Quand je pense à tout ce qu'on aurait pu faire, j'en suis malade ! Si on avait bien identifié les attentes des collaborateurs, on aurait aujourd'hui une meilleure ambiance au travail.

**Lyse**
Tout ce que vous décrivez dans vos témoignages montre bien les pièges du management de projet. Quand on est nommé chef de projet occasionnel, on ne se rend pas du tout compte de ce qui nous attend. Pour ma part, c'est plutôt au niveau de l'anticipation que j'ai eu des problèmes. En effet, nous avions bien un planning des tâches rigoureux mais nous n'avions pas anticipé les dérives ni prévu les risques. Alors, nous avons dépensé beaucoup de temps et d'énergie à trouver les actions correctives pour ne pas nous éloigner de nos objectifs. Je regrette de ne pas avoir incité davantage les techniciens en charge de la réalisation à me faire part de leurs doutes et de leurs incertitudes.

---

## 2 Retenez

**Indiquer des problèmes :**

**On avait mal évalué** la durée de chacune des étapes du projet.

Le planning **était trop** rigide pour pouvoir le modifier et l'adapter au terrain.

**On n'a pas pu respecter** les délais et **on a dû** payer des pénalités de retard.

**Nous avions sous-estimé** le coût du projet.

**Il y a eu un problème d'**organisation et des conflits entre les différentes personnes.

**Il a fallu que** je négocie en permanence avec les uns et les autres.

Le projet **avait été mal** défini et **mal** délimité.

Les objectifs **étaient flous** et **on ne savait pas très bien** ce qui était attendu par la direction.

**Nous n'avions pas anticipé** les dérives **ni prévu** les risques.

**Nous avons dépensé beaucoup de temps et d'énergie à** trouver les actions correctives.

**Pour apporter des précisions ou des explications :**

**En fait,** les objectifs étaient flous.

**En effet,** nous avions bien un planning des tâches rigoureux mais nous n'avions pas anticipé les dérives.

**Exprimer la déception ou le regret :**

**On aurait mieux fait de** prendre le temps d'analyser la faisabilité technique.

**On aurait dû** être plus vigilants dès le départ.

**Si j'avais su**, je n'**aurais** probablement pas accepté de gérer ce projet.

**J'aurais préféré** commencer par un projet plus simple.

**Quel dommage ! Quand je pense à tout ce qu'on aurait pu faire !**

**Je regrette de** ne pas avoir incité davantage les techniciens en charge de la réalisation à me faire part de leurs doutes et de leurs incertitudes.

(→ **voir Outils linguistiques, 6 p. 169**)

**Formuler des hypothèses :**

**En évaluant mal** la charge de travail, on prend le risque de mal planifier les tâches.

**Si c'était à refaire**, je m'y prendrais autrement.

**Je n'aurais pas pu** supporter la pression **si j'étais** quelqu'un de fragile.

**À ta place** Pilar, j'aurais déprimé aussi !

**Si on avait bien identifié** les attentes des collaborateurs, **on aurait** aujourd'hui une meilleure ambiance au travail.

(→ **voir Outils linguistiques, 7 p. 169**)

## 3 Passez à l'action

**1. Lancement raté.**

**Vous avez été chargé(e) de la mise au point d'un plan de communication avec des actions publicitaires pour la mise sur le marché d'un nouveau produit.**

**Étape 1 :** Vous choisissez un produit.

Vous listez des actions pour faire connaître le produit.

**Étape 2 :** Le produit a été lancé mais les ventes ne décollent pas. Vous en discutez avec votre équipe projet.

Vous faites le point sur les actions menées et vous discutez des problèmes rencontrés.

Vous exprimez votre déception.

Vous imaginez des actions correctives.

**2. Quel dommage !**

**Vous avez suivi une formation pour obtenir un diplôme / un poste ou pour intégrer une formation universitaire. Vous n'avez malheureusement pas obtenu les résultats que vous attendiez. Vous écrivez à un(e) ami(e) pour le lui annoncer. Vous lui faites part de votre déception et de vos regrets, et formulez des hypothèses sur les raisons de cet échec (votre profil, votre préparation, etc.).**

# OUTILS LINGUISTIQUES

## 1 Le subjonctif passé
**Pour exprimer une obligation ou un jugement.**

**Il faut que** ce chef de projet **ait acquis** les bonnes techniques.
**C'est important que** la personne **ait travaillé** dans le conseil et qu'elle **se soit investie** dans des projets.

Formation du subjonctif passé : *être* ou *avoir* **au subjonctif présent + participe passé du verbe**

On utilise le subjonctif passé pour exprimer l'obligation, le jugement, la volonté ou le souhait.
• Si l'action qui suit l'expression de l'obligation ou du jugement se déroule **au même moment ou après le moment de cette expression**, on utilise le **subjonctif présent.**
• Si l'action qui suit l'expression de l'obligation ou du jugement se déroule **avant le moment de cette expression**, on utilise le subjonctif passé.

Dans les exemples donnés, les actions représentées par les verbes *acquérir*, *travailler* et *s'investir* se sont déroulées avant le moment où sont exprimées les obligations.

⚠ Toutes les règles du passé composé sont valables pour le subjonctif passé (choix de l'auxiliaire, accord du participe passé, forme négative, conjugaison du verbe pronominal).

(→ Voir Tableaux de conjugaison p. 208 à 211 et Liste des participes passés les plus fréquents p. 212)

## 2 Le subjonctif dans les propositions relatives
**Pour préciser ce qu'on recherche / désire / souhaite.**

Il nous faut quelqu'un **qui ait** au moins un bac + 5.
Je voudrais quelqu'un **qui puisse** travailler sur des projets ambitieux.
Nous désirons trouver un collaborateur **dont** l'expérience **soit** significative.

On utilise le subjonctif après un pronom relatif pour exprimer un souhait / ce que l'on recherche.

⚠ Si l'action du verbe après le pronom relatif se déroule avant le verbe qui exprime le souhait alors on utilise le subjonctif passé.
*Nous voulons embaucher un jeune qui ait déjà travaillé dans une grosse entreprise.*

## 3 Ne... que
**Pour exprimer la restriction.**

Nous **n'**avons **qu'**une assistante médicale.
Vous **n'**avez **que** des dossiers papier.

Formation : **Sujet + ne / n' + verbe + que**

L'expression *ne... que* est une expression négative pour exprimer **la restriction**.
Elle encadre toujours le verbe.

*Je ne travaille que lundi.*
*Je n'ai travaillé que lundi.*
*Je ne vais travailler que lundi.*

⚠ On peut utiliser *seulement* à la place de *ne... que*.
*Vous avez seulement des dossiers papier.*

## 4 *De plus en plus, de moins en moins*

**Pour exprimer une progression ou une régression.**

| | |
|---|---|
| Nous avons de plus en plus de **patients** et de moins en moins d'**espace de stockage**. | **Nous travaillons** de plus en plus. |
| de plus en plus + de + **nom**<br>de moins en moins + de + **nom** | **Verbe** + de plus en plus<br>**Verbe** + de moins en moins |

## 5 L'adverbe *beaucoup*

**Pour exprimer l'intensité ou une quantité importante.**

| | |
|---|---|
| Du coup, ça a demandé beaucoup plus de **temps** que prévu.<br>**Beaucoup de problèmes** sont apparus. | Le directeur général **a découvert** le projet beaucoup trop tard. |
| **Pour exprimer une quantité importante :**<br><br>Beaucoup de + **nom au singulier ou au pluriel** | **Pour exprimer une intensité :**<br><br>Verbe + beaucoup<br>Verbe + beaucoup trop<br><br>⚠ Avec un verbe composé :<br>auxiliaire + ***beaucoup*** + participe passé. |

## 6 Le conditionnel passé

**Pour exprimer un regret ou un reproche.**

On **aurait** mieux **fait** de prendre le temps d'analyser la faisabilité technique.
On **aurait dû** être plus vigilants dès le départ.
J'**aurais préféré** commencer par un projet plus simple.

**Pour exprimer un regret ou un reproche**, on utilise les verbes *pouvoir*, *devoir* et des verbes exprimant le souhait (*vouloir*, *aimer*, *préférer*, *souhaiter*...) au **conditionnel passé**.
⚠ On peut aussi utiliser le conditionnel passé pour **imaginer une situation passée**.

## 7 L'expression de l'hypothèse irréelle

| | |
|---|---|
| **Si** c'était à refaire je m'y **prendrais** autrement. Je n'**aurais** pas **pu** supporter la pression si j'étais quelqu'un de fragile. | **Si** on **avait** bien **identifié** les attentes des collaborateurs, on **aurait** aujourd'hui une meilleure ambiance au travail.<br>**Si** j'**avais su**, je n'**aurais** probablement pas **accepté** de gérer ce projet. |
| **Pour exprimer une hypothèse irréelle située dans le présent, on utilise :**<br>**Si** + imparfait + conditionnel présent<br>(si la conséquence se situe dans le présent ou l'avenir)<br>**Si** + imparfait + conditionnel passé<br>(si la conséquence se situe dans le passé) | **Pour exprimer une hypothèse irréelle située dans le passé, on utilise :**<br>**Si** + plus-que-parfait + conditionnel présent<br>(si la conséquence se situe dans le présent)<br>**Si** + plus-que-parfait + conditionnel passé<br>(si la conséquence se situe dans le passé) |

# ENTRAÎNEZ-VOUS

## 1. Critères importants

**Conjuguez les verbes entre parenthèses au subjonctif passé pour indiquer les souhaits.**

Nous aimerions avoir une nouvelle patronne.

1. Nous voulons qu'elle (gagner) beaucoup de contrats.
2. Il faut qu'elle (avoir) des expériences significatives dans d'autres entreprises.
3. C'est important qu'elle (déjà occuper) ce type de poste.
4. C'est bien qu'elle (étudier) à l'étranger.
5. Il est nécessaire qu'elle (déjà s'investir) dans des projets ambitieux.
6. Les collaborateurs souhaitent qu'elle (bien comprendre) les particularités de notre entreprise.

## 2. On peut toujours rêver !

**Transformez la réalité en rêve ou souhait en utilisant le subjonctif puis trouvez d'autres exemples (*j'ai une voiture, un bureau, un patron*, etc.).**

Exemple : **1.** Je voudrais un collègue qui fasse son travail.

Réalité : J'ai un collègue…

1. qui ne fait pas son travail.
2. qui ne dit jamais bonjour.
3. avec qui je ne m'entends pas.
4. sur qui je ne peux pas compter.
5. qui ne sait pas faire de tableaux Excel.
6. dont le caractère est insupportable.

## 3. Envie d'ailleurs

**Choisissez entre *de plus en plus (de)* ou *de moins en moins (de)* pour compléter les phrases du message.**

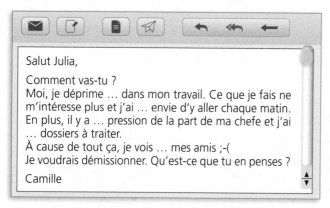

Salut Julia,

Comment vas-tu ?
Moi, je déprime … dans mon travail. Ce que je fais ne m'intéresse plus et j'ai … envie d'y aller chaque matin. En plus, il y a … pression de la part de ma chefe et j'ai … dossiers à traiter.
À cause de tout ça, je vois … mes amis ;-(
Je voudrais démissionner. Qu'est-ce que tu en penses ?

Camille

## 4. Retour sur le passé

**Paola est assistante commerciale mais aurait voulu être hôtesse de l'air. Imaginez sa vie si elle avait pu réaliser son rêve.**

Exemple : Elle aurait dû apprendre l'anglais…

## 5. Avec des *si*

**Reconstituez les commentaires des membres d'une équipe projet. Utilisez les formes de l'hypothèse passée (*si* + plus-que-parfait + conditionnel passé).**

1. (le projet) être bien délimité / (on) ne pas rencontrer de problèmes
2. (on) avoir plus de temps / (on) pouvoir améliorer notre produit
3. (nos clients) demander quelque chose de plus simple / (on) ne pas avoir autant de difficultés à concevoir le produit
4. (nous) se fixer des objectifs clairs / (on) ne pas se décourager rapidement
5. (notre chef de projet) ne pas savoir nous diriger / (on) ne pas finir à temps

# TESTEZ-VOUS

## 1. Une offre d'emploi

**Lisez l'offre d'emploi et choisissez la bonne réponse.**

### Offre d'emploi

**Poste : Chef(e) de projets**

Dans le cadre de l'accroissement de nos activités au sein de notre Agence Distribution, nous recherchons un(e) Chef(e) de projets pour renforcer nos équipes. Vous serez rattaché(e) à un Directeur de projets.

**Vos missions**

– respect du cahier des charges
– affectation des tâches
– mise à jour des plannings
– suivi de la qualité des livrables
– analyse et suivi des risques
– reporting en interne

**Profil recherché**

De formation bac + 5, vous justifiez d'une expérience significative dans le pilotage de projets.

Vous êtes doté(e) d'un excellent sens relationnel, vous avez de fortes capacités en communication et en organisation.

★ 🖶 ✉                                    **Postuler** ▷

Le / La chef(e) de projet devra :
a. élaborer un cahier des charges.
b. gérer la relation client.
c. faire réaliser les travaux nécessaires.
d. suivre les coûts.

## 2. Un site intéressant

**Lisez le sommaire d'un site Internet sur la gestion de projet et dites dans quelle partie vous pourrez trouver une réponse à vos questions.**

**GESTION DE PROJET**

**SOMMAIRE**

1. Définition d'un projet
2. Élaboration du cahier des charges / d'une note de cadrage
3. Équipe projet
4. Planification d'un projet
5. Reporting
6. Budgétisation
7. Risques

a. Vous voulez savoir quels sont les acteurs d'un projet.    n° ...
b. Vous voulez savoir comment identifier les besoins d'un client.    n° ...
c. Vous souhaitez faire une estimation des coûts.    n° ...
d. Vous voulez savoir comment affecter les ressources aux tâches.    n° ...
e. Vous voulez connaître l'état d'avancement d'un projet.    n° ...

## 3. Équipe projet ⊙ Mes audios ▶ 38

**Écoutez ces cinq personnes. Identifiez l'intention de chacune d'elles.**

Personne 1
Personne 2
Personne 3
Personne 4
Personne 5

A. Décrire des fonctions d'encadrement
B. Décrire un profil recherché
C. S'opposer à la proposition de quelqu'un
D. Interroger sur des besoins
E. Décrire une situation problématique
F. Indiquer une bonne compréhension
G. Exprimer la déception et le regret
H. Parler de l'état d'avancement d'un projet

# Repères professionnels

# Le **rapport** et le **compte rendu**

Il existe différents types de rapports comme, par exemple, les rapports d'activité, techniques, de recherche, de projet ou encore de visite d'entreprise ou de stage.

Le **rapport professionnel** est un document technique qui décrit des faits, une situation ou des événements. Son auteur rapporte des informations, émet un avis critique et formule des propositions d'action ou des mesures à prendre. Il prépare les décisions des responsables auxquels le rapport est destiné.

Dans un **compte rendu**, on expose des faits sans faire de proposition ou présenter de solution.

1. **Lisez le rapport de projet suivant et comparez-le avec le compte rendu de réunion de la p. 54.**

2. **Indiquez si les affirmations ci-dessous concernent le compte rendu et/ou le rapport ou ni l'un ni l'autre.**

| RAPPORT DE PROJET | Développement d'une application intranet pour la gestion de l'affectation des étudiants par classe de niveau de langue |
|---|---|

**1 Présentation du projet et objectifs**
Le projet a pour but d'améliorer l'ergonomie et le visuel de l'application existante de gestion de l'affectation des étudiants par niveau de langue.

**2 Élaboration du cahier des charges**
Le cahier des charges repose sur deux objectifs principaux :
» réaliser une application simple d'utilisation destinée à des utilisateurs peu expérimentés en informatique ;
» proposer une interface où les services concernés (enseignants, services administratifs) peuvent visualiser rapidement les données dont ils ont besoin.

**3 Élaboration du projet**
Le projet a été découpé en plusieurs phases de travail afin de planifier et répartir les tâches entre les membres de l'équipe projet : réalisation des bases de données, implémentation dans le logiciel et création des formulaires permettant la saisie des informations relatives aux étudiants et aux cours.

**4 État final du projet**
L'ensemble des formulaires de saisie de données est opérationnel. Les enseignants et les services administratifs ont un accès de lecture à toutes les informations mais ne peuvent pas les modifier.

**5 Propositions d'améliorations possibles**
L'application est fonctionnelle mais il reste néanmoins des points à améliorer. Lors de la saisie des formulaires, certains champs ne possèdent pas de contrôle de saisie (exemple : caractères au lieu de chiffres pour la date de naissance). On pourrait implémenter l'outil Google Maps pour permettre la géolocalisation des étudiants à des fins statistiques et ajouter un module « mail intégré » permettant l'envoi de courrier électronique par les utilisateurs aux étudiants.

| | Compte rendu | Rapport | Ni l'un ni l'autre |
|---|---|---|---|
| 1. C'est le supérieur hiérarchique qui rédige le document. | | | |
| 2. Le plan du document est structuré (titres, sous-titres...). | | | |
| 3. L'émetteur du document fait une proposition / donne un avis. | | | |
| 4. Le document peut être présenté de deux manières différentes. | | | |
| 5. Le document contient les noms des personnes présentes, absentes et excusées ainsi que leur fonction. | | | |
| 6. Le document donne tous les détails sur le déroulement de la séance. | | | |
| 7. Le document est destiné seulement à un supérieur hiérarchique. | | | |

# Le **management** à la française

↘ **Comment voyez-vous votre chef(e) / votre supérieur(e) ou un(e) chef(e) / un(e) supérieur(e) hiérarchique de votre pays ?**

**1. Lisez les affirmations suivantes puis cochez la colonne qui correspond à votre réponse.**

| | Oui | Non | Ça dépend |
|---|---|---|---|
| 1. Il / Elle met l'accent sur la performance et les résultats. | ☐ | ☐ | ☐ |
| 2. L'équipe apprécie son savoir-vivre vis-à-vis de ses collaborateurs. | ☐ | ☐ | ☐ |
| 3. Pour lui / elle, le travail collaboratif est primordial. | ☐ | ☐ | ☐ |
| 4. Sa vie professionnelle est prioritaire. | ☐ | ☐ | ☐ |
| 5. Il / Elle privilégie les relations individuelles à la performance pour attribuer une promotion. | ☐ | ☐ | ☐ |
| 6. Il / Elle reconnaît la contribution de ses collaborateurs. | ☐ | ☐ | ☐ |
| 7. Il / Elle communique bien avec ses collaborateurs. | ☐ | ☐ | ☐ |
| 8. Il / Elle fixe des objectifs précis à ses collaborateurs. | ☐ | ☐ | ☐ |
| 9. Il / Elle sait déléguer les tâches. | ☐ | ☐ | ☐ |
| 10. Il / Elle laisse beaucoup de liberté à ses collaborateurs. | ☐ | ☐ | ☐ |

**2. Lisez les commentaires ci-dessous sur le « management à la française ». Que constatez-vous ?**

**3. Faites le portrait du / de la chef(e) idéal(e) selon vous.**

**Commentaires**

1. En France, le manager met l'accent sur les résultats. Il y a une réelle culture de la performance dans les entreprises françaises : c'est le principal facteur pour évoluer.

2. Le savoir-vivre des managers français est apprécié des cadres étrangers.

3. En fait, le mode de formation en France fait émerger des élites et cela peut créer un fort individualisme et des difficultés à travailler en groupe

4. Les managers français cherchent plutôt à établir un bon équilibre entre leur vie privée et leur vie professionnelle.

5. Le manager français a tendance à privilégier les relations individuelles aux résultats pour décider des promotions.

6. / 7. Les salariés français se plaignent que leurs chefs ne prennent pas en compte leurs activités professionnelles et ne reconnaissent pas assez leurs efforts.

8. / 9. / 10. Si le manager français ne fixe pas d'objectifs trop précis à ses collaborateurs, c'est parce que cela serait vécu comme une remise en cause de la connaissance de leur métier. C'est pourquoi il leur laisse beaucoup d'autonomie dans l'organisation de leur travail.

# Informez / Informez-vous

**B2**

## Pour être **capable de/d'**

⟩ **échanger à propos d'un conflit social**
⟩ **comprendre / communiquer des informations du domaine économique ou de l'entreprise**
⟩ **participer à une discussion ou un débat**
⟩ **faire un exposé**

## Vous allez **apprendre à**

⟩ décrire un conflit social
⟩ exprimer la colère / l'exaspération
⟩ menacer
⟩ exprimer la détermination
⟩ exprimer une intention / non intention
⟩ rapporter une information non confirmée
⟩ citer les auteurs d'une information
⟩ indiquer des actions concrètes
⟩ donner des éléments d'un parcours / profil professionnel
⟩ annoncer un plan, un déroulement
⟩ décrire un processus
⟩ définir / expliquer
⟩ introduire une information complémentaire
⟩ donner la parole dans une réunion formelle
⟩ justifier une décision / un choix
⟩ souligner une opposition / des critiques
⟩ exprimer la crainte / l'inquiétude

## Vous allez **utiliser**

⟩ les prépositions (synthèse)
⟩ la nominalisation
⟩ le passé simple (sensibilisation)
⟩ les connecteurs du discours
⟩ l'expression de la concession (suite)

Mes vidéos
▸Chronoflex : une entreprise sans chef

# A Salariés en colère !

Vous êtes journaliste pour une radio. Vous devez intervenir une minute pendant les informations pour parler de la grève au sein de l'entreprise KMR. Vous êtes sur place avec un collègue journaliste qui interroge les salariés.

 **1.** **Écoutez les échanges et prenez des notes puis préparez votre intervention à la radio.**

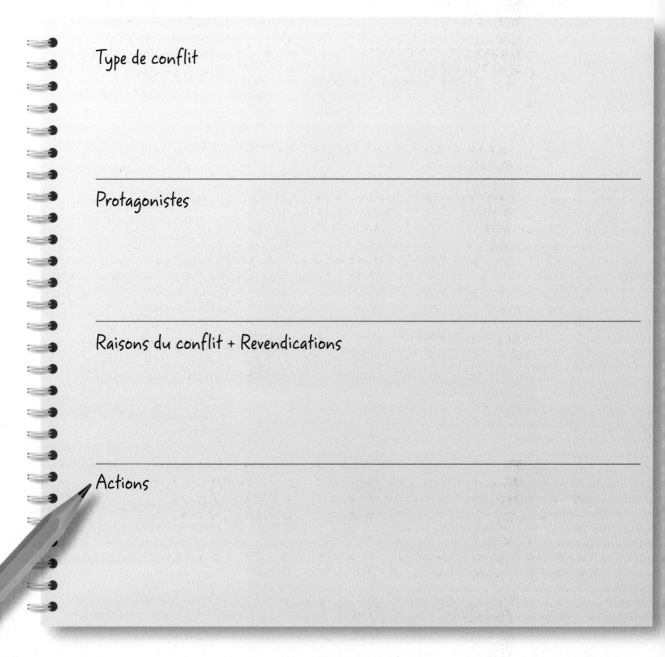

Type de conflit

Protagonistes

Raisons du conflit + Revendications

Actions

 **2.** **Enregistrez votre intervention.**

# 2 Retenez

**Pour décrire un conflit social :**
Les salariés de KMR **sont en grève.**
**L'activité est complètement arrêtée ?**
Il y a eu **une assemblée générale des salariés.**
On a décidé de **ralentir l'activité en organisant des débrayages.**
**Une manifestation** est également prévue.
La direction a **entamé des négociations** avec les délégués syndicaux et les élus du personnel.

**Pour exprimer la colère / l'exaspération :**
Ça commence à bien faire !
On en a marre !
C'est insupportable !
Ça ne peut plus continuer comme ça !
Trop, c'est trop !

**Pour indiquer les raisons d'une contestation :**
**Nous sommes opposés à** la stratégie économique de la direction.
**Nous protestons contre** la restructuration de l'entreprise.
**Nous réclamons** la démission du directeur.

**Pour menacer :**
**Ils ont intérêt à** nous écouter **sinon** nous occuperons l'usine et paralyserons toute l'activité.
**Si nous n'obtenons pas satisfaction, alors** nous cesserons complètement le travail.

**Pour exprimer la détermination :**
Nous n'avons plus rien à perdre.
Nous sommes déterminés à nous battre.
Nous sommes prêts à tout.

# 3 Passez à l'action

### 1. Trop c'est trop !

**Vous êtes en charge d'un dossier important avec un(e) autre collègue mais celui-ci / celle-ci n'est pas très coopératif(ive) et vous retarde dans le travail. Vous vous en plaignez dans un mail à un(e) ami(e) / un(e) autre collègue.**
**Vous relatez les faits, vous exprimez votre exaspération, vous formulez des menaces et vous lui demandez conseil.**

### 2. Réunion d'entente.

**Vous travaillez dans une petite entreprise. Vos collègues et vous n'êtes pas satisfaits de vos conditions de travail. Vous vous réunissez avant de rencontrer votre patron.**
**Faites le point sur :**
- les raisons de votre mécontentement ;
- vos revendications ;
- les actions que vous envisagez si vous n'obtenez pas ce que vous souhaitez.

## 1 Réalisez la tâche

Vous travaillez au centre de documentation d'une entreprise de téléphonie et vous êtes chargé(e) de la veille concurrentielle. Pour cela, vous devez repérer dans la presse en ligne les articles concernant les entreprises de votre secteur et informer vos collègues.

**Lisez les articles sélectionnés et faites un résumé de chacun en quelques lignes pour la page presse intranet de votre entreprise.**

---

❶

### vivendi souhaiterait monter à 20 % dans le capital de TELECOM ITALIA

**Le groupe Vivendi**[1] souhaiterait porter sa participation dans Telecom Italia à environ 20 % contre 15,5 % actuellement, affirme le quotidien *Les Échos*. Le groupe de médias serait en train de rechercher des blocs d'actions de l'opérateur télécoms italien et discuterait avec le gouvernement italien afin que cela se passe sans heurts avec lui. Cette opération porterait sur environ un milliard d'euros. Pour autant, Vivendi n'entend pas viser trop haut et n'envisage pas d'OPA[2].

Le quotidien explique que cette montée au capital, qui a peut être déjà eu lieu, a un double intérêt : faire un bon placement financier et rentabiliser des contenus chers fabriqués par ses filiales Canal+ et Universal Music.

Telecom Italia dispose en effet de 150 millions d'abonnés dans le monde.

*Les Échos* rapportent aussi que le patron du groupe aurait souhaité garder le contrôle de SFR[3], mais qu'il n'était plus possible de le faire lorsqu'il a pris la direction de Vivendi.

D'après zonebourse.com

1. Groupe français spécialisé dans la communication et le divertissement
2. Offre publique d'achat
3. Opérateur de télécommunications français

---

❷

Crédit photo : archives, Agence QMI

Vidéotron, filiale de Québecor, a choisi un cadre travaillant à la société mère pour atteindre ses objectifs financiers. Hugues Simard, qui œuvre chez Québecor depuis 1998, a été nommé au poste de vice-président principal et chef de la direction financière de l'entreprise de télécommunications canadienne. Il sera notamment responsable de l'exécution du plan financier.

La présidente et chefe de la direction de Vidéotron, Manon Brouillette, s'est réjouie d'accueillir M. Simard au sein de son équipe de direction : « Il a livré divers projets corporatifs d'envergure et s'est forgé une solide réputation au sein du groupe Québecor par son professionnalisme, sa clairvoyance et son honnêteté » a déclaré Mme Brouillette. « Par sa feuille de route considérable en gestion stratégique et sa vaste expérience comme haut dirigeant d'entreprise, il mérite pleinement l'important mandat qui lui est confié.»

Avant sa nomination, M. Simard occupait la fonction de chef de la direction financière de Corporation Sun Media. Au fil de sa carrière, il fut notamment président de Netgraphe Inc et dirigea Commercial Printing Group de Quebecor World Inc.

D'après tvanouvelles.ca

---

❸

**P**our diminuer les impacts des activités du Groupe sur l'environnement, Orange a mis en œuvre des systèmes de gestion des déchets adaptés. Ainsi, deux guides de référence ont été élaborés : un pour l'Europe et un pour l'Afrique et le Moyen-Orient. Ils permettent à chaque entité du groupe Orange la maîtrise de toutes les étapes du processus de gestion des déchets : inventaire et classement, gestion des filières de collecte et de traitement, traçabilité et transparence de ces filières, aspects contractuels et veille juridique. Orange met en place des dispositifs de collecte des téléphones usagés de ses clients particuliers, avec diverses actions adaptées aux pays ciblés : partenariats avec des associations de collecte, campagnes de collecte éco-citoyenne, rachat d'anciens équipements. En Afrique, Orange encourage la création de partenariats pour favoriser la mise en place d'initiatives locales.

D'après orange.com

## 2 Retenez

**Pour donner des éléments d'un parcours professionnel :**
Hugues Simard, qui **œuvre chez** Québecor **depuis** 1998, **a été nommé au poste de** vice-président principal…
Au fil de sa carrière, il **fut notamment président de** Netgraphe Inc et **dirigea** Commercial Printing Group de Quebecor World Inc.

(→ **voir Outils linguistiques, 3 p. 185**)

**Pour décrire un profil professionnel (exceptionnel) :**
Il a livré **divers projets corporatifs d'envergure** et s'est forgé une **solide réputation** au sein du groupe par son **professionnalisme**, sa **clairvoyance** et son **honnêteté**.
Par sa **feuille de route considérable** en gestion stratégique et sa **vaste expérience** comme haut dirigeant d'entreprise…

(→ **voir Outils linguistiques, 2 p. 184**)

**Pour exprimer une intention ou une non intention :**
Le groupe Vivendi **souhaiterait** porter sa participation dans Telecom Italia à environ 20 %.
Vivendi **n'entend pas** viser trop haut et **n'envisage pas** d'OPA.

**Pour citer les auteurs d'une information :**
Le groupe Vivendi… **affirme** le quotidien *Les Échos*.
Le quotidien **explique que**…
*Les Échos* **rapportent** aussi **que**…

**Pour rapporter une information non confirmée :**
Le groupe de médias **serait** en train de rechercher des blocs d'actions de l'opérateur télécoms italien et **discuterait** avec le gouvernement italien.
Cette opération **porterait** sur environ un milliard d'euros.
Cette montée au capital, qui **a peut-être** déjà eu lieu, a un double intérêt.
Le patron du groupe **aurait souhaité** garder le contrôle de SFR.

**Pour indiquer des actions concrètes :**
Orange **a mis en œuvre** des systèmes de gestion des déchets.
Deux guides de référence **ont été élaborés**.
Orange **met en place** des dispositifs de collecte des téléphones usagés avec **diverses actions** adaptées aux pays ciblés.
Orange **encourage la création** de partenariats.

**La bourse**

| | |
|---|---|
| une action / un actionnaire | une OPA |
| un bloc (d'actions) | une opération |
| un capital | une participation |
| une filiale | un placement financier |

⊙ Mes documents ▸ Lexique de la finance

## 3 Passez à l'action

### 1. J'ai des infos.

**Vous êtes au courant d'une information intéressante. Vous appelez un(e) collègue / ami(e) pour lui en faire part.**

**VOUS**
- Vous saluez votre collègue / ami(e) et vous lui donnez le motif de votre appel.
- Vous répondez aux questions de votre collègue / ami(e) avec prudence (certaines informations n'ont pas été confirmées ; vous en citez les auteurs).

**LE / LA COLLÈGUE / L'AMI(E)**
- Il / Elle vous pose des questions pour en savoir plus.
- Il / Elle réagit.

### 2. Nomination.

**Une nomination importante a eu lieu dans votre entreprise / votre université. Vous êtes chargé(e) de rédiger un article pour le journal de votre entreprise / université afin de présenter la personne promue. Vous décrivez son profil, ses compétences et les actions concrètes qu'il / elle a réalisées.**

# C Je fais le point !

Vous souhaitez faire le point sur votre carrière. Vous assistez à une table ronde sur le bilan de compétences.

1. **Écoutez les échanges et prenez des notes pour remplir la fiche que vous avez préparée.**

## Bilan de compétences

Bénéficiaires ............................................................

Prix ............................................................

Objectifs du BC ............................................................

............................................................

Démarche du BC ............................................................

............................................................

............................................................

Durée ............................................................

Raisons pour passer un BC ............................................................

............................................................

............................................................

2. **Donnez votre avis sur le bilan de compétences.**

## 2 Retenez

**Pour annoncer un plan, un déroulement :**
**Pour commencer**, je vais laisser la parole à Hervé Soler.
**Ensuite, nous verrons / aborderons** des cas concrets.
**Puis nous terminerons par** vos questions.
**Pour conclure**, pouvez-vous faire une synthèse ?

**Pour limiter le temps de parole dans une réunion formelle :**
**Je vous demanderais d'être bref** car il nous reste peu de temps.
**Le temps qui nous est imparti est** bientôt **écoulé**.
**Il nous reste juste quelques minutes pour** des questions…

**Pour définir / expliquer :**
Le bilan de compétences, **c'est** un dispositif.
**Il s'agit d'**un accompagnement sur-mesure.
C'est une phase qui **consistera à** analyser le parcours professionnel de la personne.
La dernière phase **va correspondre à** la construction du plan d'action.

**Pour décrire le résultat d'une expérience :**
**Cela m'a permis de** valider mes atouts.
**Ça m'a rassurée.**
**Ça m'a donné l'occasion de** me recentrer sur mes aspirations.

**Pour résumer :**
**En fait**, c'est la phase de connaissance de soi.
**Bref**, ça m'a rassurée.
**En fin de compte**, cette démarche permet de renforcer la confiance en soi.

**Pour donner la parole dans une réunion formelle :**
**Je vais laisser la parole à** Hervé Soler.
**Je vais maintenant céder la parole à** Laurence Olivier.
**Je reviens vers** vous, Hervé Soler.

**Pour décrire un processus :**
La démarche se fait **en trois étapes**.
**En premier lieu**, il y a une phase préliminaire.
**Suite à** cet entretien, il y a une deuxième phase dite « d'investigation ».
**Une fois** le projet défini, on entre dans la troisième et dernière phase.
**À l'issue du** bilan de compétences, le consultant remettra un document.

**Pour justifier une décision / un choix :**
**Je sentais que** ma carrière stagnait et **j'avais envie de** lui donner une nouvelle dynamique.
**J'étais tentée par** l'auto-entreprenariat.
**Je voulais** avoir la maîtrise de mes décisions.
**Je souhaitais** changer de métier.
**Je ne trouvais plus de** sens.
**J'avais envie de** faire le point sur mes aptitudes.

**Pour illustrer ou apporter une information complémentaire :**
**Je tiens à préciser** qu'il est gratuit.
Analyser le parcours professionnel de la personne avec **notamment** l'identification de ses compétences et de ses valeurs.
**En outre**, six mois après le bilan, on propose un entretien.
**Par ailleurs**, j'étais tentée par l'auto-entreprenariat.
**D'ailleurs**, quand j'ai des doutes, je relis la synthèse.

## 3 Passez à l'action

**1. Une table ronde.**
**Avec 3 ou 4 autres personnes (RRH, consultant, ex-demandeurs d'emploi, etc.), vous organisez une table ronde sur la recherche d'emploi.**
Étape 1 : Vous désignez un animateur et déterminez le déroulement de la table ronde, la durée des interventions et leur contenu.
Étape 2 : Vous réalisez la table ronde. Vous pouvez l'enregistrer.

**2. Mon projet professionnel.**
**Vous avez un projet professionnel et vous voulez faire un bilan de compétences. Vous écrivez une lettre de demande à votre RH ou vous écrivez un mail à un(e) ami(e) en justifiant votre décision.**

# D Débat d'idées

Dans le cadre d'un colloque, vous devez préparer un débat sur l'économie collaborative. Vous vous documentez sur le sujet.

**Lisez les articles et les commentaires des internautes et faites une synthèse des informations les plus importantes.**

---

**Crise :** la consommation collaborative, un moyen d'améliorer le pouvoir d'achat

Partager sa voiture, louer son appartement ou sa chambre vide, investir avec d'autres dans le projet d'un entrepreneur... Et si la consommation collaborative était l'avenir ?

Grâce à Internet, notamment, qui met en relation des gens qui préfèrent l'usage à la propriété, il devient possible de ne payer que ce qu'on consomme.

Comment ? En louant à autrui ce dont on a besoin pendant une durée déterminée.

Un exemple parlant : la voiture coûte en moyenne 5 500 euros par an alors qu'elle n'est utilisée que 8 % du temps. En ville et en banlieue, pourquoi s'évertuer à posséder une voiture si se contenter de l'usage coûte moins et est plus pratique ? Et que dire du covoiturage ? Aujourd'hui, plus de deux millions de Français y ont recours. Logiquement, le partage s'est plus rapidement développé pour la voiture car ce bien coûte cher et est peu utilisé. Mais la tendance va progressivement se généraliser.

Avec le logement par exemple : dormir chez l'habitant n'est pas seulement l'apanage des jeunes fauchés. Pour un couple qui veut son petit confort, il peut être intelligent de louer chez un particulier au lieu d'aller à l'hôtel.

Quand on a une grande maison, de nombreuses pièces vides pourraient être utilisées : c'est à la fois une façon de rendre service, de se faire un peu d'argent et de rencontrer de nouvelles personnes. Plus globalement, on va progressivement prendre conscience qu'au-delà de la force de travail, nos ressources sont quasi illimitées, elles ne s'arrêtent pas au matériel : contre rémunération ou en échange de service, on peut apporter du temps, des compétences, de l'argent... L'économie collaborative, c'est tout ça : c'est une opportunité de devenir acteur de sa consommation, de ses projets, de sa vie. ∎

*D'après leplus.nouvelobs.com*

---

## Le succès de l'économie **collaborative**, miroir de la crise de l'emploi peu qualifié

Pour la première fois de sa courte histoire, ce qu'il est convenu d'appeler l'économie collaborative est sous le feu des critiques. De Paris à New York en passant par New Delhi, le monde s'inquiète d'une « uberisation »* de la société. Jusqu'à très récemment pourtant, l'économie collaborative, qui recouvre une réalité très hétérogène, allant de la consommation collaborative (échange et troc, covoiturage, places de parking partagées, etc.) aux financements dits « participatifs » (crowdfunding, prêts entre particuliers, etc.) avait été l'objet de toutes les louanges. Mais, en quelques mois, voici cette même économie collaborative devenue la cible préférée d'un nombre croissant d'observateurs : syndicats s'indignant contre la précarisation du travail, entreprises installées dénonçant une concurrence déloyale, responsables politiques s'inquiétant des risques pour le consommateur.

La cause de ce retournement : l'économie collaborative est en passe de transformer non plus seulement nos modes de consommation mais, de manière plus fondamentale, les relations à l'emploi et à l'activité. Dès qu'ils touchent au travail, ces nouveaux modèles économiques sont en effet souvent décriés comme étant l'aboutissement d'un capitalisme qui cherche méthodiquement de nouveaux gisements de création de valeur, casse les acquis sociaux du salariat et conduit à faire baisser les prix des services.

Ces débats sont sans doute inévitables tant l'introduction de nouveaux modèles économiques et technologiques bouleversent nos habitudes. ●

*D'après lopinion.fr*

---

### Ajoutez un commentaire

Quoi qu'on en dise, l'économie collaborative peut créer beaucoup d'emplois et raccourcir les circuits. En effet, en recourant à des services de consommation collaborative pour le transport et l'équipement ménager par exemple, ou en permettant la revente de biens durables sur des plateformes, le système contribue à faire baisser les prix. En dépit de cela, certains contestent ce modèle économique de crainte de perdre leurs acquis encore qu'ils soient ravis de payer des « petits services » moins chers.
**Jérémy Turin**

C'est anormal que l'économie collaborative échappe aux lois et aux réglementations. À la différence des utilisateurs de l'économie collaborative qui n'ont pas de charges, les commerçants ont des taxes à payer et des normes à respecter. C'est une concurrence déloyale. Quand bien même elle permettrait de faire faire des économies aux ménages modestes, je crains qu'elle soit surtout une source d'enrichissement pour ceux qui détiennent des actions.
**Anaïs Britt**

On a beau se réjouir de l'effet communautaire et solidaire, il faut néanmoins être prudent. On peut craindre en effet une dérive, par exemple, certains sites de transport et d'hébergement engendrent des profits et n'ont plus rien à voir avec une économie de partage. Au risque de choquer, je dirais que les dirigeants d'entreprises de l'économie collaborative sont souvent des hommes d'affaires redoutables qui surfent sur un discours communautaire et j'ai bien peur que ce modèle économique creuse encore plus les inégalités.
**Joseph Grot**

---

\* L'uberisation est un changement rapide des rapports de forces grâce au numérique. Elle a pour conséquence de déstabiliser et transformer rapidement un secteur d'activités. Ce terme vient de la société de voitures de transport avec chauffeur UBER

# 2 Retenez

**Pour souligner une opposition / des critiques :**
L'économie collaborative est **sous le feu des critiques**.
Voici cette même économie collaborative devenue
**la cible préférée** d'un nombre croissant d'observateurs :
syndicats **s'indignant contre** la précarisation du travail,
entreprises installées **dénonçant** une concurrence
déloyale…
Dès qu'ils touchent au travail, ces nouveaux modèles
économiques **sont** en effet souvent **décriés**.

**Pour exprimer la crainte / l'inquiétude :**
Le monde **s'inquiète d'**une « uberisation » de la société.
Certains contestent ce modèle économique **de crainte
de** perdre leurs acquis.
**Je crains qu'**elle soit surtout une source
d'enrichissement.
**On peut craindre** une dérive…
**J'ai bien peur que** ce modèle économique creuse
encore plus les inégalités.

**L'économie**

une activité
un acquis social
un bien (durable)
le capitalisme
un circuit
une création de valeur
une crise
une concurrence (déloyale)

une consommation
un échange
une économie (collaborative / circulaire / solidaire / de partage)
un enrichissement
un financement
un modèle économique
une précarisation
un service

# 3 Passez à l'action

**1. Un blog intéressant.**
**Vous faites partie d'un groupe de réflexion sur des sujets de société. Vous souhaitez rédiger un article
sur l'économie collaborative pour le blog de votre groupe. Vous utilisez les idées contenues dans les
différents documents de la page 182 ainsi que votre propre opinion pour structurer votre article.**

**2. Débat d'idées.**
**Vous devez préparer un exposé sur un sujet d'actualité qui vous intéresse.**
Étape 1 : Vous recherchez des informations sur le sujet.
Étape 2 : Vous faites une synthèse des grandes idées et vous les mettez en forme sur un document
PowerPoint.
Étape 3 : Vous les présentez à votre groupe en vous aidant de votre document PowerPoint.

# OUTILS LINGUISTIQUES

## 1 Les prépositions

Les salariés **de** KMR sont **en** grève.

Nous protestons **contre** la restructuration.

La direction a entamé des négociations **avec** les délégués syndicaux **dans** le but **de** trouver un arrangement.

Nous sommes prêts **à** tout.

---

**Les prépositions introduisent un nom, un verbe, un adjectif ou un pronom.**

**Ce sont des mots invariables.**

Le choix de la préposition dépend du sens de la phrase.

La préposition peut à elle seule donner un sens différent à une phrase.

*Le délégué a parlé à notre patron. / Le délégué a parlé de notre patron. / Le délégué a parlé après notre patron. / Le délégué a parlé pour notre patron.* Etc.

---

### Liste des prépositions

à, après, avant, avec, chez, contre, dans, de, depuis, dès, derrière, devant, en, envers, jusque, malgré, par, pendant, pour, sans, selon, sous, sur, vers

## 2 La nominalisation

**Pour alléger et simplifier des phrases.**

**Pour nommer des actions ou des caractéristiques.**

Ils permettent à chaque entité du groupe **de maîtriser** toutes les étapes du processus.

Avant **qu'on le nomme / qu'il soit nommé**, M. Simard occupait la fonction de chef de la direction financière.

**On classe** et **on gère** des filières de collecte.

**On rachète** de nouveaux équipements.

**NOMINALISATION**

Ils permettent à chaque entité du groupe **la maîtrise** de toutes les étapes du processus.

Avant **sa nomination**, M. Simard occupait la fonction de chef de la direction financière.

**Classement** et **gestion** des filières de collecte.

**Rachat** d'anciens équipements.

---

Il s'est forgé une solide réputation au sein du groupe **parce qu'il est professionnel** et **parce qu'il est clairvoyant**.

Les filières de collectes **doivent être traçables et transparentes**.

**NOMINALISATION**

Il s'est forgé une solide réputation au sein du groupe par **son professionnalisme** et **sa clairvoyance**.

**Traçabilité** et **transparence** des filières de collecte…

---

**La nominalisation consiste à transformer une partie d'une phrase en un nom.** Elle se fait à partir d'un verbe ou d'un adjectif. Pour nominaliser, on utilise généralement des suffixes.

| Base verbale | Base adjective |
|---|---|
| + | + |

**Suffixes : -tion / -ation / -sion / -ion / -xion / -ment / -age / -ade / -ure / -ise**

⚠ Certaines nominalisations se font à partir du féminin du participe passé. *Mise en place / Montée*

⚠ Certains verbes ont deux nominalisations qui correspondent à deux sens différents du verbe.

*Payer ➝ paie / paiement*

*Changer ➝ change / changement*

*Essayer ➝ essayage / essai*

**Suffixes : -ité / -té / -ce / -esse / -ie / -rie / -ise / -itude / -eur / -isme**

## 3 Le passé simple

### Pour parler d'un événement passé dans un écrit.

Il **fut** président de Netgraphe Inc et **dirigea** Commercial Printing Group de Quebecor World Inc.

Le passé simple est un temps passé de l'écrit littéraire ou journalistique. Il est notamment utilisé dans les biographies. Il est surtout utilisé à la troisième personne du singulier ou du pluriel.

**Formation : Infinitif sans terminaison + terminaisons du passé simple**
RENCONTRER ➜ Tu **rencontr**as / Nous **rencontr**âmes
PARTIR ➜ Je **part**is / Ils **part**irent

Les terminaisons
Verbes en -er : *-ai / -as / -a / -âmes / -âtes / -èrent*
Verbes en -ir et la plupart des verbes en -r et -re : *-is / -is / -it / -îmes / -îtes / -irent*
Verbes en -oire et -oir et quelques verbes en -ir ou –re : *-us / -us / -ut / -ûmes / -ûtes / -urent*
Verbes irréguliers :
*Être : je fus      Avoir : j'eus      Faire : je fis      Venir : je vins*

## 4 Les connecteurs

### Pour articuler le discours.

| | | |
|---|---|---|
| **Pour commencer**, je vais laisser la parole… **ensuite** nous verrons… **puis** nous terminerons par… **En premier lieu**, il y a une phase préliminaire. **Suite à** cet entretien, il y a une deuxième phase dite « d'investigation ». **Pour conclure**, pouvez-vous faire une synthèse des raisons ? | …trouver le temps pour évoquer sa carrière, ses désirs **ou même** ses difficultés. Un consultant va vous aider **d'une part** à analyser vos compétences et **d'autre part** à faire le point. Il s'adresse aux salariés, aux demandeurs d'emploi **ou encore** à des jeunes. Elle consistera **non seulement** à analyser le parcours professionnel **mais également** à déterminer ses intérêts **ainsi que** ses motivations. **En outre**, six mois après le bilan, on propose un entretien. **Par ailleurs**, j'étais tentée par l'auto-entreprenariat. | **En fait**, c'est la phase de connaissance. **Bref**, ça m'a rassurée. **En fin de compte**, cette démarche permet de renforcer la confiance en soi. |
| Successivité | Addition | Résumé ou transition |
| *Pour commencer / D'abord / En premier lieu / Premièrement* <br><br> *Ensuite / Puis* <br><br> *Pour terminer / conclure* | *Et / Ainsi que* <br> *Ou même / Ou encore* <br> *En outre / De plus* <br> *Par ailleurs* <br> *D'une part… et d'autre part* <br> *Non seulement… mais également / aussi* | *En fait* <br> *Bref* <br> *En fin de compte / En somme / En d'autres termes* <br> *D'ailleurs* |

⚠ Ne pas confondre **en fait** et **en effet** (pour expliquer ou confirmer une information = *effectivement*).
⚠ Ne pas confondre **par ailleurs** et **d'ailleurs** (pour appuyer un propos).

## 5 L'expression de la concession

### Pour décrire un effet contraire ou inattendu.

| | | |
|---|---|---|
| **Quoi qu'**on en **dise**, l'économie collaborative peut créer beaucoup d'emplois. **Quand bien même** elle **permettrait** de faire faire des économies, je crains… | **En dépit de cela**, certains contestent ce modèle économique. | **On a beau se réjouir** de l'effet communautaire et solidaire, il faut néanmoins être prudent. **Au risque de choquer**, je dirais que les dirigeants de l'économie collaborative sont souvent des hommes d'affaires redoutables. |
| Quoi que + **verbe au subjonctif** <br> Quand bien même + **verbe au conditionnel** | En dépit de + **nom ou pronom** | On a beau + **verbe à l'infinitif** <br> Au risque de + **verbe à l'infinitif** |

# ENTRAÎNEZ-VOUS

## 1. Merci pour tout !

**Complétez le discours avec les prépositions qui conviennent.**

Je suis très ému … prendre la parole … vous … l'occasion … mon départ. J'ai travaillé … 15 ans … cette entreprise et je voudrais remercier toutes les personnes … lesquelles j'ai travaillé et … lesquelles j'ai beaucoup d'estime. Je pars … regret mais comptez … moi … revenir vous voir … temps … temps.

## 2. Quelles nouvelles ?

**Faites une seule phrase en nominalisant les mots soulignés. Faites les reformulations nécessaires.**

Exemple : L'informaticien est parti.
Conséquence : le service est désorganisé.
→ Le départ de l'informaticien a provoqué la désorganisation du service.

1. On veut mettre en place une nouvelle réglementation. Conséquence : les marchandises vont mieux circuler et seront mieux gérées.
2. Le gouvernement a publié un nouveau plan. Conséquence : on va développer l'agriculture.
3. Le groupe a racheté une entreprise de téléphonie. Conséquence : on va licencier 120 personnes.
4. Les négociations sont lentes. Conséquence : les salariés sont frustrés.

## 3. Belle nomination !

**Complétez le communiqué en conjuguant les verbes au passé simple.**

Béatrice Vignet a été nommée directrice générale de Vivala. Après son diplôme d'ingénieur, elle (débuter) sa carrière chez Trama, au sein du département qualité. En 2000, elle (rejoindre) le groupe AJL où elle (exercer) différentes fonctions de direction dans la planification et la production. En 2007, elle (diriger) la restructuration de la branche fabrication de notre groupe puis (prendre) en charge les activités de fabrication en Asie-Pacifique. En 2012, elle (être) nommée directrice adjointe au siège.

## 4. Paroles d'assistantes

**Transformez ce que disent les assistantes de leur chef en utilisant une des expressions de la concession suivantes : *quoi que, quand bien même, en dépit de, avoir beau, au risque de*. Faites les modifications nécessaires.**

1. Bien que je lui dise qu'on a du retard, elle ne prend pas les bonnes décisions.
2. Je fais beaucoup d'efforts, mais je n'arrive pas à finir tout le travail qu'il me demande.
3. Même si ça peut la contrarier, je n'hésite pas à lui dire les mauvaises nouvelles.
4. Malgré ce que je fais, il n'est jamais content.
5. Je rencontre des difficultés pourtant elle ne m'aide pas.

# TESTEZ-VOUS

 Mon portfolio

## 1. Conflits au travail

**Dans l'article suivant, quatre phrases ont été supprimées. Retrouvez-les parmi les six phrases proposées ci-dessous pour compléter l'article.**

### CONFLITS AU TRAVAIL :
### DE NOUVELLES FORMES DE RÉSISTANCE

Débrayage, absentéisme, pétitions, grèves perlées, ouverture de blogs, voire séquestration de leur patron, ... ❶

Selon des enquêtes réalisées par l'INSEE, on observe une évolution des modalités d'action utilisées par les salariés avec, par exemple, les débrayages, un mode de conflit d'une durée inférieure à une journée, et qui ralentissent nettement l'activité. Autres formes de revendication, le refus des heures supplémentaires apparu dans certaines usines, le recours aux tribunaux et l'absentéisme. ❷

Alors que les annonces de plans de licenciement et de chômage se multiplient, des blogs collectifs de salariés, sans étiquette syndicale investissent la Toile pour se défendre et s'imposent comme un moyen d'expression pour tous. Les salariés y coordonnent leurs actions, s'échangent des informations sur l'actualité sociale de l'entreprise,

mais aussi mettent en ligne photos et textes pour montrer la détresse et l'incompréhension qui habitent beaucoup d'entre eux. ❸

Faut-il voir dans ces nouveaux blogs collectifs un aveu de la baisse du pouvoir de représentativité des syndicats ? Pas forcément : les salariés atteignent d'une nouvelle manière la direction et ces blogs ont un impact médiatique fort. ❹

*D'après L'Entreprise.*

A. Ce mode de résistance fait pression sur la direction, ce qui est bénéfique pour l'action syndicale.
B. Cela leur permet de donner à voir une réalité sociale au grand public autant qu'à leurs dirigeants.
C. Face aux plans de restructuration et aux fermetures d'usines, la riposte des salariés s'est radicalisée.
D. Ces études reflètent un certain passage du conflit collectif au conflit individuel.
E. Ces nouvelles formes de résistance sont les manifestations du mal-être des salariés.
F. Mais cette forme de revendication peut mettre les salariés dans une situation plus difficile.

## 2. Flash infos  Mes audios ▸41

**Écoutez les cinq communiqués radiophoniques et indiquez sur quel sujet porte chaque information.**

Communiqué 1 •
Communiqué 2 •
Communiqué 3 •
Communiqué 4 •
Communiqué 5 •

• A. Financement
• B. Économie collaborative
• C. Nomination
• D. Mondialisation
• E. Conflit social
• F. Orientation professionnelle
• G. Regroupement d'entreprises
• H. Concurrence

# Repères professionnels
## La représentation des salariés
## dans les entreprises françaises

> Existe-t-il une représentation des salariés dans votre pays ? Quelles sont les organisations qui les représentent ? Quel est leur rôle ? Comment les salariés expriment-ils leur mécontentement ?

**1.** Lisez la fiche pratique suivante et comparez avec ce qui existe dans votre pays.

**Les institutions représentatives du personnel dans les entreprises françaises sont de deux types :**
- les représentants élus, directement ou indirectement par les salariés : les délégués du personnel (DP), les représentants au comité d'entreprise ou d'établissement (CE), les représentants au comité d'hygiène et de sécurité (CHSCT) ;
- les délégués syndicaux désignés par leur syndicat. En France, les salariés sont peu nombreux à être syndiqués.

Les entreprises françaises sont soumises à l'obligation d'organiser des élections de représentants du personnel à partir d'un certain seuil (effectif de l'entreprise).

Les rôles de ces différentes institutions sont les suivants :

| | |
|---|---|
| **Les délégués du personnel** (élus à partir de 11 salariés) | • Ils présentent à l'employeur les réclamations collectives et individuelles.<br>• Ils peuvent saisir l'inspection du travail de toutes plaintes et en cas d'infraction à la loi. |
| **Les membres du comité d'entreprise ou d'établissement** (élus à partir de 50 salariés) **Le comité est présidé par le chef d'entreprise** | • Ils donnent un avis sur la politique économique, financière et sociale de l'entreprise.<br>• Ils doivent être consultés sur certaines décisions (conditions et organisation du travail, formations, qualifications, licenciements).<br>• Ils contrôlent et gèrent les œuvres sociales (cantine, loisirs, etc.) grâce à un budget financé par l'entreprise. |
| **Le comité d'hygiène et de sécurité et des conditions de travail** (membres élus par les DP ou les représentants au CE à partir de 50 salariés) **Le comité est présidé par le chef d'entreprise** | • Protection de la santé physique et mentale et protection des salariés.<br>• Amélioration des conditions de travail.<br>• Veille à l'observation des prescriptions légales prises en ces matières par l'employeur. |
| **Les délégués syndicaux sont désignés par les sections syndicales\*** (qui regroupent les salariés syndiqués) | • Ils représentent auprès de l'employeur et du comité d'entreprise les intérêts professionnels des membres du syndicat.<br>• Ils peuvent signer des accords. |

\* Les principaux syndicats français sont : la Confédération Française du Travail (CFDT), la Confédération Générale du Travail (CGT), Force Ouvrière (FO) et la Confédération Générale des Cadres (CGC).

**Les conflits collectifs du travail et les grèves**
Le droit de grève est reconnu en France depuis 1864.
Lorsque les salariés français veulent manifester leur mécontentement, ils peuvent se mettre en grève et déposer un préavis. On parle aussi de « débrayage » lorsque les salariés décident un arrêt de travail.

Il existe différents types de grève :
- la grève générale : tout le personnel d'une ou plusieurs entreprise(s) cesse le travail.
- la grève « sur le tas » : les grévistes occupent les locaux de travail et organisent quelquefois des « piquets de grève ».
- la grève tournante : elle consiste à arrêter le travail à tour de rôle par atelier ou par service pour désorganiser la production.
- la grève surprise : elle est déclenchée quand l'employeur n'a pas été mis au courant auparavant des revendications.

**2.** Lisez et choisissez la bonne réponse puis justifiez votre choix.

| | | VRAI | FAUX | ON NE SAIT PAS |
|---|---|---|---|---|
| **a.** | Toutes les entreprises ont un comité d'entreprise. | ○ | ○ | ○ |
| **b.** | Le chef d'entreprise est membre du CHSCT. | ○ | ○ | ○ |
| **c.** | Les représentants syndicaux sont élus par les salariés. | ○ | ○ | ○ |
| **d.** | Un comité d'entreprise prend des décisions sur la gestion financière de l'entreprise. | ○ | ○ | ○ |
| **e.** | Les budgets des CE sont très importants. | ○ | ○ | ○ |
| **f.** | Une entreprise de moins de 10 salariés doit avoir un délégué du personnel. | ○ | ○ | ○ |
| **g.** | Le CHSTC peut présenter des revendications salariales. | ○ | ○ | ○ |
| **h.** | Les délégués du personnel peuvent faire des remarques sur l'application du code du travail. | ○ | ○ | ○ |
| **i.** | On parle de « grève sur le tas » quand le personnel reste dans l'entreprise. | ○ | ○ | ○ |
| **j.** | Un débrayage est un arrêt de travail. | ○ | ○ | ○ |

# La **consommation collaborative**

**1.** **Répondez à l'enquête sur les pratiques de consommation collaborative.**

➡ **Pratiquez-vous (ou des personnes de votre entourage pratiquent-elles) la consommation collaborative ?**

➡ **Quel(s) site(s) connaissez-vous ou utilisez-vous ?**

➡ **Avez-vous (ou des personnes de votre entourage ont-elles) déjà acheté ou vendu sur une plateforme de vente entre particuliers ?**

● **Si oui, quel(s) type(s) de biens ou de services avez-vous acheté(s) ou vendu(s) à un particulier ?**
Cochez la ou les case(s) qui vous convient(nent).

○ covoiturage
○ location / échange d'appartement / maison ou chambre
○ location de matériel
○ location de voiture
○ billets (transport, loisirs)
○ services (déménagement, réparation…)
○ biens d'occasion
○ partage de repas
○ partage de compétences (cours de langue, musique, cuisine…)
○ autre (précisez) : …

● **Si non, pour quelles raisons ne réalisez-vous pas ou ne réaliseriez-vous pas cette démarche ?**

○ par manque de confiance
○ par peur des litiges
○ autre : …

● **Pour quelle(s) raison(s) avez-vous réalisé cette démarche ou réaliseriez-vous cette démarche ?**

○ pour économiser / améliorer votre pouvoir d'achat
○ pour avoir des revenus complémentaires
○ pour le plaisir d'échanger avec les autres / de créer un lien social
○ pour faire de bonnes affaires
○ par conviction (acte écologique, acte solidaire)
○ autre (précisez) : …

**2.** **Lisez l'article. Comparez avec vos réponses.**

Selon le sondage de 60 Millions de consommateurs et Mediaprism, une large majorité (84 %) de Français considère que ces pratiques – partage, échange, location entre particuliers – permettent d'améliorer leur pouvoir d'achat. Mais la motivation n'est pas que financière puisque deux personnes sur trois évoquent aussi le plaisir de faire de bonnes affaires, de créer du lien social ou de consommer de façon plus écologique.
Cependant, parmi les consommateurs n'ayant jamais réalisé une démarche de consommation collaborative, 59 % expliquent qu'ils ne seraient pas prêts à effectuer une telle démarche par « peur de se faire avoir »[*] et 44 % parce qu'ils ne connaissent pas leurs droits en cas de litige. ■

\* Être trompé(e)

# **Rendez** compte

B2

## Pour être **capable de/d'**

› **exposer la situation économique d'une entreprise**
› **rédiger un compte rendu d'audit**
› **faire le bilan des activités d'une entreprise**
› **échanger à propos d'une formation**

## Vous allez **apprendre à**

› indiquer un succès
› pointer des problèmes économiques
› décrire une situation préoccupante
› faire part de projets de développement
› indiquer des objectifs commerciaux
› admettre ou contester
› pointer des dysfonctionnements
› décrire des points satisfaisants
› annoncer des résultats dans un rapport d'activités
› commenter des chiffres
› indiquer des quantités non chiffrées
› faire part d'événements / de projets commerciaux
› indiquer la finalité d'une formation
› apporter des précisions
› formuler des réserves
› exprimer des degrés de probabilité

## Vous allez **utiliser**

› la négation avec les préfixes privatifs
› le participe passé des verbes pronominaux
› les expressions de quantité
› le subjonctif et l'indicatif dans les degrés de probabilité
› l'adjectif verbal et le participe présent

 **Mes vidéos**
▶ L'alternance, une voie vers la réussite

# A Un entretien exclusif

 Vous travaillez comme secrétaire de rédaction. On vous a demandé de relire un article de presse avant sa parution. Cet article a été rédigé à la suite de l'interview d'un chef d'entreprise. L'entretien a été enregistré.

  Écoutez l'entretien, prenez des notes puis lisez l'article. Corrigez-le et ajoutez les informations complémentaires qui vous semblent nécessaires.

---

**AIROTEL :**
**le groupe hôtelier est à la traîne[1] de la révolution numérique** Ⓐ

Quand Jérôme Guibert est arrivé à la tête[2] de Airotel, il y a trois ans, le groupe hôtelier était dans une situation économique désespérée. En effet, avec l'apparition de nouvelles chaînes hôtelières concurrentes, les pertes s'étaient accumulées. Depuis, le groupe a renoué avec la croissance et l'action a gagné 0,4 % à la Bourse de Paris.

Malgré ce succès, Airotel doit faire face, comme toute la filière hôtelière, aux puissantes centrales de réservation en ligne, ces dernières constituant une menace, à long terme, pour la rentabilité des hôtels. Le groupe s'en donne les moyens avec un plan d'investissement de 150 millions pour la rénovation de son parc hôtelier ainsi que pour la création d'une application afin de répondre aux besoins d'informations de clients de plus en plus exigeants. Par ailleurs, pour accélérer les ventes, Airotel va créer un site de réservation pour l'hôtellerie dite « économique » située dans des pays ciblés et mettre en place de nouveaux services afin de fidéliser

*L'action a gagné 0,4 % à la Bourse de Paris*

une clientèle de plus en plus instable. Airotel a également pour objectif de défendre sa place sur Internet en s'alliant avec des acteurs du numérique pour créer une plateforme de réservation commune. En effet, ses dirigeants considèrent ces derniers comme des adversaires incontournables. D'autre part, comme la France ne représente qu'environ un quart du chiffre d'affaires du groupe, la direction a choisi de diversifier ses activités vers les pays émergents. Aujourd'hui, la moitié des nouvelles ouvertures d'hôtels ont lieu en Amérique du sud. Ce sont les hôtels dits « haut de gamme » qui ont le vent en poupe[3].

**1.** Avoir du retard
**2.** Prendre la direction de…
**3.** Avoir du succès

---

**2 Retenez**

**Pour indiquer un succès d'entreprise / économique :**
Depuis, le groupe **a renoué avec la croissance** et **l'action a gagné** 0,4 % à la Bourse de Paris.
Ce sont les hôtels dits « haut de gamme » qui **ont le vent en poupe**.
Aujourd'hui, **tout semble aller pour le mieux**.
Ces plateformes de réservation sur Internet **ont beaucoup de succès**.

**Pour indiquer des objectifs commerciaux :**
De nouveaux services **afin de fidéliser une clientèle** de plus en plus instable…
Une application **afin de répondre aux besoins d'informations des clients**…
**Pour doper nos ventes**, nous allons améliorer nos programmes de fidélisation.

**Pour décrire une situation préoccupante :**
Le groupe hôtelier **est à la traîne**.
Les centrales **constituent une menace**, à long terme, pour la rentabilité des hôtels.
**Votre point faible** semble tout de même être Internet.
Airotel **a pris du retard** dans ce domaine.
C'est **une perte de maîtrise de** notre clientèle.

**Pour faire part de projets de développement :**
Le groupe **s'en donne les moyens** avec un plan d'investissement.
Airotel **va créer** un site de réservation et **mettre en place** de nouveaux services.
Airotel a également pour objectif de **défendre sa place sur** Internet.
La direction a choisi de **diversifier ses activités**.
Il nous faut désormais **conduire un projet sur le long terme**.
Nous voulons en effet **nous positionner sur les domaines occupés par d'autres**.
Nous **travaillons à la création d'**une application pour les smartphones.
Il est primordial que nous continuions de **veiller à l'amélioration permanente de la qualité** de nos prestations.
Nous allons **enrichir notre offre**.
Nous allons **améliorer nos programmes** de fidélisation.

**Pour pointer des problèmes économiques :**
Le groupe hôtelier **était dans une situation économique désespérée**.
**Les pertes s'étaient accumulées**.
**La situation financière était catastrophique** avec **une baisse importante des marges**.
Le groupe **a subi des pertes**.

**Pour admettre ou contester :**
Oui. / C'est (malheureusement) vrai. / En effet. / Tout à fait.
Non, pas du tout / C'est faux.

### La finance

| | |
|---|---|
| un(e) actionnaire | un marché (boursier) |
| une baisse / baisser | une marge |
| une Cotation Assistée en Continu – CAC 40 (indice boursier français) | un plan d'investissement |
| | une perte / perdre |
| | une rentabilité / rentable / rentabiliser |
| une croissance / croître | un résultat (financier) |
| un dividende | une situation (financière) |
| une diversification / diversifier | un titre (boursier) |

 **Mes documents** ▸ Lexique de la finance

---

## 3 Passez à l'action

 **1. Rétablissement de situation.**
**Vous avez été contacté(e) par un site francophone pour écrire un article sur votre entreprise ou une entreprise de votre pays. Vous parlez de ses succès et / ou de ses problèmes, vous faites part de ses objectifs et de ses perspectives de développement.**

 **2. Compte rendu.**
**Vous êtes responsable d'un service dans une petite entreprise. Un nouveau directeur / Une nouvelle directrice vient d'être nommé(e) et il / elle demande à rencontrer chacun des responsables de service de l'entreprise.**

### VOTRE DIRECTEUR / DIRECTRICE

- Il / Elle vous demande de vous présenter.
- Il / Elle vous demande de parler du service que vous dirigez.
- Il / Elle vous pose des questions en fonction de vos réponses.

### VOUS

- Vous parlez de vous (votre parcours professionnel).
- Vous décrivez votre service : ses objectifs, ses projets, ses difficultés.
- Vous répondez à ses questions.

# B Un audit explicite

## 1 Réalisez la tâche

 **Vous travaillez dans un cabinet d'audit et vous recevez un mail d'une collègue travaillant sur le même dossier que vous.**

 **Prenez connaissance du mail de votre collègue et faites ce qu'elle vous demande.**

---

**Objet :** rapport d'audit Biscuitine

Bonjour,

La réunion avec les clients de Biscuitine s'est bien passée. Nous nous sommes engagés à livrer le rapport d'audit dans les meilleurs délais et nous nous sommes fixé une semaine pour le finaliser. J'ai commencé à travailler sur le compte rendu mais je suis en déplacement cette semaine et je ne peux pas le terminer.

Pour avancer, pourrais-tu, s'il te plaît, compléter le rapport joint : ajouter les sous-titres des rubriques et pointer les points forts et les points faibles. Pourrais-tu également préparer un document avec des propositions d'actions correctives* pour les points faibles ?

Les clients se sont imposé une échéance de six mois pour appliquer nos recommandations afin d'obtenir une homologation.

Merci d'avance,

Cordialement.

Annick Fitucci

PS : Nous nous sommes rendu compte ce matin que le dossier de Samova n'avait pas encore été envoyé. Tu sais qui devait le faire ?

\* Actions pour corriger les problèmes

---

| RAPPORT D'AUDIT BISCUITINE<br>CONSTATS | RÉALISATION DU PRODUIT<br>Page : 9/10 | point fort | point faible |
|---|---|---|---|
| • Biscuitine assure la sélection et le suivi de ses fournisseurs entrant dans la composition du produit fini (matières premières, emballages, étiquettes...) mais les critères de choix ne sont pas formellement définis dans le cahier des charges. | | ☐ | ☐ |
| • Les matières premières font l'objet de vérifications à leur réception mais on ne sait pas sur quels critères. | | ☐ | ☐ |
| • Le système de stockage et de gestion des stocks des matières premières entrantes ne permet pas d'assurer une bonne traçabilité des produits. | | ☐ | ☐ |
| • Les procédés de fabrication sont mis au point par le service recherche et développement. | | ☐ | ☐ |
| • Le service technique assure la planification et la validation du lancement de la production. | | ☐ | ☐ |
| • Des prélèvements en cours de fabrication sont programmés et réalisés dans de bonnes conditions par le service qualité. | | ☐ | ☐ |
| • L'automatisation des lignes de conditionnement permet bien d'assurer l'identification des produits finis (dates, numéros des lots). | | ☐ | ☐ |
| • Aucune mention ne permet l'identification des matières premières. | | ☐ | ☐ |
| • La traçabilité n'est pas optimale pour retrouver systématiquement l'origine des matières premières et l'emplacement des produits finis. | | ☐ | ☐ |
| • Les contrôles sont systématiques tout au long de la chaîne de production et assurés par les contremaîtres. | | ☐ | ☐ |
| • Les instructions d'utilisation du matériel de contrôle sont trop succinctes. | | ☐ | ☐ |
| • L'entretien de ce matériel ne fait pas l'objet d'un descriptif. | | ☐ | ☐ |
| • Les appareils de manutention de la logistique interne sont bien entretenus. | | ☐ | ☐ |
| • Le stockage des produits finis se fait dans des conditions de propreté et d'organisation tout à fait satisfaisantes. | | ☐ | ☐ |
| • Le conditionnement dans les camions montre quelques failles (température). | | ☐ | ☐ |
| • Le responsable qualité effectue des visites d'atelier régulières de façon aléatoire. | | ☐ | ☐ |
| • Il n'y a pas de garantie que le même ingrédient soit utilisé dans la même ligne de production. | | ☐ | ☐ |
| • Les produits non conformes sont systématiquement éliminés par un contrôle automatique. | | ☐ | ☐ |
| • Les données relatives au contrôle des produits, aux fiches d'anomalies, aux remarques des clients ne sont pas analysées régulièrement et ne font donc pas l'objet systématique d'actions correctives et préventives : les problèmes se règlent au jour le jour. | | ☐ | ☐ |
| • Il n'existe aucun document écrit permettant de savoir quel est le processus de décision pour mener des actions afin d'éviter de renouveler des erreurs qui se seraient déjà produites. | | ☐ | ☐ |

## 2 | Retenez

**Pour pointer des dysfonctionnements :**

Les critères de choix **ne sont pas formellement définis** dans le cahier des charges.
**Les matières premières font l'objet de vérifications mais on ne sait pas** sur quels critères.
Le système de stockage **ne permet pas d'assurer** une bonne traçabilité des produits.
**Aucune mention ne permet** l'identification des matières premières.
La traçabilité **n'est pas optimale**.
Les instructions d'utilisation du matériel de contrôle **sont trop succinctes**.
L'entretien de ce matériel **ne fait pas l'objet d'**un descriptif.
Le conditionnement dans les camions **montre quelques failles**.
**Il n'y a pas de garantie que** le même ingrédient soit utilisé dans la même ligne de production.
Les données **ne sont pas analysées régulièrement**.
**Il n'existe aucun** document écrit permettant de savoir quel est le processus de décision.

**Pour décrire des points satisfaisants :**

Des prélèvements en cours de fabrication sont **réalisés dans de bonnes conditions**.
L'automatisation des lignes de conditionnement **permet bien d'**assurer l'identification des produits finis.
**Les contrôles sont systématiques.**
Les appareils de manutention **sont bien entretenus**.
Le stockage des produits finis se fait dans des conditions **tout à fait satisfaisantes**.

**La production**

| | |
|---|---|
| un appareil de manutention | la logistique |
| une automatisation / automatiser | un lot |
| | un matériel |
| une composition (de produit) | une matière première |
| un conditionnement / conditionner | un procédé |
| | une procédure (d'achat / de fabrication / de production) |
| un contremaître | |
| un critère | |
| une étiquette | un produit semi-fini / fini |
| un ingrédient | un stockage |
| une ligne de production / fabrication | une traçabilité |

## 3 | Passez à l'action

**Un audit bien mené.**
**Vous devez effectuer l'audit d'une boutique de vêtements.**

**Étape 1 :** Notez tous les domaines qu'il vous faudra auditer (le stockage, la présentation des vêtements, l'agencement de la boutique, la propreté, etc.).
**Étape 2 :** Préparez les questions que vous poserez au responsable du magasin et aux vendeurs.
**Étape 3 :** Réalisez votre audit.
**Étape 4 :** Rédigez le rapport d'audit en vous inspirant du document B (notez les points forts et les points faibles puis imaginez les actions correctives).

# C C'est bon à savoir

Vous travaillez au service communication d'une grande chaîne de magasins et vous assistez à une présentation des résultats de la société par le directeur financier. Vous êtes chargé(e) de préparer le document à paraître dans la presse économique pour rendre compte du bilan des activités de l'entreprise.

1. Écoutez la présentation, prenez des notes et préparez deux ou trois questions que vous pourriez poser au directeur financier.

2. Complétez l'avis financier et ajoutez quelques phrases pour présenter les chiffres donnés.

3. Pour illustrer votre document, faites deux ou trois graphiques à partir des informations que vous avez (présentation + bilan distribué).

| Bilan comptable | | |
|---|---|---|
| Durée de l'exercice : 12 mois | | |
| **Actif**<br>(Biens et droits que possède l'entreprise) | **Passif**<br>(Ressources de l'entreprise)[1] | |
| Actif immobilisé<br>– immobilisations incorporelles<br>  (fonds de commerce, modèles déposés…)<br>– immobilisations corporelles<br>  (bâtiments, terrains, matériel…)<br>– immobilisations financières<br>  (titres de participation dans d'autres entreprises) | Capitaux propres<br>– capital social (apports financiers)<br>– réserves (bénéfices non distribués)<br>– résultat[2] net de l'exercice<br><br>Total des capitaux propres : | 38 079 K€ |
| Total de l'actif immobilisé : 38 992 K€ | Provisions pour risque et charges | 205 K€ |
| Actif circulant 29 414 K€<br>– stocks en cours<br>– créances[3] clients | Passif circulant<br>– emprunts (auprès des banques)<br>– dettes fournisseurs | 30 122 K€ |
| Total de l'actif **68 406 K€** | Total du passif | **68 406 K€** |

**1.** Moyens dont dispose l'entreprise pour financer ses actifs
**2.** Bénéfice ou perte
**3.** Ce que l'on doit à l'entreprise (clients et autres débiteurs)

## Avis financier
# RÉSULTATS DE L'EXERCICE

■ Chiffre d'affaires : .............................................

■ Croissance de l'activité des magasins : ...........................

■ Marge commerciale : .............................................

■ Chiffres prévisionnels
     du chiffre d'affaires : .............. %.
                                          ............. %
                                     €

■ Dividende par action : ...........................

## 2 Retenez

**Pour annoncer des résultats dans un rapport d'activités :**
**Les résultats de l'année** sont excellents / encourageants.
En fin d'exercice, le chiffre d'affaires **s'élève à** 108 109 000 euros.
Aujourd'hui, **nous comptons** 195 points de vente.
**Nous tablons sur** une croissance du chiffre d'affaires.

**Pour faire part d'événements /
de projets commerciaux :**
**Ouverture d'une filiale** d'approvisionnement…
L'année **a été marquée par la fermeture de** quelques magasins.
De nouveaux franchisés **ont intégré** le groupe.
**Nous avons procédé à** des réagencements.
**Nous pensons développer** plusieurs projets opérationnels.
**Nous prévoyons** l'ouverture de magasins / la signature de nombreux accords de franchise.
Le conseil d'administration **proposera le versement d'**un dividende de 0,68 € par action.

**Le rapport d'activités**

| | |
|---|---|
| un actif (immobilisé / net ) | un exercice (comptable) |
| une activité | un fonds de commerce |
| un capital (social) | un groupe |
| un chiffre prévisionnel / d'affaires | une immobilisation incorporelle / corporelle / financière / immobiliser |
| un conseil d'administration | |
| une créance | un passif (immobilisé / net) |
| une dette / s'endetter | une provision / approvisionner |
| un emprunt / emprunter | |

 **Mes documents** ▸ Lexique de la finance

**Pour indiquer des quantités non chiffrées :**
Une activité en progression pour **la plupart des** magasins de la chaîne.
La fermeture de **quelques** magasins…
Le taux de croissance de l'activité sur **l'ensemble des** magasins s'établit à 3,9 %.
**La quasi-totalité de** nos boutiques ont été réagencées.
**La plupart de** nos clients aiment nos produits.
Nous pensons développer **plusieurs** projets opérationnels.
La signature **de nombreux** accords de franchise.

(→ **Voir Outils linguistiques, 3 p. 201**)

**Pour commenter des chiffres :**
Ce qui correspond à **une hausse / une baisse de 4,8 % par rapport à** celui de l'année dernière.
Le début de l'année a été difficile avec **un recul de 0,3 %** des ventes au premier trimestre.
Cette **hausse / baisse du chiffre d'affaires** s'explique entre autres par **une activité en progression / en baisse** pour la plupart des magasins de la chaîne.
**Le chiffre d'affaires** de certains **avait considérablement baissé / augmenté / stagné** suite à **une baisse / hausse notable** du volume de leur activité.
**Le taux de croissance de l'activité s'établit à** 3,9 % pour l'année contre 3,2 % l'année dernière.
La marge commerciale **a progressé / diminué de** 3,4 %.
La concurrence **ne cesse de s'accentuer.**
…ce qui représente **une progression / diminution de** 6,1 %.

## 3 Passez à l'action

 **1. Des chiffres utiles.**
**Voici les chiffres d'affaires (en millions d'euros), sur un semestre, des boutiques d'une chaîne de magasins implantée à l'étranger. Vous dessinez les graphiques correspondants et vous les commentez en quelques phrases pour la page « Chiffres du mois » du journal de votre entreprise.**

| | Allemagne | Espagne |
|---|---|---|
| Janvier | 12 | 19 |
| Février | 15 | 12 |
| Mars | 18 | 21 |
| Avril | 18 | 16 |
| Mai | 20 | 17 |
| Juin | 25 | 20 |

 **2. Bilan exemplaire.**
**Trouvez des données correspondant à une entreprise de votre pays et faites une présentation du bilan d'activités de cette entreprise à votre groupe.**

# D Ça peut t'intéresser !

## 1 Réalisez la tâche

**Vous gérez une équipe et cherchez en permanence à vous améliorer. Un collègue (Cédric) vous transfère un mail à propos d'une formation qui peut vous intéresser.**

**1. Lisez le mail. Repérez les objectifs de la formation, ses points forts et ses points faibles.**

| De : | Cedric.lafarge@vemica.com ⬍ | 🔗 Primformation.doc |
|---|---|---|
| À : | ser.production@vemica.com | |
| Objet : | TR : Formation | |

Bonjour,

Ci-dessous un mail qui peut t'intéresser.
Bien à toi,
Cédric

---------- Message transféré ----------
De : pifillon@club-internet.fr
À : cedric.lafarge@vemica.com
Date : 10 novembre 20.. à 15:05
Objet : Formation

Bonjour Cédric,
Comment vas-tu ? Quel est l'état d'avancement de ton projet ? As-tu réussi à apaiser les tensions et conflits au sein de ton équipe? Te connaissant, je suis sûr que tu fais le maximum pour cela et que tu trouves les solutions les plus convaincantes face aux problèmes.
Pour ma part, j'ai récemment assisté à une formation absolument passionnante et bénéfique pour ma gestion d'équipe. Je me permets de t'en parler car elle est susceptible de t'intéresser aussi. Elle pourrait sans doute t'aider à trouver des réponses aux problématiques que tu rencontres actuellement.
En fait, il s'agit d'une formation en développement personnel appliqué qui t'apprend à puiser en toi les ressources pour faire face aux situations conflictuelles générées par des attitudes passives, agressives ou manipulatrices. En 6 jours, on te donne des pistes pour gagner en confiance et en aisance relationnelle. Tu pourras ainsi exercer ton autorité avec plus de diplomatie en sachant dire non et formuler des demandes et critiques de manière constructive. On t'explique comment faire face aux comportements des autres avec justesse et négocier et coopérer plus aisément.
Cette formation était très dense et très prenante. Cela a d'ailleurs demandé une réelle volonté de s'impliquer personnellement et émotionnellement. Je t'avoue que cela n'a pas toujours été facile mais, au final, tu en apprends aussi beaucoup sur toi car tu te découvres et prends conscience de tes propres comportements, c'est très constructif. Petit à petit, grâce à des auto-diagnostics, des exercices ou des enregistrements vidéo, tu expérimentes des outils et des méthodes nouvelles pour mieux t'affirmer et tu acquiers une certaine maîtrise des méthodes et outils complexes d'assertivité* pour penser et ressentir autrement.
J'ai beaucoup aimé le format de la formation composé d'un savant mélange de cas concrets et d'étonnants exercices comportementaux corporels et respiratoires. Il y a également eu des séquences inattendues et surprenantes avec un comédien qui nous a aidés à ancrer nos nouvelles compétences dans un scénario. Je peux te dire que c'était très efficace même si je reconnais que parfois les situations étaient un peu éloignées de mes préoccupations.
Je savais que l'organisme de formation était très sérieux et compétent (il se peut que tu le connaisses d'ailleurs) mais là vraiment je suis plus que satisfait. Tout s'est fait dans une ambiance très sympathique et propice aux échanges et les formateurs étaient très pros. Je te joins le descriptif de formation qu'on m'avait envoyé. Tu y trouveras tout le programme et le prix, un peu élevé, j'en conviens…, mais crois-moi, ça en vaut vraiment la peine et de toutes les manières, renseigne-toi, il est possible que ton entreprise la prenne en charge. Après, reste à voir si tu peux dégager du temps pour te former mais ça, c'est une autre histoire !
En tout cas, on en parle quand tu veux, et de vive voix, puisqu'il est probable que je viendrai à Toulouse le mois prochain pour l'installation de notre nouveau site de production.
À bientôt,

Pierre

\* Capacité à s'affirmer et exprimer son opinion sans heurter les autres

**2. Vous rencontrez Cédric et exprimez votre intérêt ou non à suivre la formation et vos éventuelles apprehensions.**

## 2 Retenez

**Pour indiquer la finalité d'une formation :**
Il s'agit d'une formation en développement personnel appliqué **qui t'apprend à** puiser en toi les ressources pour faire face aux situations conflictuelles.
**On te donne des pistes pour** gagner en confiance.
**On t'explique comment** faire face aux comportements des autres.
**Tu acquiers** une certaine maîtrise des méthodes…

**Pour décrire une formation :**
Une formation **absolument passionnante et bénéfique** pour ma gestion d'équipe.
Cette formation était **très dense et très prenante**.
Formation **composée d'un savant mélange de** cas concrets et d'étonnants exercices comportementaux…
Il y a également eu **des séquences inattendues et surprenantes**.
C'était **très efficace**.
Tout s'est fait dans **une ambiance très sympathique et propice aux échanges**.
Les **formateurs étaient très pros**.
**L'organisme de formation était très sérieux et compétent**.
(→ voir Outils linguistiques, 5 p. 201)

**Pour apporter des précisions :**
Tu pourras ainsi exercer ton autorité **avec plus de diplomatie**.
Tu pourras formuler des demandes et critiques **de manière constructive**.
Cela a demandé une réelle volonté de s'impliquer **personnellement** et **émotionnellement**.

**Pour formuler des réserves :**
**Je t'avoue que** cela n'a pas toujours été facile.
**Je reconnais que** parfois les situations étaient un peu éloignées de mes préoccupations.
Le prix, un peu élevé, **j'en conviens**…

**Exprimer des degrés de probabilité :**
Elle est **susceptible de** t'intéresser.
Elle **pourrait sans doute** t'aider à trouver des réponses.
**Il est possible que** ton entreprise la prenne en charge.
**Il est probable que** je viendrai le mois prochain.
(→ voir Outils linguistiques, 4 p. 201)

## 3 Passez à l'action

**1. C'est passionnant !**
**Vous avez assisté à une formation. Vous en parlez à un(e) collègue / ami(e) intéressé(e).**
**Vous indiquez les objectifs de la formation et vous la décrivez (contenus et méthodologie).**
**Vous évaluez la formation (points forts et points faibles) et vous formulez des réserves.**
**Il / Elle vous pose des questions et vous demande des précisions.**

**2. Formation continue.**
**Vous avez vu dans un catalogue de formations le descriptif ci-dessous. Vous écrivez une lettre au service RH de votre entreprise pour lui demander de vous la financer.**

⊃ **GÉRER SON STRESS EFFICACEMENT ET POUR LONGTEMPS** ⊂

Des outils de gestion du stress pour gagner en équilibre et en efficacité professionnels.

▦ **Programme**
❶ **Évaluer** ses modes de fonctionnement face au stress
❷ **Apprendre** à se détendre intellectuellement, physiquement et émotionnellement
❸ **Renforcer** la confiance en soi
❹ **Définir** et mettre en œuvre une stratégie de réussite

☺ **Points forts**
→ Une mise en œuvre de ses propres solutions dans une volonté d'efficacité durable.
→ L'implication : chaque participant devient maître de son propre stress.

⏱ **Durée** 3 jours (21 h présentiel)
1 745 € HT

**Objectifs**
✓ Gérer efficacement son stress dans la durée.
✓ Acquérir des réflexes pour faire face aux pressions professionnelles.
✓ Faire appel à ses ressources individuelles.

**Comment se déroule cette formation ?**
**Une pédagogie harmonieuse et complète :** bilans personnels et exercices pratiques en alternance avec des apports méthodologiques, des phases de relaxation et de visualisation.
**Un programme de coaching-santé en ligne** pour faire un bilan (activité physique, alimentation et stress) et recevoir des conseils et programmes personnalisés.

# OUTILS LINGUISTIQUES

## 1 La négation par le lexique avec les préfixes négatifs

**Pour alléger les phrases.**

| Ce serait une erreur de notre part de les **méconnaître**. Vous ne pouvez pas **mésestimer** ces données. | Je trouve cela **anormal**. | Un client **mécontent** peut nous porter préjudice. | Fidéliser une clientèle de plus en plus **instable**. Des adversaires **incontournables**. |
|---|---|---|---|

**Pour construire des verbes / des adjectifs à sens négatif, on utilise des préfixes.**

- **a** : **a**normal
- **dé** : **dé**posséder
- **des** : **dés**engager
- **in** : **in**stable
- **im** : **im**possible
- **il** : **il**légal
- **ir** : **ir**réalisable
- **mé** : **mé**content
- **mes** : **més**estimer
- **non** : **non**-conforme
- **mal** : **mal**habile

## 2 L'accord des verbes pronominaux dans les temps composés

| **La réunion** s'est bien passé**e**. **Nous** nous sommes engag**és** à livrer le rapport. | **Nous** nous sommes fix**é** **une semaine**. **Les clients** se sont impos**é** **une échéance**. **Nous** nous sommes rend**u** compte que le dossier n'avait pas encore été envoyé. |
|---|---|
| Le participe passé s'accorde avec le sujet. | Le participe passé ne s'accorde pas avec le sujet. |

**Règle générale :**
**Tout participe passé d'un verbe pronominal s'accorde avec le sujet.**
*Les clients se sont imposés à la réunion.*

**Exceptions :**
**1.** Si le verbe est un **verbe indirect**, alors le participe passé ne s'accorde pas.
*Les clients se sont parlé.* (parler à quelqu'un)

**2.** S'il y a un **complément d'objet direct après le participe passé**, alors le participe passé ne s'accorde pas.
*Les clients se sont imposé une échéance.* (ils ont imposé quoi ? une échéance)

**3.** Les participes passés de certains verbes ne s'accordent ni avec le sujet, ni avec le complément : *se rendre compte, se mentir, se plaire, se déplaire*.
*Ils se sont rendu compte de leur erreur.*

(➜ Voir Liste des participes passés les plus fréquents p. 212)

## 3 Les expressions de quantité

**Pour donner une idée des quantités.**

| | | | |
|---|---|---|---|
| **La totalité / L'ensemble des** boutiques **se trouve / se trouvent** en France. | **La plupart / La majorité** de nos clients **aiment** nos produits.<br><br>**La quasi-totalité de** nos boutiques **ont été réagencées**. | **De nombreux / Un grand nombre** d'accords de franchise **seront** signés.<br><br>**Plusieurs / Quelques** magasins **seront fermés**. | **La moitié de** nos projets **est / sont** en cours de réalisation.<br><br>**Les deux tiers de** nos employés **travaillent** à temps complet. |
| Les expressions de quantité expriment **un tout / un bloc**. | Les expressions de quantité expriment **un ensemble presque complet**. | Les expressions de quantité expriment **une quantité plurielle (importante ou non)**. | Les expressions de quantité correspondent à **des fractions** ($\frac{1}{4}$ ; $\frac{1}{3}$ ; $\frac{1}{2}$ ;...). |
| Le verbe est à la **3ᵉ personne du singulier ou du pluriel**. Cela dépend si on considère le bloc ou les éléments du bloc. | Le verbe est à la **3ᵉ personne du pluriel**.<br><br>⚠ Quand les adjectifs de quantité sont employés sans nom, le verbe est au singulier. *La quasi-totalité a été réagencée*. | Le verbe est à la **3ᵉ personne du pluriel**. | Le verbe est à la **3ᵉ personne du singulier ou du pluriel**. Cela dépend si la fraction est au singulier ou au pluriel (*la moitié, les trois quarts*...) et si on considère la fraction ou le nom.<br><br>⚠ La règle est la même pour les pourcentages. |

## 4 Le subjonctif et l'indicatif

**Pour exprimer des degrés de probabilité.**

| | |
|---|---|
| **Il est possible que** ton entreprise la **prenne** en charge.<br>**Il se peut que** tu le **connaisses**. | **Il est probable que** je **viendrai** le mois prochain.<br>**Je suis sûr que** tu **fais** le maximum. |
| On exprime **la possibilité**. → On utilise le **subjonctif**. | On exprime **la certitude et la probabilité** (= presque sûr). → On utilise l'**indicatif**. |
| Les expressions suivantes sont aussi dans ce cas :<br>*Il se pourrait que*<br>*Cela ne m'étonnerait pas que* | Les expressions suivantes sont aussi dans ce cas :<br>*Je suppose que*<br>*Je suis certain(e) / convaincu(e) que*<br>*Il est évident que* |

## 5 L'adjectif verbal

**Pour qualifier.**

| | |
|---|---|
| les solutions les plus **convaincantes**.<br>Une formation **passionnante**.<br>Cette formation était très **prenante**.<br>Un mélange de cas concrets et d'**étonnants** exercices.<br>Des séquences inattendues et **surprenantes**. | **Les adjectifs en -*ant* sont construits à partir d'un verbe** (comme au participe présent) **et s'accordent avec le nom**.<br>*Prendre → prenant(e)(s)*<br>*Passionner → passionnant(e)(s)*<br><br>⚠ Dans certains cas, l'adjectif verbal a une orthographe différente de celle du participe présent.<br><br>**Participe présent** / **Adjectif verbal**<br>*Convainquant* / *Convaincant(e)*<br>*Fatiguant* / *Fatigant(e)* |

## 1. C'est tout le contraire !

**Transformez en négatif la description de l'entreprise. Pour cela, ajoutez les préfixes qui conviennent aux mots en gras.**

Je travaille dans une entreprise **saine**. Le chef est un homme **responsable**, **efficace** et **respectueux**. Les collègues sont des gens **contrôlables** et **tolérants**. Les projets sont **probables**, **réalisables** et **valorisants**. Pour couronner le tout, à la cantine, la nourriture est **mangeable** et le café **buvable**. Je ne sais plus quoi faire tellement je suis **heureux**…

## 2. Une affaire bien menée

**Mettez les verbes entre parenthèses au passé composé et faites les accords, si nécessaire.**

1. Ils (se connaître) dans un salon professionnel.
2. Ils (s'échanger) leur carte de visite.
3. Elle (se permettre) de pointer des dysfonctionnements et (se plaindre).
4. Il (se charger) du dossier mais il (se rendre compte) que ce n'était pas facile.
5. Ils (se téléphoner) pour convenir d'un rendez-vous.
6. Ils (se retrouver) à l'heure dite.
7. Ils (s'imposer) des échéances et (s'organiser) pour travailler efficacement.

## 3. Parole de RRH

**Conjuguez les verbes aux temps indiqués dans le rapport de la RRH.**

1. La plupart de nos employés (*être* au présent) en CDI. Une grande majorité (*travailler* au présent) pour nous depuis plus de 10 ans. 1/3 du personnel (*être* au présent) composé de femmes. Un grand nombre d'entre elles (*avoir* passé composé) des enfants.
2. L'année dernière, la moitié de nos collaborateurs (*bénéficier* au passé composé) d'une formation.

## 4. Soyons précis

**Conjuguez les verbes et déterminez, parmi les phrases proposées, celles qui correspondent à la situation. (Plusieurs réponses sont possibles.)**

1. Vous pensez que le taux de chômage va peut-être baisser.
   a. Ça ne m'étonnerait pas que le taux de chômage (baisser).
   b. Il est évident que le taux de chômage (baisser).
   c. Il est probable que le taux de chômage (baisser).
   d. Il se peut que le taux de chômage (baisser).

2. Vous avez rendez-vous avec un collaborateur à 10 h. Il est 9 h 50.
   a. Il est possible qu'il (arriver).
   b. Il se pourrait qu'il (arriver) à 10 h.
   c. Je suppose qu'il (arriver) bientôt.
   d. Il est probable qu'il (arriver) à l'heure.

## 5. Messages courts

**Dans les sms, choisissez entre le participe présent et l'adjectif verbal, et faites l'accord si nécessaire.**

❶ Bravo Solène, je t'ai trouvée très convainquante / convaincante.

❷ Coucou, tu as bien fait de ne pas venir à la réunion. Marco a été très fatiguant / fatigant avec ses questions !

❸ Sylvie, la personne communiquant / communicant les résultats du test n'est pas là. Qu'est-ce qu'on fait ?

❹ Bonjour Paul, voyage agréable, bon repas, personnel naviguant / navigant très sympa ;-)

❺ Raphaël, je n'ai pas pu aller à Grenoble. Il y a eu beaucoup de neige provoquant / provocant de nombreuses suppressions de trains.

# TESTEZ-VOUS

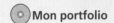 Mon portfolio

## 1. Chiffres à analyser

Lisez les graphiques et choisissez la bonne réponse.

| Infos boursières | 1 mois | 3 mois | 6 mois |
|---|---|---|---|
| Variation action VST (%) | + 3,10 % | - 19,03 % | - 23,80 % |
| Variation CAC 40 (%) | + 2,56 % | - 8,55 % | - 45,48 % |
| Nombre de titres VST échangés | 45 847 178 | 119 048 257 | 257 258 124 |
| Capitaux échangés (M€) | 758,12 | 2 109,48 | 4 318, 20 |

**1.** Ce tableau donne des informations sur :
    a. le montant des dividendes versés aux actionnaires.
    b. les résultats de la société VST.
    c. le volume des transactions de titres de VST.
    d. les investissements effectués par la société VST.

**2.** Selon ce tableau, on constate que :
    a. le cours (le prix) de l'action VST a nettement progressé au cours des six mois.
    b. le montant des capitaux échangés est resté stable au cours des 3 premiers mois.
    c. le nombre de titres échangés est en nette baisse depuis six mois.
    d. le CAC 40 subit un recul très important depuis six mois.

### Formation continue

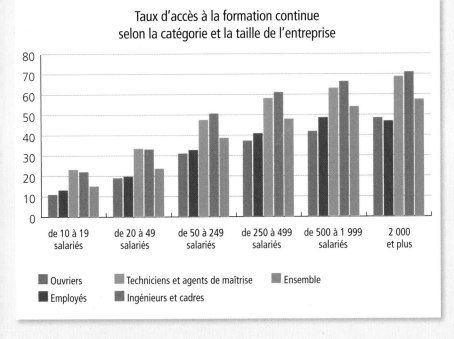

**3.** Selon ce graphique :
a. on s'aperçoit que les ingénieurs et les cadres ont un taux d'accès à la formation continue plus important que les ouvriers.
b. on constate qu'en termes de probabilité d'accès à la formation continue, il vaut mieux être ouvrier dans une petite entreprise que cadre dans une grande société.
c. l'examen des données montre que les ouvriers ont deux fois plus de chance d'être formés que les ingénieurs et cadres.
d. les chiffres révèlent que la taille des entreprises n'a pas de conséquence sur le niveau d'accès à la formation continue.

## 2. Paroles de patrons   Mes audios ▶ 44

Écoutez les deux interviews radiophoniques de chefs d'entreprise et dites si les affirmations suivantes sont vraies, fausses ou si ce n'est pas précisé.

**Interview 1**
1. Il est possible pour les dirigeants de suivre une formation en développement personnel.
2. Des chefs d'entreprise ont signé d'importants contrats à l'étranger.

**Interview 2**
3. Selon les chiffres, les pertes se sont accumulées dans ce secteur industriel.
4. Aujourd'hui, ce secteur a le vent en poupe grâce à la révolution technologique opérée.

# Les principales **formes juridiques** des entreprises françaises

**↘ Quelles sont les principales formes juridiques des entreprises dans votre pays ? Quelle est la forme juridique la plus courante ?**

D'après les caractéristiques décrites dans le tableau ci-dessous, dites quels sont les avantages et les inconvénients des différentes formes juridiques des entreprises françaises. Comparez avec les formes juridiques qui existent dans votre pays.

### Quelle forme juridique choisir ?

| FORMES JURIDIQUES | Entreprise individuelle | Société à responsabilité limitée (SARL) | Société anonyme (SA) | Société par actions simplifiée (SAS) |
|---|---|---|---|---|
| Caractéristiques | « Je n'ai pas besoin de beaucoup d'argent et je veux un minimum de formalités de création. » | « J'ai peu d'associés et de capital à investir. Je veux limiter les contraintes administratives dans ma gestion.» | « J'ai réuni des investisseurs autour de moi. J'ai de grandes ambitions pour mon entreprise. » | « Je veux développer rapidement mon entreprise et avoir une grande liberté de gestion. » |
| Quel est le nombre d'associés ? | 1 : l'entrepreneur individuel | Minimum : 2 (1 pour l'EURL[1]) Maximum : 100 | 7 associés au minimum | 1 associé au minimum (SASU[2]) |
| Quel est le montant du capital social ? | Pas de capital social | • Pas de montant minimum. Il est librement fixé par les associés<br>• Le capital social est divisé en **parts sociales** cessibles avec l'accord des associés (représentant $\frac{3}{4}$ des parts sociales) | • 37 000 € minimum<br>• 225 000 € si la SA fait un appel public à l'épargne. Le capital social est divisé en **actions** librement cessibles | • Pas de montant minimum. Il est librement fixé<br>• Le capital social est divisé en **actions** librement cessibles<br>• Pas d'appel public à l'épargne |
| Qui dirige ? | L'entrepreneur | Un ou plusieurs gérants | Deux modes d'administration :<br>• un conseil d'administration (3 à 18 membres actionnaires avec un Président Directeur Général – PDG)<br>• un directoire (de 1 à 5 membres) | Obligation de nommer un président |
| Quelle est la responsabilité financière du ou des associé(s) ? | • L'entrepreneur individuel est responsable des dettes sur ses biens y compris personnels mais la résidence principale ne peut être saisie<br>• Choix du statut de l'EIRL[3] possible | La responsabilité est limitée au montant des apports de capital dans la société | | |
| AVIS | Simple à constituer mais de fortes charges sociales et pas beaucoup de protection sociale | Statut adapté à de très nombreux projets mais qui demande une certaine rigueur de fonctionnement | Statut réservé aux entreprises à très fort potentiel qui visent une entrée à la Bourse ou l'international | Statut qui offre une grande souplesse |

1. Entreprise unipersonnelle à responsabilité limitée : lorsqu'il n'existe qu'un seul associé.

2. La SAS peut être constituée par le seul fondateur – elle devient alors une société anonyme simplifiée unipersonnelle (SASU) –, celui-ci peut faire appel plus tard à de nouveaux investisseurs. Il décide seul de l'organisation de sa société.

3. Le statut de l'EIRL (Entreprise individuelle à responsabilité limitée) permet à un entrepreneur individuel de protéger son patrimoine en cas de faillite.

# La **formation** en France

↘ **Avez-vous déjà suivi une (des) formation(s) ?**
**Dans quel cadre (pour les besoins de votre travail ou pour des besoins personnels) ?**

↘ **Quelle(s) formation(s) avez-vous suivie(s) ?**
**Où (dans une entreprise, dans un organisme, par Internet) ?**

↘ **Quel type de formation avez-vous suivi (cours, stage, séminaire, atelier,**
**formation en situation de travail, cours particulier, etc.) ?**

↘ **Pour quelle(s) raison(s) / quel(s) objectif(s) ?**

- obtenir un diplôme / une certification
- trouver du travail / changer de métier
- mieux faire son travail
- améliorer ses perspectives de carrière

- éviter de perdre son emploi
- créer sa propre entreprise
- acquérir des connaissances / des compétences sur un sujet qui vous intéresse

↘ **Qui a pris l'initiative de cette (ces) formation(s) ? Vous-même ?**
**Votre employeur ou un organisme ?**

↘ **Cette (ces) formation(s) a-t-elle / ont-elles été à votre charge ou à la charge**
**d'un organisme / de votre entreprise ?**

↘ **Aimeriez-vous suivre une (des) formation(s) complémentaire(s) dans le cadre**
**de votre travail ou pour des besoins personnels ? Laquelle / Lesquelles ?**
**Pour quelle(s) raison(s) / quel(s) objectif(s) ?**

↘ **Dans votre pays, existe-t-il des règles spécifiques relatives aux actions de formation**
**professionnelle continue des salariés ? Quelles sont-elles ?**

**Lisez la fiche pratique suivante et comparez avec ce qui existe dans votre pays.**

## La formation en France

### La formation en alternance

Elle permet d'alterner des périodes d'acquisition de savoir-faire en entreprise et des périodes de formation théorique dispensée dans des centres de formation (écoles, universités…) ou, dans le cadre des contrats de professionnalisation, par l'entreprise elle-même. Il y a deux types de contrat :

- le **contrat d'apprentissage** s'adresse aux jeunes de 16 à 25 ans et a pour objectif l'acquisition d'un diplôme de l'enseignement professionnel ou technologique. Les contrats d'apprentissage recouvrent la préparation à de nombreux métiers et diplômes, depuis les métiers de l'artisanat, de la production et des services jusqu'au bac + 5 avec les écoles d'ingénieurs ou de commerce.
- le **contrat de professionnalisation** s'adresse aux jeunes âgés de 16 à 25 ans qui peuvent ainsi compléter leur formation initiale et aux demandeurs d'emploi âgés de plus de 26 ans.

### La formation professionnelle continue

En France, l'accès des salariés à des actions de formation professionnelle continue est assuré :
- à l'initiative de l'employeur ;
- à l'initiative du salarié notamment grâce au **compte personnel de formation (CPF)** ou dans le cadre du **congé individuel de formation (CIF)** ;
- dans le cadre de périodes ou contrats de professionnalisation.

L'employeur peut planifier, après consultation des représentants du personnel, un **plan de formation**. Il doit alors financer la formation et maintenir la rémunération du salarié.

Le salarié peut demander un **congé individuel de formation (CIF)** sous certaines conditions. Il choisit la formation qu'il veut. À la fin de la formation, le salarié retrouve son poste de travail. Ce sont des organismes agréés qui financent ce congé.

Un **compte personnel de formation (CFP)** est ouvert à toute personne âgée d'au moins 16 ans (ou 15 ans pour les jeunes en contrat d'apprentissage) ayant un emploi ou à la recherche d'un emploi ou accompagnée dans un projet d'orientation et d'insertion professionnelles. Pour les salariés, le CPF est alimenté en heures de formation dont le nombre varie selon la durée du travail dans la limite de 150 heures inscrites sur le compte.

Les **périodes de professionnalisation** ont pour objet de favoriser le maintien dans l'emploi de salariés en CDI ou CDD par des actions de formations qualifiantes ou d'accès à des connaissances ou compétences également utiles dans la vie sociale (communication en français, utilisation des règles de base de mathématiques, utilisation des techniques usuelles de l'information et de la communication numérique, aptitude à travailler en équipe, etc.). Cette période de professionnalisation peut se dérouler pour tout ou partie en dehors du temps de travail.

Source : http://travail-emploi.gouv.fr

*La formation en France*

# SCÉNARIO PROFESSIONNEL

■ **Vous aimeriez participer à un projet humanitaire avec un groupe d'amis.**

### ÉTAPE **1** INFORMEZ-VOUS

⟩ **1** Lisez l'article *Sous quel statut partir pour une mission humanitaire ?* (voir ◉ **Mes documents**) et listez les différents dispositifs et possibilités qui s'offrent à vous : seuls ou par le biais d'une ONG ; congé de solidarité, stage international, bénévolat international, etc.

⟩ **2** Recherchez sur Internet des témoignages de personnes ayant fait des missions humanitaires et faites une synthèse de ce qui vous paraît intéressant ainsi qu'une liste des organismes cités par les internautes.

### ÉTAPE **2** DÉFINISSEZ LE CADRE DE VOTRE PROJET HUMANITAIRE

⟩ **1** Réunissez votre groupe.
**a.** Présentez les informations récoltées à propos des différents statuts possibles pour s'engager dans l'humanitaire et celles trouvées dans les témoignages.
**b.** Discutez de ce qui vous conviendrait le mieux et prenez des décisions sur le type de projet dans lequel vous voulez vous lancer.

⟩ **2** Chaque membre du groupe collecte sur Internet des propositions faites par des organismes humanitaires francophones et en fait une synthèse dans un document PowerPoint.

⟩ **3** Réunissez-vous à nouveau :
**a.** Chacun présente le fruit de ses recherches.
**b.** Prenez une décision commune. Quel pays ? Quand ? Pour quoi faire ?
**c.** Identifiez les tâches à réaliser pour la préparation du projet puis planifiez-les. Reportez-les sur un diagramme de Gantt.

⟩ **4** Rédigez un compte rendu des deux réunions.

⟩ **5** Rédigez un mail à l'organisme choisi pour vous présenter et proposer votre collaboration.

### ÉTAPE **3** RECHERCHEZ DES FONDS

⟩ **1** Calculez tout ce que le projet va vous coûter et formalisez le budget prévisionnel (voir ◉ **Mes documents**).

〉 **2** Réunissez-vous :

**a.** Présentez le budget prévisionnel à votre groupe. Faites les ajustements nécessaires après discussion avec les autres membres du groupe.

**b.** Faites un brainstorming et cherchez ensemble toutes les idées possibles pour collecter des fonds. Notez les idées.

**c.** Renseignez-vous sur le financement participatif en allant sur Internet. Sélectionnez la plateforme de financement qui correspond le mieux à votre projet.

〉 **3** Rédigez une présentation détaillée de votre projet à mettre sur la plateforme et envoyez-la aux autres membres du groupe pour validation avant diffusion. Décrivez votre projet en répondant aux questions : Qui ? Quoi ? Comment ? Où ? Pourquoi ? et indiquez les raisons qui vous poussent à faire appel au public. Illustrez avec des images / photos / vidéos / audios pour capter l'intérêt des gens.

### ÉTAPE **4** 〉 FORMEZ-VOUS

Vous souhaitez vous former.

〉 **1** Allez sur le site de l'Institut de coopération internationale (www. institut-cooperation.com) et sélectionnez la formation qui vous semble la plus intéressante.

〉 **2** Envoyez un mail aux autres membres du groupe pour recommander la formation que vous avez choisie.

〉 **3** Réunissez-vous pour parler des formations et décider laquelle choisir.

### ÉTAPE **5** 〉 PRÉPAREZ VOTRE VOYAGE

〉 **1** Consultez le site du ministère des Affaires étrangères (www.diplomatie. gouv.fr/fr/conseils-aux-voyageurs/) et renseignez-vous sur les risques dans le pays ciblé (climatiques, politiques, sanitaires, géographiques...) et sur les contraintes administratives et médicales. Faites-vous un pense-bête sur ce que vous ne devez pas oublier de faire.

〉 **2** Recherchez des informations sur les us et coutumes du pays ciblé.

〉 **3** Faites un exposé aux membres de votre groupe à partir des informations que vous avez collectées.

# CONJUGAISON

| | | Être | Avoir | Acheter | Aller | Boire |
|---|---|---|---|---|---|---|
| **INDICATIF** | Présent | je suis<br>tu es<br>il/elle/on est<br>nous sommes<br>vous êtes<br>ils/elles sont | j'ai<br>tu as<br>il/elle/on a<br>nous avons<br>vous avez<br>ils/elles ont | j'achète<br>tu achètes<br>il/elle/on achète<br>nous achetons<br>vous achetez<br>ils/elles achètent | je vais<br>tu vas<br>il/elle/on va<br>nous allons<br>vous allez<br>ils/elles vont | je bois<br>tu bois<br>il/elle/on boit<br>nous buvons<br>vous buvez<br>ils/elles boivent |
| | Passé Composé | j'ai été<br>tu as été<br>il/elle/on a été<br>nous avons été<br>vous avez été<br>ils/elles ont été | j'ai eu<br>tu as eu<br>il/elle/on a eu<br>nous avons eu<br>vous avez eu<br>ils/elles ont eu | j'ai acheté<br>tu as acheté<br>il/elle/on a acheté<br>nous avons acheté<br>vous avez acheté<br>ils/elles ont acheté | je suis allé(e)<br>tu es allé(e)<br>il/elle/on est allé(e)<br>nous sommes allé(e)s<br>vous êtes allé(e)(s)<br>ils/elles sont allé(e)s | j'ai bu<br>tu as bu<br>il/elle/on a bu<br>nous avons bu<br>vous avez bu<br>ils/elles ont bu |
| | Imparfait | j'étais<br>tu étais<br>il/elle/on était<br>nous étions<br>vous étiez<br>ils/elles étaient | j'avais<br>tu avais<br>il/elle/on avait<br>nous avions<br>vous aviez<br>ils/elles avaient | j'achetais<br>tu achetais<br>il/elle/on achetait<br>nous achetions<br>vous achetiez<br>ils/elles achetaient | j'allais<br>tu allais<br>il/elle/on allait<br>nous allions<br>vous alliez<br>ils/elles allaient | je buvais<br>tu buvais<br>il/elle/on buvait<br>nous buvions<br>vous buviez<br>ils/elles buvaient |
| | Plus-que-parfait | j'avais été<br>tu avais été<br>il/elle/on avait été<br>nous avions été<br>vous aviez été<br>ils/elles avaient été | j'avais eu<br>tu avais eu<br>il/elle/on avait eu<br>nous avions eu<br>vous aviez eu<br>ils/elles avaient eu | j'avais acheté<br>tu avais acheté<br>il/elle/on avait acheté<br>nous avions acheté<br>vous aviez acheté<br>ils/elles avaient acheté | j'étais allé(e)<br>tu étais allé(e)<br>il/elle/on était allé(e)<br>nous étions allé(e)s<br>vous étiez allé(e)(s)<br>ils/elles étaient allé(e)s | j'avais bu<br>tu avais bu<br>il/elle/on avait bu<br>nous avions bu<br>vous aviez bu<br>ils/elles avaient bu |
| | Futur simple | je serai<br>tu seras<br>il/elle/on sera<br>nous serons<br>vous serez<br>ils/elles seront | j'aurai<br>tu auras<br>il/elle/on aura<br>nous aurons<br>vous aurez<br>ils/elles auront | j'achèterai<br>tu achèteras<br>il/elle/on achètera<br>nous achèterons<br>vous achèterez<br>ils/elles achèteront | j'irai<br>tu iras<br>il/elle/on ira<br>nous irons<br>vous irez<br>ils/elles iront | je boirai<br>tu boiras<br>il/elle/on boira<br>nous boirons<br>vous boirez<br>ils/elles boiront |
| | Futur antérieur | j'aurai été<br>tu auras été<br>il/elle/on aura été<br>nous aurons été<br>vous aurez été<br>ils/elles auront été | j'aurai eu<br>tu auras eu<br>il/elle/on aura eu<br>nous aurons eu<br>vous aurez eu<br>ils/elles auront eu | j'aurai acheté<br>tu auras acheté<br>il/elle/on aura acheté<br>nous aurons acheté<br>vous aurez acheté<br>ils/elles auront acheté | je serai allé(e)<br>tu seras allé(e)<br>il/elle/on sera allé(e)<br>nous serons allé(e)s<br>vous serez allé(e)(s)<br>ils/elles seront allé(e)s | j'aurai bu<br>tu auras bu<br>il/elle/on aura bu<br>nous aurons bu<br>vous aurez bu<br>ils/elles auront bu |
| **CONDITIONNEL** | Présent | je serais<br>tu serais<br>il/elle/on serait<br>nous serions<br>vous seriez<br>ils/elles seraient | j'aurais<br>tu aurais<br>il/elle/on aurait<br>nous aurions<br>vous auriez<br>ils/elles auraient | j'achèterais<br>tu achèterais<br>il/elle/on achèterait<br>nous achèterions<br>vous achèteriez<br>ils/elles achèteraient | j'irais<br>tu irais<br>il/elle/on irait<br>nous irions<br>vous iriez<br>ils/elles iraient | je boirais<br>tu boirais<br>il/elle/on boirait<br>nous boirions<br>vous boiriez<br>ils/elles boiraient |
| | Passé | j'aurais été<br>tu aurais été<br>il/elle/on aurait été<br>nous aurions été<br>vous auriez été<br>ils/elles auraient été | j'aurais eu<br>tu aurais eu<br>il/elle/on aurait eu<br>nous aurions eu<br>vous auriez eu<br>ils/elles auraient eu | j'aurais acheté<br>tu aurais acheté<br>il/elle/on aurait acheté<br>nous aurions acheté<br>vous auriez acheté<br>ils/elles auraient acheté | je serais allé(e)<br>tu serais allé(e)<br>il/elle/on serait allé(e)<br>nous serions allé(e)s<br>vous seriez allé(e)(s)<br>ils/elles seraient allé(e)s | j'aurais bu<br>tu aurais bu<br>il/elle/on aurait bu<br>nous aurions bu<br>vous auriez bu<br>ils/elles auraient bu |
| **SUBJONCTIF** | Présent | que je sois<br>que tu sois<br>qu'il/elle/on soit<br>que nous soyons<br>que vous soyez<br>qu'ils/elles soient | que j'aie<br>que tu aies<br>qu'il/elle/on ait<br>que nous ayons<br>que vous ayez<br>qu'ils/elles aient | que j'achète<br>que tu achètes<br>qu'il/elle/on achète<br>que nous achetions<br>que vous achetiez<br>qu'ils/elles achètent | que j'aille<br>que tu ailles<br>qu'il/elle/on aille<br>que nous allions<br>que vous alliez<br>qu'ils/elles aillent | que je boive<br>que tu boives<br>qu'il/elle/on boive<br>que nous buvions<br>que vous buviez<br>qu'ils/elles boivent |
| | Passé | que j'aie été<br>que tu aies été<br>qu'il/elle/on ait été<br>que nous ayons été<br>que vous ayez été<br>qu'ils/elles aient été | que j'aie eu<br>que tu aies eu<br>qu'il/elle/on ait eu<br>que nous ayons eu<br>que vous ayez eu<br>qu'ils/elles aient eu | que j'aie acheté<br>que tu aies acheté<br>qu'il/elle/on ait acheté<br>que nous ayons acheté<br>que vous ayez acheté<br>qu'ils/elles aient acheté | que je sois allé(e)<br>que tu sois allé(e)<br>qu'il/elle/on soit allé(e)(s)<br>que nous soyons allé(e)s<br>que vous soyez allé(e)(s)<br>qu'ils/elles soient allé(e)s | que j'aie bu<br>que tu aies bu<br>qu'il/elle/on ait bu<br>que nous ayons bu<br>que vous ayez bu<br>qu'ils/elles aient bu |
| **IMPÉRATIF** | Présent | sois<br>soyons<br>soyez | aie<br>ayons<br>ayez | achète<br>achetons<br>achetez | va<br>allons<br>allez | bois<br>buvons<br>buvez |

| Connaître | Devoir | Écrire | Faire | Falloir | Finir |
|---|---|---|---|---|---|
| connais<br>u connais<br>/elle/on connaît<br>ous connaissons<br>ous connaissez<br>s/elles connaissent | je dois<br>tu dois<br>il/elle/on doit<br>nous devons<br>vous devez<br>ils/elles doivent | j'écris<br>tu écris<br>il/elle/on écrit<br>nous écrivons<br>vous écrivez<br>ils/elles écrivent | je fais<br>tu fais<br>il/elle/on fait<br>nous faisons<br>vous faites<br>ils/elles font | il faut | je finis<br>tu finis<br>il/elle/on finit<br>nous finissons<br>vous finissez<br>ils/elles finissent |
| ai connu<br>u as connu<br>/elle/on a connu<br>ous avons connu<br>ous avez connu<br>s/elles ont connu | j'ai dû<br>tu as dû<br>il/elle/on a dû<br>nous avons dû<br>vous avez dû<br>ils/elles ont dû | j'ai écrit<br>tu as écrit<br>il/elle/on a écrit<br>nous avons écrit<br>vous avez écrit<br>ils/elles ont écrit | j'ai fait<br>tu as fait<br>il/elle/on a fait<br>nous avons fait<br>vous avez fait<br>ils/elles ont fait | il a fallu | j'ai fini<br>tu as fini<br>il/elle/on a fini<br>nous avons fini<br>vous avez fini<br>ils/elles ont fini |
| e connaissais<br>u connaissais<br>/elle/on connaissait<br>ous connaissions<br>ous connaissiez<br>s/elles connaissaient | je devais<br>tu devais<br>il/elle/on devait<br>nous devions<br>vous deviez<br>ils/elles devaient | j'écrivais<br>tu écrivais<br>il/elle/on écrivait<br>nous écrivions<br>vous écriviez<br>ils/elles écrivaient | je faisais<br>tu faisais<br>il/elle/on faisait<br>nous faisions<br>vous faisiez<br>ils/elles faisaient | il fallait | je finissais<br>tu finissais<br>il/elle/on finissait<br>nous finissions<br>vous finissiez<br>ils/elles finissaient |
| avais connu<br>u avais connu<br>/elle/on avait connu<br>ous avions connu<br>ous aviez connu<br>s/elles avaient connu | j'avais dû<br>tu avais dû<br>il/elle/on avait dû<br>nous avions dû<br>vous aviez dû<br>ils/elles avaient dû | j'avais écrit<br>tu avais écrit<br>il/elle/on avait écrit<br>nous avions écrit<br>vous aviez écrit<br>ils/elles avaient écrit | j'avais fait<br>tu avais fait<br>il/elle/on avait fait<br>nous avions fait<br>vous aviez fait<br>ils/elles avaient fait | il avait<br>fallu | j'avais fini<br>tu avais fini<br>il/elle/on avait fini<br>nous avions fini<br>vous aviez fini<br>ils/elles avaient fini |
| e connaîtrai<br>u connaîtras<br>/elle/on connaîtra<br>ous connaîtrons<br>ous connaîtrez<br>s/elles connaîtront | je devrai<br>tu devras<br>il/elle/on devra<br>nous devrons<br>vous devrez<br>ils/elles devront | j'écrirai<br>tu écriras<br>il/elle/on écrira<br>nous écrirons<br>vous écrirez<br>ils/elles écriront | je ferai<br>tu feras<br>il/elle/on fera<br>nous ferons<br>vous ferez<br>ils/elles feront | il faudra | je finirai<br>tu finiras<br>il/elle/on finira<br>nous finirons<br>vous finirez<br>ils/elles finiront |
| aurai connu<br>u auras connu<br>/elle/on aura connu<br>ous aurons connu<br>ous aurez connu<br>s/elles auront connu | j'aurai dû<br>tu auras dû<br>il/elle/on aura dû<br>nous aurons dû<br>vous aurez dû<br>ils/elles auront dû | j'aurai écrit<br>tu auras écrit<br>il/elle/on aura écrit<br>nous aurons écrit<br>vous aurez écrit<br>ils/elles auront écrit | j'aurai fait<br>tu auras fait<br>il/elle/on aura fait<br>nous aurons fait<br>vous aurez fait<br>ils/elles auront fait | il aura<br>fallu | j'aurai fini<br>tu auras fini<br>il/elle/on aura fini<br>nous aurons fini<br>vous aurez fini<br>ils/elles auront fini |
| e connaîtrais<br>u connaîtrais<br>/elle/on connaîtrait<br>ous connaîtrions<br>ous connaîtriez<br>s/elles connaîtraient | je devrais<br>tu devrais<br>il/elle/on devrait<br>nous devrions<br>vous devriez<br>ils/elles devraient | j'écrirais<br>tu écrirais<br>il/elle/on écrirait<br>nous écririons<br>vous écririez<br>ils/elles écriraient | je ferais<br>tu ferais<br>il/elle/on ferait<br>nous ferions<br>vous feriez<br>ils/elles feraient | il faudrait | je finirais<br>tu finirais<br>il/elle/on finirait<br>nous finirions<br>vous finiriez<br>ils/elles finiraient |
| aurais connu<br>u aurais connu<br>/elle/on aurait connu<br>ous aurions connu<br>ous auriez connu<br>s/elles auraient connu | j'aurais dû<br>tu aurais dû<br>il/elle/on aurait dû<br>nous aurions dû<br>vous auriez dû<br>ils/elles auraient dû | j'aurais écrit<br>tu aurais écrit<br>il/elle/on aurait écrit<br>nous aurions écrit<br>vous auriez écrit<br>ils/elles auraient écrit | j'aurais fait<br>tu aurais fait<br>il/elle/on aurait fait<br>nous aurions fait<br>vous auriez fait<br>ils/elles auraient fait | il aurait<br>fallu | j'aurais fini<br>tu aurais fini<br>il/elle/on aurait fini<br>nous aurions fini<br>vous auriez fini<br>ils/elles auraient fini |
| que je connaisse<br>que tu connaisses<br>qu'il/elle/on connaisse<br>que nous connaissions<br>que vous connaissiez<br>qu'ils/elles connaissent | que je doive<br>que tu doives<br>qu'il/elle/on doive<br>que nous devions<br>que vous deviez<br>qu'ils/elles doivent | que j'écrive<br>que tu écrives<br>qu'il/elle/on écrive<br>que nous écrivions<br>que vous écriviez<br>qu'ils/elles écrivent | que je fasse<br>que tu fasses<br>qu'il/elle/on fasse<br>que nous fassions<br>que vous fassiez<br>qu'ils/elles fassent | qu'il<br>faille | que je finisse<br>que tu finisses<br>qu'il/elle/on finisse<br>que nous finissions<br>que vous finissiez<br>qu'ils/elles finissent |
| que j'aie connu<br>que tu aies connu<br>qu'il/elle/on ait connu<br>que nous ayons connu<br>que vous ayez connu<br>qu'ils/elles aient connu | que j'aie dû<br>que tu aies dû<br>qu'il/elle/on ait dû<br>que nous ayons dû<br>que vous ayez dû<br>qu'ils/elles aient dû | que j'aie écrit<br>que tu aies écrit<br>qu'il/elle/on ait écrit<br>que nous ayons écrit<br>que vous ayez écrit<br>qu'ils/elles aient écrit | que j'aie fait<br>que tu aies fait<br>qu'il/elle/on ait fait<br>que nous ayons fait<br>que vous ayez fait<br>qu'ils/elles aient fait | – | que j'aie fini<br>que tu aies fini<br>qu'il/elle/on ait fini<br>que nous ayons fini<br>que vous ayez fini<br>qu'ils/elles aient fini |
| onnais<br>connaissons<br>connaissez | –<br>–<br>– | écris<br>écrivons<br>écrivez | fais<br>faisons<br>faites | –<br>–<br>– | finis<br>finissons<br>finissez |

# CONJUGAISON

| | | Mettre | Ouvrir | Payer | Pouvoir | Prendre |
|---|---|---|---|---|---|---|
| **INDICATIF** | Présent | je mets<br>tu mets<br>il/elle/on met<br>nous mettons<br>vous mettez<br>ils/elles mettent | j'ouvre<br>tu ouvres<br>il/elle/on ouvre<br>nous ouvrons<br>vous ouvrez<br>ils/elles ouvrent | je paie / paye<br>tu paies / payes<br>il/elle/on paie / paye<br>nous payons<br>vous payez<br>ils/elles paient / payent | je peux<br>tu peux<br>il/elle/on peut<br>nous pouvons<br>vous pouvez<br>ils/elles peuvent | je prends<br>tu prends<br>il/elle/on prend<br>nous prenons<br>vous prenez<br>ils/elles prennent |
| | Passé Composé | j'ai mis<br>tu as mis<br>il/elle/on a mis<br>nous avons mis<br>vous avez mis<br>ils/elles ont mis | j'ai ouvert<br>tu as ouvert<br>il/elle/on a ouvert<br>nous avons ouvert<br>vous avez ouvert<br>ils/elles ont ouvert | j'ai payé<br>tu as payé<br>il/elle/on a payé<br>nous avons payé<br>vous avez payé<br>ils/elles ont payé | j'ai pu<br>tu as pu<br>il/elle/on a pu<br>nous avons pu<br>vous avez pu<br>ils/elles ont pu | j'ai pris<br>tu as pris<br>il/elle/on a pris<br>nous avons pris<br>vous avez pris<br>ils/elles ont pris |
| | Imparfait | je mettais<br>tu mettais<br>il/elle/on mettait<br>nous mettions<br>vous mettiez<br>ils/elles mettaient | j'ouvrais<br>tu ouvrais<br>il/elle/on ouvrait<br>nous ouvrions<br>vous ouvriez<br>ils/elles ouvraient | je payais<br>tu payais<br>il/elle/on payait<br>nous payions<br>vous payiez<br>ils/elles payaient | je pouvais<br>tu pouvais<br>il/elle/on pouvait<br>nous pouvions<br>vous pouviez<br>ils/elles pouvaient | je prenais<br>tu prenais<br>il/elle/on prenait<br>nous prenions<br>vous preniez<br>ils/elles prenaient |
| | Plus-que-parfait | j'avais mis<br>tu avais mis<br>il/elle/on avait mis<br>nous avions mis<br>vous aviez mis<br>ils/elles avaient mis | j'avais ouvert<br>tu avais ouvert<br>il/elle/on avait ouvert<br>nous avions ouvert<br>vous aviez ouvert<br>ils/elles avaient ouvert | j'avais payé<br>tu avais payé<br>il/elle/on avait payé<br>nous avions payé<br>vous aviez payé<br>ils/elles avaient payé | j'avais pu<br>tu avais pu<br>il/elle/on avait pu<br>nous avions pu<br>vous aviez pu<br>ils/elles avaient pu | j'avais pris<br>tu avais pris<br>il/elle/on avait pris<br>nous avions pris<br>vous aviez pris<br>ils/elles avaient pris |
| | Futur simple | je mettrai<br>tu mettras<br>il/elle/on mettra<br>nous mettrons<br>vous mettrez<br>ils/elles mettront | j'ouvrirai<br>tu ouvriras<br>il/elle/on ouvrira<br>nous ouvrirons<br>vous ouvrirez<br>ils/elles ouvriront | je paierai / payerai<br>tu paieras / payeras<br>il/elle/on paiera / payera<br>nous paierons / payerons<br>vous paierez / payerez<br>ils/elles paieront / payeront | je pourrai<br>tu pourras<br>il/elle/on pourra<br>nous pourrons<br>vous pourrez<br>ils/elles pourront | je prendrai<br>tu prendras<br>il/elle/on prendra<br>nous prendrons<br>vous prendrez<br>ils/elles prendront |
| | Futur antérieur | j'aurai mis<br>tu auras mis<br>il/elle/on aura mis<br>nous aurons mis<br>vous aurez mis<br>ils/elles auront mis | j'aurai ouvert<br>tu auras ouvert<br>il/elle/on aura ouvert<br>nous aurons ouvert<br>vous aurez ouvert<br>ils/elles auront ouvert | j'aurai payé<br>tu auras payé<br>il/elle/on aura payé<br>nous aurons payé<br>vous aurez payé<br>ils/elles auront payé | j'aurai pu<br>tu auras pu<br>il/elle/on aura pu<br>nous aurons pu<br>vous aurez pu<br>ils/elles auront pu | j'aurai pris<br>tu auras pris<br>il/elle/on aura pris<br>nous aurons pris<br>vous aurez pris<br>ils/elles auront pris |
| **CONDITIONNEL** | Présent | je mettrais<br>tu mettrais<br>il/elle/on mettrait<br>nous mettrions<br>vous mettriez<br>ils/elles mettraient | j'ouvrirais<br>tu ouvrirais<br>il/elle/on ouvrirait<br>nous ouvririons<br>vous ouvririez<br>ils/elles ouvriraient | je paierais / payerais<br>tu paierais / payerais<br>il/elle/on paierait / payerait<br>nous paierions / payerions<br>vous paieriez / payeriez<br>ils/elles paieraient / payeraient | je pourrais<br>tu pourrais<br>il/elle/on pourrait<br>nous pourrions<br>vous pourriez<br>ils/elles pourraient | je prendrais<br>tu prendrais<br>il/elle/on prendrait<br>nous prendrions<br>vous prendriez<br>ils/elles prendraient |
| | Passé | j'aurais mis<br>tu aurais mis<br>il/elle/on aurait mis<br>nous aurions mis<br>vous auriez mis<br>ils/elles auraient mis | j'aurais ouvert<br>tu aurais ouvert<br>il/elle/on aurait ouvert<br>nous aurions ouvert<br>vous auriez ouvert<br>ils/elles auraient ouvert | j'aurais payé<br>tu aurais payé<br>il/elle/on aurait payé<br>nous aurions payé<br>vous auriez payé<br>ils/elles auraient payé | j'aurais pu<br>tu aurais pu<br>il/elle/on aurait pu<br>nous aurions pu<br>vous auriez pu<br>ils/elles auraient pu | j'aurais pris<br>tu aurais pris<br>il/elle/on aurait pris<br>nous aurions pris<br>vous auriez pris<br>ils/elles auraient pris |
| **SUBJONCTIF** | Présent | que je mette<br>que tu mettes<br>qu'il/elle/on mette<br>que nous mettions<br>que vous mettiez<br>qu'ils/elles mettent | que j'ouvre<br>que tu ouvres<br>qu'il/elle/on ouvre<br>que nous ouvrions<br>que vous ouvriez<br>qu'ils/elles ouvrent | que je paie / paye<br>que tu paies / payes<br>qu'il/elle/on paie / paye<br>que nous payions<br>que vous payiez<br>qu'ils/elles paient / payent | que je puisse<br>que tu puisses<br>qu'il/elle/on puisse<br>que nous puissions<br>que vous puissiez<br>qu'ils/elles puissent | que je prenne<br>que tu prennes<br>qu'il/elle/on prenne<br>que nous prenions<br>que vous preniez<br>qu'ils/elles prennent |
| | Passé | que j'aie mis<br>que tu aies mis<br>qu'il/elle/on ait mis<br>que nous ayons mis<br>que vous ayez mis<br>qu'ils/elles aient mis | que j'aie ouvert<br>que tu aies ouvert<br>qu'il/elle/on ait ouvert<br>que nous ayons ouvert<br>que vous ayez ouvert<br>qu'ils/elles aient ouvert | que j'aie payé<br>que tu aies payé<br>qu'il/elle/on ait payé<br>que nous ayons payé<br>que vous ayez payé<br>qu'ils/elles aient payé | que j'aie pu<br>que tu aies pu<br>qu'il/elle/on ait pu<br>que nous ayons pu<br>que vous ayez pu<br>qu'ils/elles aient pu | que j'aie pris<br>que tu aies pris<br>qu'il/elle/on ait pris<br>que nous ayons pris<br>que vous ayez pris<br>qu'ils/elles aient pris |
| **IMPÉRATIF** | Présent | mets<br>mettons<br>mettez | ouvre<br>ouvrons<br>ouvrez | paie<br>payons<br>payez | –<br>–<br>– | prends<br>prenons<br>prenez |

| Savoir | Sortir* | Venir | Voir | Vouloir | Voyager |
|---|---|---|---|---|---|
| is | je sors | je viens | je vois | je veux | je voyage |
| ais | tu sors | tu viens | tu vois | tu veux | tu voyages |
| e/on sait | il/elle/on sort | il/elle/on vient | il/elle/on voit | il/elle/on veut | il/elle/on voyage |
| s savons | nous sortons | nous venons | nous voyons | nous voulons | nous voyageons |
| savez | vous sortez | vous venez | vous voyez | vous voulez | vous voyagez |
| les savent | ils/elles sortent | ils/elles viennent | ils/elles voient | ils/elles veulent | ils/elles voyagent |
| u | je suis sorti(e) | je suis venu(e) | j'ai vu | j'ai voulu | j'ai voyagé |
| s su | tu es sorti(e) | tu es venu(e) | tu as vu | tu as voulu | tu as voyagé |
| e/on a su | il/elle/on est sorti(e) | il/elle/on est venu(e) | il/elle/on a vu | il/elle/on a voulu | il/elle/on a voyagé |
| s avons su | nous sommes sorti(e)s | nous sommes venu(e)s | nous avons vu | nous avons voulu | nous avons voyagé |
| s avez su | vous êtes sorti(e)(s) | vous êtes venu(e)(s) | vous avez vu | vous avez voulu | vous avez voyagé |
| les ont su | ils/elles sont sorti(e)s | ils/elles sont venu(e)s | ils/elles ont vu | ils/elles ont voulu | ils/elles ont voyagé |
| vais | je sortais | je venais | je voyais | je voulais | je voyageais |
| avais | tu sortais | tu venais | tu voyais | tu voulais | tu voyageais |
| e/on savait | il/elle/on sortait | il/elle/on venait | il/elle/on voyait | il/elle/on voulait | il/elle/on voyageait |
| s savions | nous sortions | nous venions | nous voyions | nous voulions | nous voyagions |
| saviez | vous sortiez | vous veniez | vous voyiez | vous vouliez | vous voyagiez |
| lles savaient | ils/elles sortaient | ils/elles venaient | ils/elles voyaient | ils/elles voulaient | ils/elles voyageaient |
| ais su | j'étais sorti(e) | j'étais venu(e) | j'avais vu | j'avais voulu | j'avais voyagé |
| vais su | tu étais sorti(e) | tu étais venu(e) | tu avais vu | tu avais voulu | tu avais voyagé |
| e/on avait su | il/elle/on était sorti(e) | il/elle/on était venu(e) | il/elle/on avait vu | il/elle/on avait voulu | il/elle/on avait voyagé |
| s avions su | nous étions sorti(e)s | nous étions venu(e)s | nous avions vu | nous avions voulu | nous avions voyagé |
| s aviez su | vous étiez sorti(e)(s) | vous étiez venu(e)(s) | vous aviez vu | vous aviez voulu | vous aviez voyagé |
| lles avaient su | ils/elles étaient sorti(e)s | ils/elles étaient venu(e)s | ils/elles avaient vu | ils/elles avaient voulu | ils/elles avaient voyagé |
| urai | je sortirai | je viendrai | je verrai | je voudrai | je voyagerai |
| auras | tu sortiras | tu viendras | tu verras | tu voudras | tu voyageras |
| e/on saura | il/elle/on sortira | il/elle/on viendra | il/elle/on verra | il/elle/on voudra | il/elle/on voyagera |
| s saurons | nous sortirons | nous viendrons | nous verrons | nous voudrons | nous voyagerons |
| s saurez | vous sortirez | vous viendrez | vous verrez | vous voudrez | vous voyagerez |
| lles sauront | ils/elles sortiront | ils/elles viendront | ils/elles verront | ils/elles voudront | ils/elles voyageront |
| rai su | je serai sorti(e) | je serai venu(e) | j'aurai vu | j'aurai voulu | j'aurai voyagé |
| uras su | tu seras sorti(e) | tu seras venu(e) | tu auras vu | tu auras voulu | tu auras voyagé |
| e/on aura su | il/elle/on sera sorti(e) | il/elle/on sera venu(e) | il/elle/on aura vu | il/elle/on aura voulu | il/elle/on aura voyagé |
| s aurons su | nous serons sorti(e)s | nous serons venu(e)s | nous aurons vu | nous aurons voulu | nous aurons voyagé |
| s aurez su | vous serez sorti(e)(s) | vous serez venu(e)(s) | vous aurez vu | vous aurez voulu | vous aurez voyagé |
| lles auront su | ils/elles seront sorti(e)s | ils/elles seront venu(e)s | ils/elles auront vu | ils/elles auront voulu | ils/elles auront voyagé |
| aurais | je sortirais | je viendrais | je verrais | je voudrais | je voyagerais |
| aurais | tu sortirais | tu viendrais | tu verrais | tu voudrais | tu voyagerais |
| e/on saurait | il/elle/on sortirait | il/elle/on viendrait | il/elle/on verrait | il/elle/on voudrait | il/elle/on voyagerait |
| s saurions | nous sortirions | nous viendrions | nous verrions | nous voudrions | nous voyagerions |
| s sauriez | vous sortiriez | vous viendriez | vous verriez | vous voudriez | vous voyageriez |
| lles sauraient | ils/elles sortiraient | ils/elles viendraient | ils/elles verraient | ils/elles voudraient | ils/elles voyageraient |
| rais su | je serais sorti(e) | je serais venu(e) | j'aurais vu | j'aurais voulu | j'aurais voyagé |
| urais su | tu serais sorti(e) | tu serais venu(e) | tu aurais vu | tu aurais voulu | tu aurais voyagé |
| e/on aurait su | il/elle/on serait sorti(e) | il/elle/on serait venu(e) | il/elle/on aurait vu | il/elle/on aurait voulu | il/elle/on aurait voyagé |
| s aurions su | nous serions sorti(e)s | nous serions venu(e)s | nous aurions vu | nous aurions voulu | nous aurions voyagé |
| s auriez su | vous seriez sorti(e)(s) | vous seriez venu(e)(s) | vous auriez vu | vous auriez voulu | vous auriez voyagé |
| lles auraient su | ils/elles seraient sorti(e)s | ils/elles seraient venu(e)s | ils/elles auraient vu | ils/elles auraient voulu | ils/elles auraient voyagé |
| je sache | que je sorte | que je vienne | que je voie | que je veuille | que je voyage |
| tu saches | que tu sortes | que tu viennes | que tu voies | que tu veuilles | que tu voyages |
| il/elle/on sache | qu'il/elle/on sorte | qu'il/elle/on vienne | qu'il/elle/on voie | qu'il/elle/on veuille | qu'il/elle/on voyage |
| nous sachions | que nous sortions | que nous venions | que nous voyions | que nous voulions | que nous voyagions |
| vous sachiez | que vous sortiez | que vous veniez | que vous voyiez | que vous vouliez | que vous voyagiez |
| ils/elles sachent | qu'ils/elles sortent | qu'ils/elles viennent | qu'ils/elles voient | qu'ils/elles veuillent | qu'ils/elles voyagent |
| j'aie su | que je sois sorti(e)* | que je sois venu(e) | que j'aie vu | que j'aie voulu | que j'aie voyagé |
| tu aies su | que tu sois sorti(e)* | que tu sois venu(e) | que tu aies vu | que tu aies voulu | que tu aies voyagé |
| il/elle/on ait su | qu'il/elle/on soit sorti(e)(s)* | qu'il/elle/on soit venu(e)(s) | qu'il/elle/on ait vu | qu'il/elle/on ait voulu | qu'il/elle/on ait voyagé |
| nous ayons su | que nous soyons sorti(e)* | que nous soyons venu(e)s | que nous ayons vu | que nous ayons voulu | que nous ayons voyagé |
| vous ayez su | que vous soyez sorti(e)(s)* | que vous soyez venu(e)(s) | que vous ayez vu | que vous ayez voulu | que vous ayez voyagé |
| ils/elles aient su | qu'ils/elles soient sorti(e)s* | qu'ils/elles soient venu(e)s | qu'ils/elles aient vu | qu'ils/elles aient voulu | qu'ils/elles aient voyagé |
| he | sors | viens | vois | – | voyage |
| nons | sortons | venons | voyons | – | voyageons |
| nez | sortez | venez | voyez | veuillez | voyagez |

*rtir se conjugue également avec l'auxiliaire *avoir* aux temps composés quand il y a un complément d'objet

# LES PARTICIPES PASSÉS LES PLUS FRÉQUENTS

| | | | | | |
|---|---|---|---|---|---|
| accomplir | accompli | envahir | envahi | punir | puni |
| accueillir | accueilli | éteindre | éteint | réagir | réagi |
| acquérir | acquis | être | été | recevoir | reçu |
| aller | allé | faire | fait | réfléchir | réfléchi |
| apparaitre | apparu | falloir | fallu | rendre | rendu |
| applaudir | applaudi | finir | fini | répondre | répondu |
| apprendre | appris | fondre | fondu | rester | resté |
| arriver | arrivé | inscrire | inscrit | retourner | retourné |
| avoir | eu | interdire | interdit | réussir | réussi |
| bâtir | bâti | lire | lu | rire | ri |
| boire | bu | mettre | mis | satisfaire | satisfait |
| choisir | choisi | monter | monté | savoir | su |
| comprendre | compris | mourir | mort | séduire | séduit |
| connaitre | connu | naitre | né | sentir | senti |
| construire | construit | obtenir | obtenu | se rendre compte | rendu |
| courir | couru | offrir | offert | servir | servi |
| croire | cru | ouvrir | ouvert | se souvenir | souvenu |
| cuire | cuit | parcourir | parcouru | se tenir | tenu |
| décevoir | déçu | partir | parti | sortir | sorti |
| découvrir | découvert | passer | passé | sourire | souri |
| décrire | décrit | peindre | peint | suffire | suffi |
| défendre | défendu | perdre | perdu | suivre | suivi |
| descendre | descendu | permettre | permis | surprendre | surpris |
| devenir | devenu | plaire | plu | survivre | survécu |
| devoir | dû | pleuvoir | plu | tenir | tenu |
| dire | dit | pourrir | pourri | tomber | tombé |
| disparaitre | disparu | pouvoir | pu | vendre | vendu |
| dormir | dormi | prédire | prédit | venir | venu |
| écrire | écrit | prendre | pris | vivre | vécu |
| entendre | entendu | prévoir | prévu | voir | vu |
| entrer | entré | produire | produit | vouloir | voulu |

# MÉMENTO DES ACTES DE PAROLE

## AGIR

## RÉAGIR

## COMMUNIQUER SUR L'ENTREPRISE

## COMMUNIQUER EN ENTREPRISE

## COMMUNIQUER PAR ÉCRIT

# MÉMENTO DES ACTES DE PAROLE

## AGIR

### Entrer en contact

**Accueillir :**
Bienvenue chez / parmi nous !
Bienvenue dans l'équipe !

**Présenter
des collaborateurs :**
Je te présente (prénom, nom),
notre (fonction).
(Prénom, nom) est notre (fonction).

**Interpeller / attirer
l'attention de quelqu'un
ou interrompre quelqu'un qui
est occupé :**
Excusez-moi.
Excusez-moi de vous déranger /
interrompre.
Au fait…

**Inviter à faire quelque chose /
donner des instructions :**
Entrez. / Venez.
Je vous en prie, asseyez-vous.
Tu peux repasser tout à l'heure ?

**Demander des nouvelles :**
Tout se passe bien ?
Ça s'est bien passé ?
Et comment ça se passe avec vos
collègues ?

### S'exprimer

**Exprimer un souhait
ou demander poliment :**
J'aimerais (bien) /
Je souhaiterais / Je voudrais /
Je préférerais…
Pourriez-vous… ?

**Exprimer sa volonté :**
Je préfère / souhaite que…
Je tiens à…

**Exprimer des sentiments :**
Je suis très heureux(euse).
Je suis (vraiment) touché(e) de… /
que…
Je suis (particulièrement) fier(ère)
de… / que…
Je suis ravi(e) de… / que…

**Exprimer son ressenti :**
J'ai vraiment l'impression de…
Je me demande pourquoi /
ce que / ce qui…
Je me sens inutile.
Je n'arrive pas à…
Je ressens…
On a un sentiment de…

**Exprimer sa satisfaction :**
C'est parfait ! / Parfait !
Je suis très content(e).
Le travail est intéressant.
Ça se passe très bien !
Je suis ravi(e) pour vous !

**Exprimer sa colère /
son exaspération :**
J'en ai assez !
Je ne peux plus continuer à…
Ce n'est plus possible de…
Ça commence à bien faire !
On en a marre !
C'est insupportable !
Ça ne peut plus continuer comme
ça !
Trop, c'est trop !

**Faire des reproches :**
Tu as vu…
C'est toujours moi qui…
Tu aurais pu / dû…
Ce n'est pas une raison pour…

**Formuler des réserves :**
Je t'avoue que…
Je reconnais que…
…, j'en conviens…

**Justifier une action :**
Cela me permet de…
Cela me donne l'occasion de…

**Exprimer la crainte /
l'inquiétude :**
Je crains que…
J'ai bien peur que…
On peut craindre que…
On s'inquiète de…
… de crainte de / que…

**Exprimer son
mécontentement :**
C'est incroyable que…

C'est anormal que…
C'est inadmissible que…

**Exprimer son désarroi /
sa détresse :**
C'est catastrophique !
Ça ne peut plus durer !
C'est décourageant !

**Exprimer de l'empathie :**
Je te comprends.
Ne t'inquiète pas !

**Exprimer une opinion /
une convergence d'opinions :**
Je suis sûr(e) que…
Je trouve que…
Je suis convaincu(e) que…
Je ne pense pas que…
C'est vrai / exact !
Je suis d'accord avec toi / vous.
Je suis de ton / votre avis.
Tu as / Vous avez raison.
C'est normal de…
C'est important de…
C'est toujours intéressant de…
C'est bien de…

**Formuler une requête :**
Vous serait-il possible de… ?
Ce serait possible de… ?

**Proposer une idée :**
Je pense à…
J'imagine…
Je verrais bien…
J'ai une idée ! Si on… ?

### Informer

**Rapporter des paroles /
des propos :**
Je lui ai expliqué que…
Je lui ai dit que…
J'ai ajouté que…
Je lui ai annoncé que…
Je lui ai promis que…
Je lui ai assuré que…
Il / Elle explique que…
Il / Elle demande combien de…
Il / Elle veut savoir qui /
quel(le)(s) / comment / où…
Il / Elle ajoute que…

## Rapporter une information non confirmée :

… serait en train de… / discuterait de…

… porterait sur…

Ce / Cet / Cette / … , qui a peut-être déjà eu lieu, …

… aurait souhaité…

## Citer les auteurs d'une information :

… affirme le journal…

… explique que…

… rapporte que…

## Décrire des situations prévisibles :

Il y a des risques que…

Il est probable que…

Il y a des chances que…

## Indiquer une urgence :

N'attendez pas, … immédiatement !

Il est nécessaire de… de manière urgente.

Vous pouvez… dans les meilleurs délais.

# RÉAGIR

## Répondre

### Répondre à des présentations :

Enchanté.

Ravi(e) / Heureux(se) de vous connaître / de faire votre connaissance / de vous rencontrer.

### Donner son accord :

C'est bon pour moi.

Ça me va / convient.

### Exprimer une approbation / une convergence d'opinions / d'idées :

C'est un bon conseil, en effet !

C'est vrai que…

Vous avez (très) bien fait !

(Ça,) c'est (bien) vrai / exact !

Je suis d'accord avec toi / vous.

Je suis de ton / votre avis.

Tu as / Il a / Elle a / Vous avez raison.

### Exprimer un désaccord / une divergence d'idées :

Je ne suis (absolument) pas d'accord.

Cela me paraît…

Ça ne me convient pas.

Il est difficile pour moi d'accepter de…

### Refuser une requête / une demande :

Non, je suis désolée mais….

J'entends bien vos contraintes mais…

### Admettre ou protester :

Oui / C'est (malheureusement) vrai / en effet / tout à fait…

Non, pas du tout / c'est faux !

### Exprimer la surprise :

Ah bon !

C'est étonnant !

Je suis étonné / surpris !

### Exprimer une opposition / une objection :

C'est vrai que… mais…

Ça a l'air bien en effet mais…

### Différer une réponse :

On verra.

Je vais réfléchir.

Je vais voir ce que je peux faire.

### Reporter une décision :

Je veux réfléchir.

Je vous rappellerai si…

### Émettre une réserve :

Ce n'est pas mal mais…

Vous avez raison mais cela n'explique pas tout…

Peut-être mais…

### Indiquer une bonne compréhension :

Si je comprends bien, …

Je vois le problème…

En fait, vous…

C'est bien ça ?

C'est noté.

Je comprends vos attentes.

C'est entendu.

### Féliciter :

Félicitations !

Bravo !

Je tiens / tenais à vous féliciter.

### Exprimer des degrés de probabilité :

… est susceptible de…

… pourrait sans doute…

Il est possible que / probable que…

… va probablement…

### Exprimer une hypothèse / indiquer une situation hypothétique :

Si on vous propose de…, vous pouvez…

Si vous devez…, faites attention à…

Je te / vous recommande de… au cas où…

Si jamais vous avez / n'avez pas…, vous pourrez… en cas de besoin…

Si c'était à refaire, je…

Je n'aurais pas pu…

À ta / votre place, je…

Si j'étais vous / à votre place, je…

Si j'ai un conseil à donner…

Si j'avais…

### Exprimer la déception ou le regret :

Je regrette de…

Si j'avais su, je…

J'aurais préféré…

Quel dommage !

Quand je pense à tout ce qu'on aurait pu faire !

On aurait mieux fait de…

On aurait dû…

# COMMUNIQUER SUR L'ENTREPRISE

## Informer sur l'historique et le développement

### Raconter l'historique / la création d'une entreprise :
J'ai décidé de me mettre à mon compte.
Je me suis lancé(e).
J'ai créé un site Internet.
J'ai monté mon projet.
J'ai ouvert mon commerce en…
J'ai commencé par…
J'ai testé…
Je bossais très dur.

### Questionner sur les étapes d'une création d'entreprise :
Comment vous avez eu l'idée ?
Vous avez fait une étude de marché avant de vous lancer ?
Comment vous avez créé vos produits ?
Vous avez fait des tests ?
Comment vous avez trouvé le nom de votre boutique ?
Vous avez une clientèle spécifique ?
Quelles sont vos perspectives pour l'avenir ?

### Indiquer des étapes :
Dès que vous avez… la première chose à faire, c'est de…
Une fois que…

### Annoncer des réussites professionnelles :
Nous avons mobilisé…
Nous avons avancé sur…
Nous avons acquis…

### Faire part de projets de développement / de projets commerciaux :
Le groupe s'en donne les moyens.
Le groupe va créer… / mettre en place…
Le groupe a pour objectif de…
La direction a choisi de diversifier ses activités.
Il faut conduire un projet sur le long terme.
Nous voulons nous positionner sur…
Nous travaillons à…
Il est primordial que nous continuions de veiller à…
Nous allons enrichir notre offre / améliorer…

Nous procédons à… / mettons en œuvre / mettons en place…
Nous pensons développer…
Nous prévoyons…

### Indiquer un succès d'entreprise / économique :
Le groupe a renoué avec la croissance..
L'action a gagné…
… a / ont le vent en poupe.
Tout semble aller pour le mieux.
… a / ont beaucoup de succès.

### Indiquer des objectifs commerciaux :
Afin de / Pour fidéliser une clientèle, / répondre aux besoins de, nous…
Pour doper nos ventes, nous allons…

## Informer de problèmes économiques

### Souligner une opposition / des critiques :
… est sous le feu des critiques.
… est devenu(e) la cible préférée de…
… est / sont souvent décrié(e)(s).

### Pointer des problèmes économiques :
Le groupe hôtelier était dans une situation économique désespérée…
Les pertes s'étaient accumulées…
La situation financière est catastrophique avec une baisse importante des marges…
Le groupe a subi des pertes.

### Décrire une situation préoccupante :
… est à la traîne.
… constitue(ent) une menace.
Le point faible est / semble être…
… a pris du retard dans ce domaine.
C'est une perte de maîtrise de notre clientèle.

## Informer sur les conditions de travail

### Préciser les caractéristiques d'un contrat :
Le présent contrat est conclu pour…

Ce contrat est régi par…
Cet engagement est conclu sous réserve de…

### Décrire une clause de mobilité :
(Nom) pourra être amené(e) à se déplacer / être affecté(e) à un autre établissement.

### Décrire un salaire et des avantages financiers :
Le salaire mensuel forfaitaire est fixé à….
(Nom) bénéficiera de l'intéressement aux résultats de la société.
L'intéressement correspond à…
Cette somme est exonérée de…
Les frais professionnels seront pris en charge.

## Informer sur un conflit social

### Décrire un conflit social :
Les salariés sont en grève.
L'activité est complètement arrêtée.
Il y a eu une assemblée générale des salariés.
On a décidé de ralentir l'activité en organisant des débrayages.
Une manifestation est également prévue.
La direction a entamé des négociations.

### Indiquer les raisons d'une contestation :
Nous sommes opposés à…
Nous protestons contre…
Nous réclamons…

### Menacer :
Ils ont intérêt à… sinon…
Si nous n'obtenons pas satisfaction alors…

### Exprimer la détermination :
Nous n'avons plus rien à perdre.
Nous sommes déterminés à nous…

# COMMUNIQUER EN ENTREPRISE

## Informer sur un profil / une carrière / une démission

### Décrire un profil recherché :

Il nous faut quelqu'un qui ait…
C'est important que la personne ait travaillé dans… et qu'elle soit…
Il faut que ce candidat(e) ait acquis…
Il faut une personne qui soit dotée de… / puisse…

### Décrire des fonctions d'encadrement :

Vous pilotez des projets.
Vous conduisez… en organisant, coordonnant et réalisant… nécessaires.
Vous orchestrez…
Vous assurez…
Vous contribuez à…

### Décrire des qualités professionnelles :

Vous êtes autonome / adaptable / ponctuel(elle) / disponible.
Vous avez un excellent contact avec la clientèle.
Vous savez travailler en équipe.
Vous maîtrisez bien nos outils.

### Parler d'un parcours professionnel :

Ça fait huit ans que je travaille / suis expatrié(e) à / au / en (+ *ville ou pays* / chez (+ *nom de l'entreprise*) / comme (+ *fonction*).
Pendant quelques années, j'ai travaillé…
Je suis arrivée à / en / chez… il y a deux ans.
J'ai suivi des cours de… pendant *(durée)*.
En *(durée)*, j'ai…
Ma mission se termine dans *(durée)*.
De… à… *(durée)*, j'ai travaillé au / à / chez / en *(lieu)* comme *(fonction)*.
Je suis en mission au / à / chez / en *(lieu)* depuis…

### Décrire un profil professionnel exceptionnel :

Il a livré divers projets d'envergure et s'est forgé une solide réputation par son professionnalisme, sa clairvoyance et son honnêteté.
Par sa feuille de route considérable en gestion stratégique et sa vaste expérience comme haut dirigeant d'entreprise…

### Donner des éléments d'un parcours professionnel :

*(Nom)* qui œuvre chez… depuis *(date)* a été nommé au poste de…
Au fil de sa carrière, il fut / a été notamment *(fonction)* et dirigea / a dirigé…

### Indiquer des qualités professionnelles :

J'ai un fort sens de…
Excellent(e) communicant(e), autonome et ouvert(e) d'esprit, je travaille en étroite collaboration…
Mon goût pour… , ma capacité à…

### Indiquer des expériences professionnelles :

J'interviens dans…
J'ai piloté / mis en œuvre / dirigé / rédigé / industrialisé / assuré…
Je suis en charge de…
Je possède une expérience approfondie de…

### Indiquer des avantages ou des motivations professionnelles à l'expatriation :

L'international permet d'acquérir de l'expérience.
… est la meilleure formation.
Je souhaite développer mes compétences.
C'est un défi formidable !
Mes motivations pour partir, c'est de…

### Décrire les conditions d'une démission :

J'ai démissionné / donné ma démission.

J'ai rédigé une lettre de démission.
Je négocie un départ anticipé.
Je ne souhaite pas effectuer mon préavis.
Je ne fais qu'un mois de préavis.
Ils me paieront des indemnités de départ.
Je postule pour un autre poste.

## Informer / Expliquer

### Indiquer de changements récents :

Nous venons de…
On vient tout juste de…

### Rapporter des actions passées :

La semaine dernière, je suis allé à…
J'ai noté…
J'ai préparé…
J'ai rencontré…

### Relater des faits passés :

J'avais prévu de… mais…
Vous aviez demandé à…
Nous avons pu…

### Décrire une situation ou des habitudes anciennes :

Nos bureaux étaient sur un seul étage.
Nous étions deux ou trois par bureau.
Moi, par exemple, je partageais un bureau avec un(e) collègue.
C'était bruyant, on ne pouvait pas se concentrer surtout quand l'un de nous téléphonait ou recevait quelqu'un / un visiteur.
En plus, on entendait tout…
On ne travaillait vraiment pas dans de bonnes conditions.
Avant, nous organisions souvent nos réunions dans les bureaux.

### Proposer une idée :

Je pense à…
J'imagine…
Je verrais bien…
J'ai une idée ! Si on… ?

### Suggérer des solutions :

Le mieux est de…

Le plus simple est de…
La meilleure solution est de…
N'hésitez pas à…
Il suffit que…

### Décrire un succès :

Ça s'est très bien passé.
Tout s'est déroulé comme nous l'avions prévu.
Nous avons eu beaucoup de succès.

### Émettre une réserve :

Ce n'est pas mal mais…
Vous avez raison mais cela n'explique pas tout…
Peut-être mais…

### Indiquer une bonne compréhension :

Si je comprends bien, …
Je vois le problème…
En fait, vous…
C'est bien ça ?
C'est noté.
Je comprends vos attentes.
C'est entendu.

## S'informer

### Demander à être mis au courant :

Il ne vous a rien dit d'autre ?
Tenez-moi au courant / informé(e).
Merci de me tenir informé(e) / au courant.

### Interroger sur les objectifs commerciaux :

Est-ce que vos objectifs annuels ont été atteints ?
Quels sont vos résultats ?
Comment expliquez-vous ces résultats ?

## Orienter

### Indiquer l'emplacement d'un bureau :

Votre bureau n'est pas très loin du mien.
Ici, c'est… Ensuite, il y a…
Le / La… se trouve juste après…
Au bout du couloir, il y a…

## Fixer un rendez-vous / Faire un planning

### Suggérer une date / heure de rendez-vous ou indiquer ses préférences :

Est-ce que (date / jour / heure) ça vous conviendrait ?
Je préférerais (date / jour / heure).
Ça m'arrangerait plus (date / jour / heure).
Plutôt (jour), disons (heure).
Et (date / jour / heure) vous seriez disponible ?
(date / jour / heure), ça vous irait ?
(date / jour / heure), si vous voulez.

### Indiquer un empêchement :

(date / jour / heure), c'est impossible.
Non, ça ne m'arrange pas.
Merci de reporter le rendez-vous à…

## Organiser son travail

### Décrire sa gestion du temps :

J'aime faire mon travail dans les temps.
Je prévois du temps pour…
Je garde des créneaux libres pour…
Je peux m'accorder du temps pour…
Ça me permet de quitter mon travail à l'heure.
Pour gagner du temps, je…
J'ai… C'est un gros gain de temps.

### Décrire son organisation au travail :

Je commence par…
Je traite en priorité…
J'ai appris à déléguer.
J'ai pris l'habitude de…
Je ferme ma porte et personne ne doit me déranger.
J'ai organisé…
J'ai synchronisé… et j'utilise…

### Décrire des problèmes d'organisation au travail :

On n'est pas assez nombreux. / On a un problème d'effectif.
Personne ne répond au téléphone.
Il y a le problème des retards / des absences.
Les personnes n'arrivent pas à l'heure au bureau.

Les dossiers des clients ne sont pas traités.

## Travailler en équipe

### Parler de ses collègues :

Ils sont sympathiques / très compétents.
Je m'entends bien avec (prénom / nom de la personne).

### Préciser les rôles de chacun :

Qui sera responsable de… ?
(prénom, nom) s'occupera de…
(prénom, nom) sera en charge de…
Vous vous chargez de… ?

### Indiquer des intentions :

Qu'est-ce que qui est prévu pour… ?
Nous comptons…
Nous avons l'intention de…
Nous avons prévu de…

### Donner des conseils / faire des recommandations / indiquer des nécessités :

Essayez de…
Vous devez… / devriez…
N'oubliez pas de…
Il est indispensable de…
Il faut (que)…
Il est nécessaire de / que…
Il est important de / que…
Faites attention à…
Si j'ai un conseil à donner, …
Si j'étais vous, je…
À votre place, je…

### Faire un retour positif :

Bravo !
C'est exactement ce dont on a besoin.
C'est bien.
Ça correspond bien à…
C'est bien construit.
Ça couvre bien le / les…
… me convient.
… ça va / c'est bon.
C'est très intéressant.

### Insister :

Je pense qu'il faut vraiment…
Il faut absolument que…

## Formuler des préférences :

Il vaut mieux…
Préférez…
Il est préférable de…

## Signaler des difficultés possibles :

Attention, pour… , il faut…
… , ce n'est pas toujours simple.
… , même si c'est difficile parfois.

## Suggérer / proposer / imaginer des solutions :

Si on… , …
Et si vous… ?

## Suggérer des modifications :

Il y a quelques modifications à faire.
Je choisirais…
Je pense aussi à une autre possibilité.
Je te propose de…
On peut supprimer…
Je préfère « … » à « … ».
… (me) pose un (petit) problème.
Il vaut mieux proposer…
Je te laisse apporter les corrections / modifications.

## Décrire un arrangement :

Il faut qu'on s'organise.
On arrive toujours à s'arranger.
On a dit que ce serait chacun son tour.
On peut trouver un arrangement.
On se débrouillera.
Il faut / faudra une bonne répartition des tâches.

## Parler des congés :

Je prends mes congés en…
Les dates sont imposées.
Je partirai du … au … .
Tu pourras donc être en vacances à partir du…
Je prends trois semaines d'affilée.
Tu as / Vous avez bien raison de partir hors saison.
Je (re)pose une semaine pour la rentrée.
Je serai / Nous serons absent(e)
(s)…

## Indiquer des oppositions :

Toi, tu peux… par contre / tandis que moi… !
Contrairement à vous, je…

## Décrire des problèmes d'organisation :

On travaille dans l'urgence.
On n'anticipe pas.
Tout le monde est débordé.
On manque de visibilité sur les objectifs.

## Décrire des problèmes de collaboration / une situation difficile au travail :

Il n'y a pas d'esprit d'équipe, il n'y a pas d'entraide.
Il n'y a pas de communication / d'écoute.
Il n'y a pas de soutien hiérarchique.
Il y a un manque de reconnaissance / de confiance.
J'ai des problèmes avec certains collègues.
L'ambiance et le stress sont insupportables.
Je ne suis plus motivé(e).

## Exprimer des difficultés :

On n'y arrive pas.
J'ai des difficultés à…
Les gens ont du mal à…

## Indiquer des contraintes :

Il va falloir…
On est dans l'obligation de…
Il faut…

## S'opposer à la proposition de quelqu'un :

Le client n'acceptera jamais…
Il n'est pas question de…

## Proposer une idée :

Je pense à…
J'imagine…
Je verrais bien…
J'ai une idée ! Si on… ?

## Demander un avis :

Qu'en penses-tu ? / Qu'est-ce que tu en penses ?
J'aimerais avoir ton avis.

## Accomplir des tâches

### Indiquer une fonction / une mission :

Nous avons besoin de vous pour…
Votre mission / travail consiste à…
Vos missions : …

## Expliquer des tâches en cours :

Je suis en train de revoir toutes les procédures / de faire / rédiger un compte rendu.
Je vérifie le respect de la sécurité.

## Conseiller la vigilance :

Faites attention à…
Veillez à…
Soyez attentif(ive) à…
Évitez de…

## Formuler des préférences :

Il vaut mieux…
Préférez…
Il est préférable de…

## Indiquer l'importance :

Il est indispensable de…
Il est important de…
Il est essentiel de…

## Parler d'un état d'avancement de projet / travaux :

Vous en êtes où de… ?
C'en est où pour… ?
Ça a demandé plus de temps que prévu.
À cause de ça, on a pris énormément de retard.
Ça devrait être prêt…
On s'était engagés pour…

## Téléphoner

### Se présenter et saluer :

(nom / société), bonjour !
Allô, bonjour (nom / société).
Bonjour, c'est (nom) de (société).
(Bonjour.) Ici, (nom) de la (nom de la société).
Allô, bonjour. Vous êtes bien monsieur, madame… ?
Bonjour, je suis (nom) de (société).
Vous êtes sur la boîte vocale de…

### Donner / Demander le motif d'un appel :

Je vous appelle au sujet de… / parce que…
Je vous téléphone parce que… / pour…
C'est à quel sujet ? C'est pour quoi ?

### Proposer de prendre / laisser un message / de rappeler :

Vous pouvez laisser un message

après le bip sonore ou renouveler votre appel du… au… , de… à… Laissez-nous un message, nous vous contacterons dans les plus brefs délais.

## Demander un rappel téléphonique :

J'attends votre appel / votre réponse. Pouvez-vous me rappeler (rapidement), s'il vous plaît ? Merci. Merci de me rappeler au… Rappelez-moi au…

## Informer d'une indisponibilité :

Nos bureaux sont actuellement fermés.
Nous ne sommes pas disponibles pour le moment.
Le poste ne répond pas.
Il / Elle est en ligne / en réunion.

## Se réunir

### Expliquer le déroulement d'un plan action / d'un programme / d'une réunion :

(Tout) D'abord / Pour commencer / En premier lieu / Premièrement
Ensuite / Après / En deuxième lieu / Deuxièmement
Pour finir / terminer / conclure / Enfin / En conclusion

### Annoncer l'ordre du jour :

Nous sommes réunis pour…
Notre réunion a pour objet / but de…

### Annoncer un plan / un développement :

Pour commencer, je vais laisser la parole à…
Ensuite, nous verrons / aborderons…
Puis nous terminerons par…
Pour conclure, …

### Donner la parole :

Je vais laisser / céder la parole à…
Nous allons écouter…
Vous pourrez / pouvez poser vos questions / faire des remarques / donner votre avis.
Oui, (nom), tu veux / vous voulez intervenir ?
À propos, (nom), tu peux /

vous pouvez nous en parler ?
Je voudrais revenir vers vous (nom).
(Je vous en prie,) Allez-y !

### Prendre la parole :

Pardon / Vous permettez ? / Excusez-moi de vous couper la parole.
Je voudrais ajouter une précision / faire une remarque / un commentaire / dire quelque chose.

### Poser une question :

Je peux vous poser une question ?
J'ai une question.
Je voudrais savoir combien / où / quand / comment…

### Garder la parole :

S'il vous plaît, je peux terminer ?
Je peux ajouter quelque / autre chose ?

### Limiter le temps de parole :

Je vous demanderais d'être bref car il nous reste peu de temps.
Le temps qui nous est imparti est bientôt écoulé.
Il nous reste juste quelques minutes pour des questions…

### Inciter à faire des propositions :

Une autre idée ?
Vous avez des idées pour… ?

### S'expliquer ou reformuler ses propos :

Excusez-moi, je me suis mal exprimé(e). Je m'explique : …
Pardon, je veux dire : « … ».

### Conclure :

Ce sera tout pour aujourd'hui.
Je vous remercie.

## Faire un rapport / un exposé / un discours

### Donner / Commenter des chiffres / des données économiques :

Le salon a réuni / a accueilli…
exposants / visiteurs…
… est supérieur à…
Une grande majorité de…
Nombreux sont les…
Une moyenne de…

Le chiffre d'affaires s'élève à…
Le taux de croissance s'établit à…
Nous comptons…
Nous tablons sur…
Une activité en progression de…
Les résultats de l'année sont excellents / encourageants.
Ces chiffres représentent une progression de… par rapport à…
Ce chiffre reste stable / est en hausse / en baisse.
Ce qui correspond à une hausse / une baisse de…
Ce qui représente une progression / diminution de…
Le début de l'année a été difficile avec un recul de…
Cette hausse / baisse s'explique par une activité en progression / en baisse.
Le chiffre d'affaires a considérablement baissé / augmenté / stagné suite à une baisse / hausse notable de…
La marge commerciale a progressé / diminué de… / ne cesse de…
L'année a été marquée par…

### Pointer des dysfonctionnements :

Les critères de choix ne sont pas formellement définis.
Il n'y a pas de procédure de…
On ne sait pas sur quels critères…
… ne permet pas d'assurer…
Aucune mention ne permet…
… n'est pas optimale.
… est / sont trop succinct(e)(s).
… ne fait pas l'objet de…
… montre quelques failles.
Il n'y a pas de garantie que…
Les données ne sont pas analysées régulièrement.
Il n'existe aucun…

### Décrire des points satisfaisants :

… est / sont réalisé(e)(s) dans de bonnes conditions.
… permet bien de…
… est / sont systématique(s).
… est / sont bien entretenu(e)(s).
… se fait dans des conditions tout à fait satisfaisantes.

## Indiquer la finalité d'une formation / des précisions :

Il s'agit d'une formation qui t'apprend à…
On te donne des pistes pour…
On t'explique comment…
Tu acquières…
Tu pourras exercer avec plus de diplomatie / formuler des demandes et des critiques de manière constructive.

## Décrire une formation :

Une formation absolument passionnante et bénéfique / très dense et très prenante / composée d'un savant mélange de… / des séquences inattendues et surprenantes.
C'est très efficace.
Tout se fait dans une ambiance très sympathique et propice aux échanges.
Les formateurs étaient très pros.
L'organisme de formation était très sérieux et compétent.

## Proposer de boire en formulant un vœu ou en l'honneur de quelqu'un :

Je vous invite à lever votre verre à…
Je vous propose de trinquer en l'honneur de…
Portons un toast à… !
Buvons à…

## Discuter

### Introduire des explications ou des exemples :

Autrement dit, …
En effet, il vaut mieux…
Par exemple, …
Cela veut dire que…

## Acheter / Vendre

### Proposer de l'aide :

Je peux vous aider ?
Qu'est-ce que je peux faire pour vous ?

### Indiquer une utilité / un besoin :

Il permet de se…
Vous voulez vous en servir comme… ?

J'en ai besoin pour…
C'est pour…
J'aimerais l'utiliser pour…

## Parler de conditions de vente :

Avez-vous votre facture et votre bon de garantie ?
Je ne peux plus appliquer la clause de remboursement ou d'échange…
Il est sous garantie « pièces et main d'œuvre ».

## Interroger sur des besoins :

Quels sont vos besoins ?
Dans quel but voulez-vous… ?
Pouvez-vous (me) décrire… ?
Quelle est votre problématique ?
Quelle serait pour vous… ?
Qu'attendez-vous de… ?

## Inciter / convaincre :

C'est parfaitement adapté à votre situation / vos besoins.
C'est vraiment bien pour…
C'est une bonne occasion de…
Vous avez à votre disposition…
Vous disposez d'…
Je vous propose de profiter d'…
Vous avez également la possibilité de…
Je peux vous faire bénéficier de / Vous bénéficiez de…

## Exprimer des réticences :

Ça ne m'intéresse pas.
C'est beaucoup trop cher pour mon budget.
Ce n'est pas ma priorité aujourd'hui.

## Répondre à des objections :

Je vous comprends mais…
Ce serait dommage de ne pas profiter de…
Ça ne vous engage à rien.

## Indiquer une recherche de solution :

Je vais essayer de trouver une solution.
Je vais voir avec ma responsable ce qu'on peut faire.

## Proposer un arrangement :

Nous allons faire un geste commercial.

Nous acceptons exceptionnellement de vous rembourser.

## Décrire des conditions de vente (en ligne) :

Pour passer commande, …
Une commande validée ne peut plus être annulée.
Le client doit vérifier les marchandises à la réception.
Les articles commandés sur la boutique en ligne peuvent être retournés dans un délai de (délai) après la date de réception.

## Interroger sur des conditions de vente en ligne :

Est-ce que … restent bien confidentielles / la livraison est gratuite / je peux annuler ma commande ?
Je peux annuler ma commande ?
J'ai des frais supplémentaires à payer ?
Je veux savoir quand je recevrai les articles.
Comment je sais que ma commande a bien été enregistrée ?

## Formuler une promesse / un engagement :

… garantit que…
… s'engage à…
Tous les produits bénéficient de la garantie légale de conformité / de la garantie de vices cachés.

## Décrire un appareil / un service

### Décrire les caractéristiques et les fonctionnalités d'un ordinateur ou d'un outil informatique :

Il est pratique.
Il pèse moins d'un kilo.
Il a une batterie avec une autonomie de 3 h 30.
La page d'accueil s'affiche en moins de trente secondes.
Vous avez des applications et des logiciels très utiles.
L'écran est petit / large.
Le disque dur a une faible / grande capacité.

Vous pouvez brancher un disque dur externe.
Il y a plusieurs ports USB.

### Décrire un excellent service :
Ils / Elles font le maximum pour…
Ils / Elles offrent un(e) / de vraies…
Tout est fait pour…
Il(s) / Elle(s) est / sont la / le(s) champion(ne)s de…

### Vanter les caractéristiques spécifiques d'un produit :
Il faut… grâce à un emballage efficace / une couleur attrayante / un matériau inattendu / une forme inhabituelle / un produit haut de gamme / original.

### Indiquer des critères d'excellence :
Ils offrent / proposent / servent :
– le / la meilleur(e)…
– le / la / les…
– le / la / les plus (adjectif)

## Décrire des problèmes

### Décrire des problèmes concernant des articles :
En cas d'articles manquants, non conformes ou défectueux…
La lampe ne fonctionne pas.
Il y a trois assiettes cassées.

### Décrire une situation problématique :
Rien n'est…
Nous n'avons que…

Ce n'est pas toujours facile de…
Il y a vraiment trop de…
Notre assistant(e) perd énormément de temps à…
Nous avons de plus en plus de… et de moins en moins de…
On ne retrouve pas toujours…
C'est embêtant pour…

### Indiquer des problèmes :
On a mal évalué…
On n'a pas pu respecter… et on a dû…
Nous avions sous-estimé…
Il y a eu un problème de…
Il a fallu que…
On ne savait pas très bien ce que / qui…
Nous n'avions pas anticipé…
Nous avons passé beaucoup de temps et d'énergie à…

## Voyager

### Détailler un programme de voyage :
Vous séjournerez à (lieu) du … au … (date).
Notre guide local vous accueillera à l'aéroport et vous accompagnera à votre hôtel.
La première journée sera libre et vous pourrez profiter de la ville.
Vous logerez dans des hôtels de charme.
Vous vous envolerez pour… / Vous prendrez votre vol pour…
Vous resterez trois nuits à (ville / région)…

Vous continuerez votre circuit en mini-bus climatisé. / Vous irez jusqu'à… / Vous embarquerez à bord d'un…
Vous visiterez un site.
Vous découvrirez un paysage grandiose.

### Proposer des services :
Nous organiserons pour vous… / Nous pouvons nous charger de…
Nous pourrons vous aider à…
Nous assurerons pour vous une assistance 24 h/24 h. / Nous vous proposons un service d'assistance.
Nous nous occuperons de tout.
Vous pouvez compter sur nous pour…

### Décrire des problèmes en déplacement :
Le vol a été annulé.
À l'arrivée à … , ma valise était manquante.
Je me suis retrouvé(e) sans mes effets personnels.
Ce vol est parti avec plus de (durée) de retard.
J'ai raté ma correspondance.
J'ai manqué un rendez-vous important.
J'ai dû acheter un autre billet d'avion.
Je n'ai pas pu…
Résultat, je me suis retrouvé(e) sans mes effets personnels.

# COMMUNIQUER PAR ÉCRIT

## Rédiger un courriel professionnel

### Commencer :
*Très formel (ton distant)*
Madame, Monsieur
Chère Madame, cher Monsieur
*Neutre*
Bonjour

*Amical*
Bonjour (+ prénom)
Prénom

### Prendre congé :
*Très formel (ton distant)*
Je vous prie de / Nous vous prions de recevoir / d'agréer,

cher Monsieur / chère Madame, mes / nos meilleures salutations.
*Formel*
Sincères salutations.
*Neutre*
Cordialement.
Bien à vous.
Bonne journée.

# Rédiger une lettre professionnelle

## Faire référence à une lettre / à une demande / un appel téléphonique / un événement :

Je vous remercie de / Nous vous remercions de / Merci de votre intérêt / confiance / demande...
Comme suite à votre demande / offre / proposition / notre conversation téléphonique...
J'ai bien reçu / Nous avons bien reçu / votre demande / offre / documentation / devis...
Le (date), nous avons / j'ai commandé...
À la lecture de...
J'ai constaté / Nous avons constaté... concernant / relatif(ive) à...
J'accuse réception / Nous accusons réception de...

## Exprimer l'intérêt porté à une demande :

Nous avons lu avec la plus grande attention / le plus grand intérêt votre lettre.
Votre courrier a retenu toute notre attention.

## Indiquer la prise en compte d'un problème :

Nous avons tout de suite contacté...
Nous cherchons à satisfaire au mieux notre clientèle.
Soyez assuré(e)(s) que nous ferons tout notre possible pour...

## Faire part d'un mécontentement :

Nous tenons / Je tiens à vous faire part de mon mécontentement.
Nous avons / J'ai le regret de vous faire part de ma très grande insatisfaction.

## Donner un renseignement / annoncer un envoi :

Je vous envoie / Je vous fais parvenir / Nous vous envoyons / Nous vous faisons parvenir / Je vous adresse / Nous vous adressons une proposition / une offre / un devis... dans les meilleurs délais.
J'aimerais / Nous aimerions vous envoyer / J'ai / Nous avons le plaisir de vous envoyer / adresser / faire parvenir...

## Demander un renseignement / un service :

Je vous demande de / Nous vous demandons de / Je vous prie de / Nous vous prions de bien vouloir nous envoyer / adresser / faire connaître...
Je vous invite à / Nous vous invitons à...
Je vous remercie de / Nous vous remercions de / Merci de... /
J'aimerais... / Nous aimerions... /
Je voudrais... / Nous voudrions... /
Je désirerais... / Nous désirerions... /
Pourriez-vous... / Serait-il possible de...

## Informer d'un désagrément / d'un inconvénient :

Ce retard / Cet incident / Ce contretemps m'a / nous a causé de nombreux désagréments...
Or, j'ai eu / nous avons eu la mauvaise surprise de constater que...
Malgré ma / notre vive contestation, j'ai été obligé(e) de / nous avons été obligé(e)s de / contraint(e)(s) de / j'ai été / nous avons été dans l'obligation de...

## Expliquer les motifs d'une réclamation :

Or, je n'ai / nous n'avons toujours pas reçu...
Contrairement à vos conditions de vente, ...
Malheureusement, j'ai constaté / nous avons constaté que... / alors que...
Il y a une erreur.
Vous avez omis de déduire...
Vous avez débité mon compte de... au lieu de le créditer de...

## Rappeler des engagements pris :

Vous m'aviez promis / Vous nous aviez promis de...
Vous vous étiez engagé(e) à...
Vous deviez...

## Demander une indemnisation / une réparation pour un préjudice

Je vous demande de me / Nous vous demandons de nous rembourser la totalité des frais et de faire un geste commercial pour me / nous dédommager du préjudice subi.
Par conséquent / En conséquence, je vous demande / nous vous demandons le remboursement de tous les frais engagés.

## Indiquer des conséquences :

Ce retard / Ce contretemps / Cet incident me / nous cause un important préjudice.
Nous ne pouvons pas honorer nos propres engagements.

## Demander une suite :

Je compte / Nous comptons sur...
En conséquence, je vous saurais / nous vous saurions gré de...
J'attends...
Je vous prie / Nous vous prions donc de...
Merci de...

## Informer d'un document joint :

Vous trouverez ci-inclus(e) / ci-joint(e).

## Présenter des excuses :

Je vous prie / Nous vous prions d'accepter toutes mes / nos excuses / de m'excuser / de nous excuser pour l'incident / le retard / le dommage / le désagrément subi / l'erreur...
Je suis désolé(e) / Nous sommes désolés de...
Avec toutes mes / nos excuses renouvelées...

## Exprimer l'espoir de garder de bonnes relations :

Nous espérons que vous continuerez à nous accorder votre confiance.

Nous espérons que nous continuerons à vous compter parmi nos fidèles clients.

## Conclure / remercier :

Je reste / Nous restons à votre entière disposition.
Je vous remercie de… / Nous vous remercions de… / Merci de votre aide / attention / compréhension / collaboration…

## Demander une réponse :

Dans l'attente d'une réponse rapide de votre part / d'un prompt règlement…
Je compte / Nous comptons sur une prompte réponse de votre part.

## Prendre congé (formules de politesse) :

Je vous prie / Nous vous prions de recevoir / d'agréer, Madame / Monsieur / cher Monsieur / chère Madame mes / nos meilleures salutations / mes / nos sentiments (très) distingués.
Veuillez agréer, Madame, Monsieur, …
Je vous prie / Nous vous prions de croire, cher(ère) client(e) à nos sentiments dévoués.
Je vous prie / Nous vous prions d'agréer, Madame le directrice / Monsieur le directeur, mes / nos respectueuses salutations.

## Rédiger une invitation

### Formuler une invitation :

Nous sommes heureux de vous inviter…
Vous êtes convié(e) au / à…
Rigeco a le plaisir de vous convier / inviter à…
Vous êtes les bienvenus à…

### Donner des indications sur le lieu et le moment d'un événement :

(nom de l'événement) se tiendra / aura lieu du … au … / le (date) à (lieu).
Un pot de clôture sera organisé à l'issue de…

### Indiquer le thème et / ou le programme d'un événement :

(nom) organise une journée d'information et d'échanges.
Le matin, une table ronde réunira…
L'après-midi s'ouvrira sur / débutera par…
Différents ateliers se dérouleront tout au long de l'après-midi.

### Demander une confirmation de présence :

Nous vous remercions de nous confirmer votre présence avant le (date).
Inscrivez-vous par email.

Achevé d'imprimer en Mai 2022 en Italie par L.E.G.O. S.p.A. Lavis
Dépôt légal : Février 2016 - Édition 06
89/6339/4